3 1994 01178 9580

SANTA ANA PUBLIC LIBRARY

Liber 03

14.70

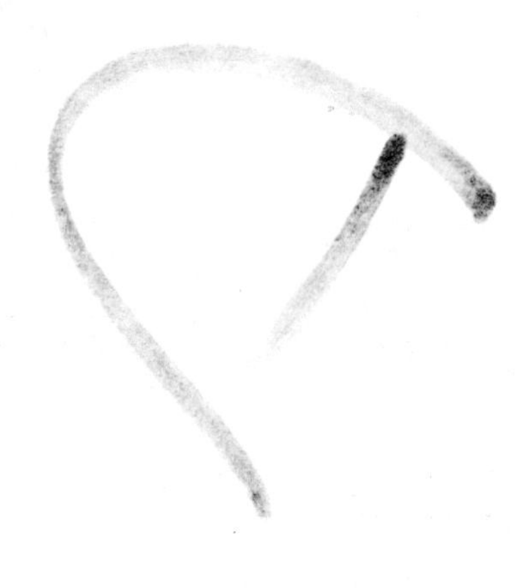

La sombra del águila

PAIDÓS HISTORIA CONTEMPORÁNEA

Títulos publicados

1. J. Bourke - *La Segunda Guerra Mundial. Una historia de las víctimas*
2. J. F. Hoge, Jr., y G. Rose - *¿Por qué sucedió? El terrorismo y la nueva guerra*
3. E. A. Johnson - *El terror nazi. La Gestapo, los judíos y el pueblo alemán*
4. W. Laqueur - *Una historia del terrorismo*
5. U. Goñi - *La auténtica Odessa. La fuga nazi a la Argentina de Perón*
6. A. Nivat - *El laberinto checheno. Diario de una corresponsal de guerra*
7. M. Hertsgaard - *La sombra del águila. Por qué Estados Unidos suscita odios y pasiones en todo el mundo*

Mark Hertsgaard

La sombra del águila

Por qué Estados Unidos suscita odios y pasiones en todo el mundo

SP 973 HER
Hertsgaard, Mark, 1965-
La sombra del aguila
31994011789580

PAIDÓS
Barcelona • Buenos Aires • México

Título original: *The Eagle's Shadow*
Publicado en inglés, en 2002, por Farrar, Straus and Giroux, Nueva York

Traducción de Albino Santos Mosquera

Cubierta de Joan Batallé

Quedan rigurosamente prohibidas, sin la autorización escrita de los titulares del *copyright*, bajo las sanciones establecidas en las leyes, la reproducción total o parcial de esta obra por cualquier medio o procedimiento, comprendidos la reprografía y el tratamiento informático, y la distribución de ejemplares de ella mediante alquiler o préstamo públicos.

© 2002 by Mark Hertsgaard
© 2003 de la traducción, Albino Santos Mosquera
© 2003 de todas las ediciones en castellano,
Ediciones Paidós Ibérica, S. A.,
Mariano Cubí, 92 - 08021 Barcelona
y Editorial Paidós, SAICF,
Defensa, 599 - Buenos Aires
http://www.paidos.com

ISBN: 84-493-1374-0
Depósito legal: B. 2.115/2003

Impreso en A & M Gràfic, S. L.
08130 Santa Perpètua de Mogoda (Barcelona)

Impreso en España - Printed in Spain

Para Francesca

Sumario

Agradecimientos

Quiero dar las gracias, en primer lugar, a los centenares de personas de todo el mundo cuyas opiniones y cuya curiosidad acerca de Estados Unidos me inspiraron para escribir este libro. Algunas de ellas aparecen nombradas en el texto, pero para todas va mi agradecimiento. También estoy agradecido a los autores y periodistas cuyo trabajo cito y animo a los lectores a explorar sus obras en profundidad.

Agradezco también a mis agentes literarios, tanto los de aquí como los del extranjero. Estoy especialmente agradecido a Ellen Levine y a Diana Finch, en Nueva York, por ejercer de representantes de este libro con tanta vehemencia y destreza.

A mis editores de todo el mundo: gracias, colegas, por creer en este libro y presentárselo al mundo. Quiero agradecer especialmente a Jonathan Galassi, en Nueva York, y, en Europa, a Eva Cossee y a Christoph Buchwald, por aquella conversación —sentados a la mesa de su cocina, en Amsterdam— que me mostró el camino.

Gracias a Michael Lerner y a los redactores de *Commonweal* por proporcionarme un espacio tranquilo y precioso para escribir, y a mis colegas del programa «Living on Earth» de la NPR por hacerse cargo de mi parte del trabajo mientras estaba ocupado con este libro.

Gracias a todos los lectores de mi primer manuscrito —Denny May, Mark Cohen, Tom Devine, Mark Schapiro, Francesca Vietor, John Alves, Diana Finch, Ellen Levine, Christoph Buchwald, Jonathan Galassi, Bill Swainson, y la gente de Bloomsbury— por lo raudos que fueron en enviarme sus certeros y esclarecedores comentarios. También quiero agradecer a Paul Slovak, Nathan Johnson, Mark Dowie, Steve Talbot, David Fenton, Lisa Simeone, David Corn,

Steve Cobble, Camilla Nagler, Joan Walsh, Jonathan King, Beth Daley, Paul Robbins, Stephanos Stephanides, Mark Childress, Jane Kay, Eric Brown, Sarah Anderson, John Dinges y Shoon Murray, por sus consejos, su información y su apoyo. Por último, gracias muy especiales al siempre competente James Wilson, de Farrar, Straus and Giroux.

Mi agradecimiento más afectuoso es para mis amigos y mi familia, y, por encima de todo, para mi esposa, Francesca Vietor, quien me proporcionó su apoyo de mil maneras diferentes a lo largo de este proyecto y que incluso me ayudó a encontrarle un título. Eres la mejor.

Nota introductoria

Como se podrá apreciar en el propio texto, este libro se basa, en buena parte, en entrevistas y observaciones directas realizadas por el autor durante dos dilatados viajes alrededor del mundo. El más reciente, emprendido específicamente con motivo de este libro, empezó en mayo de 2001, concluyó en noviembre de ese año e incluyó escalas en Italia, Egipto, Sudáfrica, Zimbabwe, Botswana, Holanda, Dinamarca, Suecia, Alemania, Francia, Inglaterra, Bélgica, la República Checa, España y Japón. El viaje anterior tuvo su inicio en 1991, se prolongó por un período de seis años (durante los que regresé esporádicamente a Estados Unidos) e incluyó visitas a Holanda, Francia, Italia, Alemania, Suecia, Finlandia, Rusia, la República Checa, Grecia, Hungría, Turquía, España, Inglaterra, Dinamarca, Kenia, Sudán, Uganda, Tailandia, Hong Kong, China y Brasil. Posteriormente visité también Cuba y México.

En las notas que aparecen a lo largo del libro, no incluyo las referencias de las citas y los relatos extraídos de esos viajes; asumo que las descripciones ofrecidas en el texto son suficientes. Estas notas ofrecen las citas de las fuentes de las que están extraídos los datos y las opiniones que no pude recoger de primera mano. No incluyo las referencias de todos los datos y hechos que aparecen en el texto, especialmente si en el mismo se deja clara la fuente de la información (por ejemplo, si cito un editorial del diario *The Independent* de Londres del 14 de septiembre de 2001, no repito la cita en las presentes notas). Tampoco sobrecargo las notas de referencias de comentarios a los que se haya dado ya una gran publicidad informativa, como la declaración de George W. Bush, del 20 de septiembre de 2001, en la que decía que las naciones extranjeras estaban «con nosotros o bien están con los terroristas». Únicamente pretendo indicar la procedencia de las afirmaciones que no sean evidentes, ampliamente reconocidas o fácilmente verificables sin necesidad de una guía especial.

Capítulo 1

La superpotencia provinciana

Para Malcolm Adams, como para la mayoría de personas en todo el mundo, América es más una imagen mental que un lugar real. Con casi toda seguridad, él no llegará nunca a ver Estados Unidos con sus propios ojos: nunca llegará a tener el dinero para permitirse el viaje, pero eso es algo que no disminuye ni un ápice su interés por ese lugar.

Conocí a Malcolm en un autobús en Sudáfrica, en junio de 2001. Él era conductor del Baz Bus, un servicio regular de enlace famoso entre los mochileros que viajan por Sudáfrica por ser una forma barata (aunque no siempre fiable) de desplazarse entre las principales ciudades y las áreas rurales turísticas. El día que me recogió se dirigía al este, siguiendo la costa, hacia Durban. Caía la tarde y el sol del invierno se encontraba ya bajo sobre el horizonte. A los lados de la carretera, cientos de personas, en grupos de cinco o seis, volvían caminando a sus casas. A nuestra derecha, el Océano Índico, al batir contra el límite meridional de la masa continental africana, dejaba una estela destellante de espuma.

Malcolm tenía treinta y dos años, pero su rostro de piel tersa y su vivaz forma de ser le hacían parecer más joven. Al igual que su padre, él había trabajado toda su vida adulta de conductor, aunque cuando era adolescente soñaba con ser oficial naval. «Tenía aptitudes», explicaba con cierta nostalgia, «pero en el antiguo sistema el color de tu piel podía impedirte el acceso a ese tipo de cosas». Ahora trabajaba en jornadas de catorce horas conduciendo de una punta a otra de Sudáfrica. El paisaje era maravilloso, pero echaba de menos a su mujer y a sus dos hijos, a quienes sólo veía los fines de semana.

Aun así, decía, este trabajo era mejor que el anterior, en el que conducía los autobuses públicos de Ciudad del Cabo. Dejó ese empleo después de que cinco de sus compañeros hubieran caído asesinados al más puro estilo de las bandas de gángsters mientras hacían sus rutas. El asesino confesó después en los tribunales que por cada asesinato había recibido 350 rands —unos 50 dólares estadounidenses— de los capos del sindicato de taxistas, quienes parece que esperaban así asustar a los pasajeros e impulsarlos a utilizar el taxi.

«Sí, me había enterado de esos asesinatos», dije. «Los periódicos de allí de donde yo soy publicaron la noticia.»

«¿Y de dónde es usted?», me preguntó Malcolm.

Se lo dije y sus ojos se iluminaron de júbilo al tiempo que se deshacía en elogios: «¡Oh, usted es de Estados Unidos! Su país tiene una influencia tremenda aquí en Sudáfrica».

«¿Ah, sí?», dije. «¿Buena o mala?»

«¡Buena, buena! Todo el mundo aquí quiere parecerse a América: la música americana, la ropa americana, el estilo de vida americano (una buena casa, un gran coche, mucho dinero). América es un ídolo para mucha gente en Sudáfrica.»

Su propia ropa daba fe de ello: una gorra de Jack Daniel's, unos vaqueros negros y una chaqueta de esquí de color azul marino con mangas acolchadas. Habría encajado a la perfección en las calles de Brooklyn o de Saint Louis. Malcolm decía que tanto él como sus amigos sabían cosas de Estados Unidos gracias a las canciones que oían por la radio, las películas que alquilaban en el videoclub, los programas de televisión que emitían los canales sudafricanos («The Bold and the Beautiful era su favorito»). Le pregunté si las personas de mayor edad también compartían esa opinión: ¿su madre y su padre idolatraban también a Estados Unidos? «No, ellos son más cristianos», respondió sin ironía. «Quieren vivir una vida sudafricana.»

Para entonces, ya había oscurecido. La cara de Malcolm brillaba con el reflejo de las luces del salpicadero mientras hablaba del *township**

* En Sudáfrica, el término *township* hace referencia a un área segregada racialmente y establecida por el gobierno del *apartheid* como lugar de residencia para las personas de color. El más conocido de todos los *townships* sudafricanos es seguramente Soweto, nombre formado por las iniciales de «South Western Township». (*N. del t.*)

de Ciudad del Cabo en el que vivían él y su familia. Disponían de agua corriente, luz eléctrica y calles asfaltadas, pero eran muchos los vecinos que no tenían un empleo mínimamente serio y la delincuencia era un constante motivo de preocupación: «Los gángsters disparan y roban a la gente y la policía no hace nada». Nos quedamos callados por un instante. Luego, con el mismo entusiasmo que había mostrado por todo lo americano, añadió: «¿Sabía que en todos los *townships* de Sudáfrica hay un par de bandas callejeras que llevan el nombre de su país?».

«No.»

«¡Pues sí! Unos son los "Americanos jóvenes" y los otros, los "Americanos peligrosos".»

«¿Y en qué se diferencian?»

Amplia sonrisa. «Los "Americanos jóvenes" son los que visten como los estadounidenses. Los "Americanos peligrosos" son los que disparan como los estadounidenses.»

Buenas, malas, pero nunca indiferentes

América: un lugar que es muy rico y en el que se disparan muchas pistolas. No es el más sofisticado de los análisis, pero es una manera apropiada de describir la forma en la que Estados Unidos es percibido por muchas personas en todo el mundo. Amigos o enemigos, ricos o pobres, las personas de otros países tienden a temer a Estados Unidos por su imponente poder militar, aunque las encandile su deslumbrante riqueza.

Puede que a algunos estadounidenses no les cuadre esa perspectiva. Nos consideramos personas buenas y trabajadoras, que deseamos el bien para el resto del mundo y hacemos incluso más de lo que nos corresponde para ayudar a ello. Nos sentimos orgullosos de nuestra libertad y de nuestro próspero estilo de vida y podemos entender por qué otras personas quieren lo mismo. Preferiríamos «no comprometer nuestra paz y nuestra prosperidad» en conflictos externos, como aconsejaba tiempo ha el padre de nuestro país, George Washington, pero estamos dispuestos a emplear la fuerza si es necesaria para oponernos a la injusticia y proteger la libertad en todo el mundo, tanto la nuestra como la de otras personas. Tenemos nuestras faltas, como cualquiera, pero creemos que vivimos en el mejor país del mundo.

Malcolm Adams estaría de acuerdo, me imagino, con esa valoración y no es el único. A lo largo de veinte años viviendo y viajando por el extranjero (en treinta países), he hablado con muchas personas que tienen a América y a los americanos en muy alta consideración. También he conocido, claro, a muchos que critican a Estados Unidos. De hecho, un mismo individuo suele pertenecer a ambas categorías al mismo tiempo; algunas de las críticas más incisivas dirigidas hacia Estados Unidos las he oído de boca de personas que, en general, admiran este país.

Empecé a trabajar en este libro mucho antes de los ataques terroristas de 2001 contra Estados Unidos, y mis viajes y entrevistas son tanto de antes como de después del 11 de septiembre. El libro iba dirigido, desde un principio, a dos tipos de público separados pero relacionados entre sí. Mi intención era ofrecer a mis compatriotas estadounidenses una especie de crónica de viaje: «Así es cómo nos ven en el resto del mundo». En el caso de los lectores no estadounidenses, mi intención era explicar por qué América y los americanos somos como somos. Los ataques del 11 de septiembre hicieron más urgentes y más claros esos objetivos al poner de pronto de manifiesto el sentimiento que Estados Unidos despertaba en gentes de todas partes. Pero los ataques han hecho también más complicado ese proyecto, puesto que los estadounidenses se han tornado más sensibles ante cualquier cosa que pueda sonar a la más mínima crítica abierta a su país.

Ha pasado ya más de un año desde las terribles explosiones e incendios que acabaron con la vida de más de 3.000 personas en Nueva York, Washington y Pensilvania; un período de cicatrización de heridas, de balance, de contraataque. ¿Estamos ya preparados los estadounidenses para oír lo que se piensa de nosotros allende nuestras fronteras? El mensaje es mucho más complejo que el grito de guerra («¿por qué nos odian?») que promovieron nuestros medios de comunicación. Y mucho más interesante. Los extranjeros no están siempre en lo cierto a propósito de América, ni mucho menos. Pero ni son unos fanáticos acérrimos, ni envidian nuestro dinero, ni sienten celos de nuestro poder ni están guiados por ninguna de las explicaciones de bolsillo que los gurús y los políticos estadounidenses han aventurado en vez de someterse a un autoexamen honesto. La mayoría de las personas de otros países son suficientemente sutiles como para discernir tanto lo bueno como lo malo de Estados Unidos, los pros y los contras. Por eso, los americanos, si queremos, podemos aprender de sus percepciones.

Los extranjeros pueden apreciar cosas de Estados Unidos que pasan inadvertidas para los nativos y en ninguna época como la actual han necesitado tanto los estadounidenses de ese tipo de perspectiva. El horror de lo que ocurrió el 11 de septiembre nos obliga a mirar nuestra patria con nuevos ojos; en concreto, con los ojos del resto del mundo. Osama Bin Laden y los talibanes no son representativos de la opinión internacional: el odio hacia América, aunque es intenso allá donde se produce, es relativamente raro. Pero los estadounidenses no deberíamos adoptar por ello una actitud de confianza equivocada ni permitir que el sentimiento de víctimas que nos embargó tan trágicamente el 11 de septiembre nos ciegue ante el hecho de que el 10 de septiembre el resto del mundo tenía ya un buen número de quejas acumuladas contra nosotros y por motivos más que suficientes en muchos casos. De hecho, algunas de las más agrias críticas —las referidas a la retirada de la administración Bush tanto del protocolo de Kioto sobre calentamiento global como del Tratado de Misiles Antibalísticos, así como las que tenían que ver con la negativa de Estados Unidos a integrarse en el Tribunal Penal Internacional— procedían de los mismos líderes que, poco después, se mantuvieron codo con codo al lado de Estados Unidos contra el terrorismo, especialmente el primer ministro británico, Tony Blair, el canciller alemán, Gerhard Schröder, y el presidente francés, Jacques Chirac.[1]

Las personas de otros países no ven contradicción alguna en el hecho de criticar a Estados Unidos en un momento determinado

1. Los comentarios de Chirac sobre Kioto fueron recogidos por la Associated Press el 30 de marzo de 2001. De sus críticas a la defensa antimisiles informaba el *Houston Chronicle* del 13 de junio de 2001. Las preocupaciones de Blair y Schröder sobre Kioto venían recogidas en *The Guardian* el 20 de marzo de 2001.

para luego pasar a elogiarlo al minuto siguiente. A decir verdad, las cualidades dialécticas de América son parte de lo que la hace tan fascinante. La vuelta al mundo que emprendí para este libro empezó en mayo de 2001 y finalizó en noviembre, e incluyó estancias en quince países de Europa, Oriente Medio, África y Asia. A lo largo de éstos y de otros viajes anteriores, he tenido la suerte de reunir opiniones acerca de Estados Unidos de un amplio elenco de fuentes: sofisticados líderes políticos y empresariales, adolescentes soñadores, intelectuales políglotas, campesinos analfabetos, trabajadores, amas de casa, periodistas y no pocos inmigrantes potenciales. Una y otra vez, he quedado impactado por el modo en el que tanto la élite como las personas comunes y corrientes pueden admirar a Estados Unidos y sentirse molestas con él al mismo tiempo —cómo sienten envidia y horror, atracción y desprecio—. Éste es el complejo catálogo de impresiones (buenas, malas, pero nunca indiferentes) al que hemos de hacer frente los estadounidenses si queremos sobreponernos a la tragedia del 11 de septiembre y entender nuestro lugar en el mundo del siglo XXI.

«Ustedes no saben nada de nosotros»

Mi primer viaje alrededor del mundo, iniciado en 1991, lo dediqué a la investigación del futuro ecológico del planeta para mi libro *Earth Odyssey*. La mayoría de personas en los diecinueve países que visité no tuvieron reparos en contestar a mis preguntas sobre ecología, pero parecían responder más por un sentido del deber que por el ánimo que despertaba en ellas ese tipo de cuestiones. Estados Unidos, sin embargo, es un tema que no deja a nadie indiferente. Todo el mundo tiene algún tipo de opinión al respecto y nadie se reprime a la hora de expresarla. Comparemos, por ejemplo, la admiración embelesada de Malcolm Adams con las opiniones de tres terroristas retirados con los que me había entrevistado unas semanas antes en un salón de té polvoriento en el barrio islámico de El Cairo (por lo que parece, hasta los terroristas se jubilan). Para estos hombres de barba gris, con túnicas hasta los tobillos y pipas de agua burbujeantes, Estados Unidos era un matón despreciable: protector de Israel y corruptor del alma árabe de Egipto. Pero incluso ellos tenían recuerdos entrañables de películas de Hollywood protagonizadas por Kirk Douglas y Anthony Quinn.

Sea como fuere, difícilmente pueden los extranjeros evitar formarse sus propias opiniones acerca de Estados Unidos. Miren hacia donde miren, ahí está América. Las películas, la televisión, la música, la moda y la comida americanas han cautivado (sobre todo) a jóvenes de todo el mundo, al tiempo que han difundido el producto de exportación más importante de Estados Unidos: su estilo de vida consumista y el individualismo que de él se desprende. Internet, los ordenadores y el resto de aparatos de alta tecnología que han revolucionado la vida cotidiana en todo el planeta, o bien tienen su origen en Estados Unidos o bien han alcanzado allí su pleno desarrollo. El arsenal nuclear estadounidense lleva ejerciendo un poder de decisión sobre la vida y la muerte de la humanidad desde los bombardeos de Hiroshima y Nagasaki de 1945. Y la economía estadounidense es, desde hace aún más tiempo, el principal motor mundial de crecimiento e innovación y continúa siendo hoy en día el «comprador de última instancia» cuyas importaciones marcan la diferencia entre recesión y prosperidad para las naciones ricas y pobres por igual.

Para colmo, Estados Unidos recibe un desproporcionado nivel de cobertura informativa en los medios de comunicación de todo el mundo, lo cual refuerza la sensación que tienen los extranjeros de vivir siempre bajo la sombra del águila. «Me alegro de vivir en Sudáfrica y no en Estados Unidos», me decía el joven gerente blanco de un restaurante de Stellenbosch, la región vinícola que se extiende al este de Ciudad del Cabo. «Cualquier tontería que pase en Estados Unidos se convierte en noticia en todo el mundo: O. J. Simpson, el recuento de votos en Florida...» ¿Se sentía ofendido por la omnipresencia de América? «No es una cuestión de sentirse ofendido», respondía. «Es simplemente un hecho. Tengo que prestar atención a lo que diga Alan Greenspan [presidente de la Reserva Federal de Estados Unidos]. Puede afectar a mi inventario. La verdad es que creo que les llevamos ventaja, porque nosotros lo sabemos todo de ustedes y ustedes no saben nada de nosotros.»

Es un buen argumento. Pero yo iría aún más allá. Los estadounidenses no sólo no sabemos gran cosa sobre el resto del mundo: no nos importa. O, cuando menos, no nos importaba antes de los terribles sucesos del 11 de septiembre de 2001. Hasta entonces, muchos americanos apenas eran conscientes de que el mundo exterior existía, algo que saca de quicio y, al mismo tiempo, provoca la risa de las personas de otros países.

«Fui a Tennessee hace unos años para asistir a la boda de mi hermana con un americano», me decía Luis, un músico de Sevilla, España. «Cuando la gente oyó mi acento, me preguntaron de dónde era. Les dije que de España. Sonrieron —los americanos son gente simpática— y preguntaron: "¿Eso está en México?". Y no lo decían de broma.» Hay ocasiones en que hasta los estadounidenses que ocupan posiciones de poder conocen poca cosa del mundo allende nuestras fronteras. ¿Quién podría olvidar aquel comentario imperecedero del ex presidente Ronald Reagan tras su primera visita a Sudamérica? «Se sorprenderían ustedes», les dijo a los reporteros, «allí abajo son todos países individuales». Aunque es cierto que los dos sucesores inmediatos de Reagan, George Bush y Bill Clinton, eran hombres de mundo, George W. Bush había viajado al extranjero sólo tres veces antes de convertirse en presidente.[2] Con independencia de sus otras cualidades como dirigente, en este aspecto Bush hijo era perfectamente representativo de sus conciudadanos, de los cuales sólo el 14 % tiene pasaporte.[3]

Ésta es la primera de las numerosas desigualdades que distorsionan la relación de Estados Unidos con el resto del mundo: a las personas de fuera les tiene que importar América, pero ellas les han importado tradicionalmente muy poco a los americanos (suponiendo

2. George W. Bush había hecho tres viajes de negocios al extranjero antes de convertirse en presidente (a China, a Oriente Medio y a Gambia), según se informaba en el *New York Times* del 29 de octubre de 2000. Los consejeros de Bush trataron más tarde de apuntalar su reputación como hombre de mundo afirmando que había realizado muchos otros viajes al exterior, pero éstos resultaron ser vacaciones familiares (a Francia, a Italia y a las Bermudas), según la CNN (en una información del 17 de diciembre de 2000).

3. El porcentaje de estadounidenses con pasaporte aparecía citado en «The Savvy Traveler», de Rudy Maxa, hallado en <www.savvytraveler.com> el 13 de abril de 2001.

que les hayan llegado a importar algo). Un corolario de todo ello es que los estadounidenses —como suele pasar con los privilegiados en general— no tienen ni idea de la impresión que producen en los demás. Después de los ataques del 11 de septiembre, el 52 % de los líderes de opinión estadounidenses encuestados por el Pew Research Center for the People and the Press estaban de acuerdo, modestia aparte, con el enunciado «América hace muchas cosas buenas por el mundo». Sólo el 21 % de sus homónimos extranjeros compartían esa valoración tan optimista acerca de Estados Unidos.[4]

Existen motivos comprensibles que explican ese desinterés de los estadounidenses por el mundo exterior: la geografía es el primero de ellos. Como Estados Unidos es tan inmenso y se halla protegido por océanos en cada uno de sus flancos, el resto del mundo parece muy lejano. Los estadounidenses no tienen la sensación, tan común en otros continentes, de que hay pueblos extranjeros —con idiomas, culturas y creencias diferentes— justo al otro lado de la cordillera o del río más cercanos. (Sí, Estados Unidos comparte fronteras con México y Canadá, pero muchos ciudadanos estadounidenses ven a sus vecinos como norteamericanos honorarios, de segunda, bien recibidos siempre que no se inmiscuyan en lo nuestro.) La asombrosa abundancia de Estados Unidos también contribuye a fomentar un aislacionismo autosatisfecho. ¿Para qué preocuparse del resto del mundo cuando, como afirma una canción de Linda Ronstadt, «todo lo que quieras lo tenemos aquí mismo, en Estados Unidos»?

Sin embargo, hace ya tiempo que la falta de curiosidad por el mundo que evidencian mis compatriotas me deja atónito y me decepciona. Me deja atónito porque yo, personalmente, encuentro el resto del mundo tremendamente fascinante. Me decepciona porque creo que la ignorancia que demostramos acerca de nuestros vecinos desacredita seriamente a los estadounidenses. Mis dos viajes alrededor del mundo me han enseñado que los americanos no tenemos el monopolio en lo que a provincianismo y egocentrismo se refiere, pero la diferencia estriba en que los estadounidenses somos provin-

4. La encuesta del Pew Center fue publicada el 19 de diciembre de 2001 y se encuentra en la página *web* del centro: <www.people-press.org>.

cianos y egocéntricos al tiempo que somos la potencia más poderosa de la historia. Lo que hacen nuestras instituciones políticas, militares, económicas, culturales y científicas tiene una influencia decisiva sobre las vidas de las personas de todos los rincones de la Tierra, y determina las respuestas a preguntas tales como «¿tendré trabajo el mes que viene?», «¿habrá guerra?» o incluso «¿qué ponen esta noche en la tele?». Pero el poder también conlleva responsabilidad. La indiferencia de los estadounidenses ante el mundo me molesta, supongo, porque tener tanto poder sobre otros y no mostrar mayor interés en cómo se ejerce ese poder no me parece lo correcto.

Pero, además, después del 11 de septiembre tampoco parece sensato. Si los estadounidenses habíamos prestado tan escasa atención al mundo exterior en el pasado, era porque creíamos que no teníamos por qué. Tratándose de la nación más rica y poderosa de la historia, Estados Unidos podía hacer lo que quisiera cuando quisiera. ¿Qué más daba si eso no agradaba en otros países?

Obviamente, esa imagen de invulnerabilidad nunca llegó a corresponderse con la realidad. ¿Recuerdan lo de Vietnam? ¿Y las colas para repostar gasolina tras el embargo petrolífero de la OPEP en los años setenta? ¿Y la crisis de los rehenes en Irán? Desgraciadamente, muchos estadounidenses no lo recuerdan. Siendo como somos un pueblo obsesionado por la promesa de un mañana mejor, los estadounidenses apenas conocemos nuestra propia historia (cuanto más la historia de cualquier otro país). Además, los recuerdos tristes se vieron borrados por la reafirmación de poder americano liderada durante los años ochenta por Ronald Reagan, un hombre que, a pesar de su enfermedad de Alzheimer, continúa siendo hoy en día el político más poderoso de Estados Unidos (una cuestión tratada con mayor detalle más adelante en este mismo libro). A los ojos de muchos americanos, la caída del Muro de Berlín en 1989 fue la prueba de que Estados Unidos era la nación elegida de Dios, tal y como Reagan y otros combatientes de la Guerra Fría habían proclamado durante mucho tiempo. Y justo después vinieron los espléndidos años noventa, en los que Estados Unidos experimentó una explosión de crecimiento económico que recompensó a los ricos de un modo desproporcionado y que, al mismo tiempo —en un toque de genialidad—, parecía resultar accesible a cualquiera que tuviera el ingenio de comprar y vender acciones por Internet. En plena efervescencia del Dow Jones y del Nasdaq, que generaba innumerables nuevos millonarios cada día, ¿a quién le importaba lo que pasaba en el resto del mundo? Estaba claro que era en Estados Unidos donde estaba teniendo lugar toda la acción.

Así que cuando Estados Unidos por fin se despertó, el dolor y el desconcierto resultaron ser aún mayores. «Todo lo sólido se desvanece en el aire», había escrito Karl Marx durante la turbulencia de la industrialización del siglo XIX. Muchos americanos se sintieron igual tras los ataques del 11 de septiembre. Estábamos disfrutando del estilo de vida más privilegiado de la historia y, en un instante, unos terroristas destruyeron símbolos totémicos de nuestra civilización e infligieron más muertes de las que Estados Unidos había sufrido en un solo día de combate desde la Guerra de Secesión. De pronto, los estadounidenses lo habían aprendido en sus propias carnes: lo que piensen los de fuera importa.

La diferencia entre América y los americanos

Lo que haga Estados Unidos con esta lección es una de las cuestiones más importantes de nuestros días, tanto para los estadounidenses como para las personas de otros países. La respuesta inicial fue (puede que inevitablemente) militar. A fin de cuentas, nuestro país había sido atacado de un modo horrible y manifiesto por enemigos jurados que habían dejado, tras su ataque, una estela de unos tres mil civiles muertos y de muchos miles de millones de dólares en pérdidas económicas. Cualquier país que se hubiese visto atacado de ese modo habría tenido derecho a responder y la administración Bush no dejó lugar a dudas de que planeaba contraatacar con dureza. Por usar las palabras del típico *cowboy* de Hollywood, «primero dispara, luego haz las preguntas». Y el tiroteo fue inesperadamente bien en Afganistán (dejando a un lado, tal y como hicieron el gobierno y los medios de comunicación estadounidenses, las muertes de civiles afganos). La reacción en Europa fue menos entusiasta y el mundo árabe se mostró abiertamente angustiado. Los gobiernos, pero especialmente los ciudadanos, mostraron su consternación por el elevado número de bajas civiles y por la posibilidad de futuros ataques de Estados Unidos contra Irak. Aun así, Afganistán fue liberada, los talibanes fueron derrotados de forma aplastante y Bin Laden, tal y como alardeaba Bush en diciembre de 2001, «pasó de controlar un país hace tres meses a controlar ahora, como mucho, una cueva».

Pero ¿qué pasa con aquella parte del «preguntar después», que diría el vaquero? En el período inmediatamente subsiguiente al 11 de septiembre, muchos estadounidenses normales admitieron su desconocimiento acerca del mundo exterior y se propusieron buscarle solución: vaciaron las bibliotecas y las librerías de todos los volúmenes allí existentes acerca del islam, Oriente Medio y las cuestiones internacionales. Los medios informativos, tras años de hacerle el juego a la audiencia con historias de sexo y famosos, recordaron que las noticias debían, supuestamente, *tratar de* algo y empezaron de nuevo a dar cobertura al mundo exterior. Al empezar el nuevo año, sin embargo, cuando la guerra contra el terrorismo parecía estar ya ganada y los sustos domésticos relacionados con el ántrax y los aeropuertos ya se habían disipado, las viejas costumbres volvieron a hacer acto de aparición. Hasta cierto punto, se agradecía la vuelta a la normalidad, pero parecía ponerse en cuestión aquella supuesta actitud nueva de curiosidad posterior al 11 de septiembre: ¿había sido algo meramente pasajero? ¿Trataría América de comprender ese mundo nuevo, aterrador, del siglo XXI o se conformaría simplemente con someterlo?

Esta pregunta requiere antes de una distinción que se hará recurrente en el presente libro. «Contengo multitudes», escribió Walt Whitman, el gran poeta de Estados Unidos, y es verdad. No existe una única realidad estadounidense; y no por ese individualismo que es nuestro rasgo nacional esencial: existe también la diferencia entre los americanos y América, es decir, entre los 285 millones de ciudadanos del país y las instituciones políticas, militares, económicas y mediáticas cuyas políticas conforman la postura oficial de la nación en el mundo. Aunque Estados Unidos y los estadounidenses pueden ser equivalentes en ocasiones, resulta erróneo equiparar ambas cosas de manera automática. Como en la mayoría de países, las instituciones dominantes en Estados Unidos están dirigidas por élites que tienen puntos de vista que no coinciden necesariamente con los del público en general. De hecho, la distancia entre la élite de América y sus masas no ha dejado de aumentar durante el último cuarto de siglo a medida que la desigualdad económica se ha ido haciendo más intensa, a medida que las personas ricas y bien relacionadas han pasado a controlar cada vez más el proceso político, y a medida que las antaño altivas organizaciones informativas del país se han visto engullidas por gigantes empresariales que sólo muestran lealtad hacia los beneficios. Al mismo tiempo, son muchos los valores compartidos por la mayoría de estadounidenses —el presidente Bush gozaba de un índice de aprobación del 75 % seis meses después del 11 de septiembre—[5] y la unidad nacional se ve reforzada por el control que ejerce la élite sobre los medios que proporcionan a los ciudadanos buena parte de la información de la que disponen acerca del mundo. Simplificando en extremo, los medios *reflejan* la opinión de la élite, pero *forjan* la opinión de la masa.

Las personas de otros países suelen mostrarse perplejas ante el hecho de que los estadounidenses, tan expertos en vender sus productos más allá de sus fronteras, puedan, al mismo tiempo, saber tan poco acerca de cómo son percibidos por los demás. Pero es que son pocos los extranjeros que se dan cuenta del mal servicio que recibimos los estadounidenses de nuestros propios sistemas mediáticos y educativos; es decir, de lo estrecho que es el ámbito de información y de debate en el «país de la libertad», otro tema tratado con mayor profundidad en un capítulo posterior de este mismo libro. Dejemos que sea, por el momento, una breve comparación de la cobertura dispensada por los medios de comunicación estadounidenses y europeos después del 11 de septiembre la que ilustre de qué estoy hablando.

Estuve de viaje por Europa durante las semanas que siguieron a los ataques. En los principales periódicos de Gran Bretaña, Alemania, Francia, Italia y España encontré numerosos ejemplos de cober-

5. Del índice de aprobación del 75 % con que contaba Bush se informaba en el número de *Time* del 25 de marzo de 2002.

tura informativa en la que se mostraba comprensión y apoyo ante el horror infligido a mi país y se respaldaba el derecho de Estados Unidos a responder militarmente. Sin embargo, por otra parte, encontré también muchas noticias en las que se advertía de las consecuencias de una respuesta militar, en las que se establecía una conexión entre los ataques y la política exterior estadounidense (especialmente lo que se percibía como favoritismo americano hacia Israel) y en las que se pedía con insistencia que se prestara una mayor atención a las causas fundamentales del terrorismo y no sólo a símbolos sensacionalistas como Osama Bin Laden. «Traigan ustedes a los asesinos ante la justicia, pero aborden las causas de estas atrocidades», opinaba el *London Independent* del 14 de septiembre en uno de los típicos comentarios en los que se pedía que se reconsideraran tanto las sanciones contra Irak lideradas por Estados Unidos como el apoyo incondicional estadounidense a Israel. En Alemania, incluso en un tabloide conservador como *Bild* tenían cabida tanto los puntos de vista pacíficos como los beligerantes. Un artículo en concreto citaba una carta de un empresario alemán al presidente Bush en la que le rogaba que «castigara a los culpables y no a las mujeres y niños inocentes de Afganistán».[6]

En Estados Unidos, por el contrario, los pronunciamientos de los medios informativos eran indistinguibles de los del gobierno y ni los unos ni los otros mostraban evidencia de la más mínima tolerancia por cualquier cosa que no fuera la indignación más encendida. En la cadena de televisión Fox, los corresponsales llevaban *pins* con la bandera estadounidense y el presentador Brit Hume consideraba que las muertes de civiles en Afganistán no eran merecedoras de cobertura informativa.[7] El presidente de la CNN, Walter Isaacson, dio instrucciones a su personal en Estados Unidos para que no se comentaran las víctimas civiles en Afganistán sin hacer mención, al mismo tiempo, de los americanos muertos el 11 de septiembre.[8]

6. La carta de este empresario apareció en el número de *Bild* del 17 de septiembre.

7. Del comentario de Brit Hume informó el *New York Times* del 3 de diciembre de 2001.

8. De la circular de Walter Isaacson daba cuenta el *Washington Post* el 31 de octubre de 2001.

(Resulta revelador que la CNN no impusiera esas restricciones en sus emisiones en el extranjero.) Cuando los medios estadounidenses se decidieron por fin a examinar la impresión que producía Estados Unidos en el resto del mundo, un tema de tanta complejidad quedó reducido a la categoría de un melodrama simplista. El clima periodístico era tal que a cualquiera que manifestara opiniones como las del *London Independent* o *Bild* se le acusaba de decir estupideces carentes de sentido y de traidor, como comprobó en carne propia la escritora Susan Sontag al publicar un artículo en *The New Yorker* en el que señalaba que la política exterior estadounidense había ocasionado en el pasado daños tan terribles a otros países que ¿a qué venía tanta sorpresa por vernos ahora convertidos en blanco de sus ataques?

Era obvio que la reacción estadounidense iba a ser menos comedida que la de Europa: habíamos sido nosotros los atacados, habíamos sido nosotros los que habíamos sufrido esas dolorosas pérdidas. Pero si los americanos queremos evitar nuevos ataques en el futuro, debemos darnos cuenta de que ni dando rienda suelta a nuestro tremendo ejército ni endureciendo la seguridad interior estaremos haciendo lo suficiente, y que poner límites al debate en virtud de un motivo supuestamente patriótico no va a ayudar en absoluto. Necesitamos entender a toda costa *por qué* ocurrió aquello. A tal fin, debemos tener en cuenta incluso las explicaciones que no nos dejen en buen lugar. Necesitamos reconocer, por ejemplo, que existe una diferencia crucial entre explicar una acción determinada y excusar esa acción. Es perfectamente posible sostener, tal y como yo mismo lo haría, que Estados Unidos no era merecedor en modo alguno de los ataques del 11 de septiembre (no puede haber nunca excusa alguna para el terrorismo, punto) y que los culpables han de ser llevados ante la justicia sin lugar a dudas, y, al mismo tiempo, añadir que los ataques no pueden ser entendidos fuera del contexto de la política exterior estadounidense y del resentimiento que ésta ha generado.

En todo el mundo hay numerosos puntos calientes en los que las políticas de Estados Unidos han sido suficientemente polémicas como para alimentar la clase de rabia que se expresó criminalmente el 11 de septiembre. ¿Habría lanzado Bin Laden su ataque si Estados Unidos no estuviera financiando la ocupación israelí de los territorios palestinos y desplegando tropas en Arabia Saudí? Muy posiblemente, no, aunque no pretendo sugerir aquí que Washington debería conceder a los terroristas un poder de veto sobre su política exterior. Lo que digo es que los estadounidenses necesitamos tener un debate sincero acerca de nuestra conducta más allá de nuestras fronteras: ¿dónde es acertada? ¿Dónde no? ¿Cuántas veces se corresponde con los valores de democracia y libertad que tan frecuentemente invocamos y hasta qué punto es importante que practiquemos aquello que predicamos?

Estados Unidos es el futuro

Si los estadounidenses queremos tener una relación abierta y sin trabas con los seis mil millones de personas con las que compartimos el planeta, tenemos que comprender quiénes son esas personas, cómo viven, qué piensan y por qué. No es una cuestión de caridad: es una cuestión de interés propio. Puede que Estados Unidos esté protegido por dos océanos y por el ejército más poderoso de la historia, pero ahora sabemos que no somos intocables. Estados Unidos se asienta en la cúspide de un mundo cada vez más desigual: el 45 % de la humanidad vive con menos de dos dólares al día. La paz y la prosperidad son improbables en tales condiciones, como la propia CIA ha advertido. «En los grupos que se sienten relegados [por la creciente desigualdad] (...) se verá potenciado el extremismo de tipo político, étnico, ideológico y religioso, así como la violencia que suele acompañarlo», preveía un informe de la agencia en 2000 (difícil encontrar una mejor predicción de los sucesos del 11 de septiembre).[9]

A los extranjeros no les va menos en la tarea de comprender mejor a Estados Unidos. Thomas Jefferson escribió más de doscientos años atrás que «todo hombre tiene dos patrias: la suya propia y Francia». En la actualidad, la segunda patria de todas las personas de la Tierra es Estados Unidos. El mundo se torna más americano a cada

9. El informe no confidencial de la CIA «Global Trends 2015» fue publicado en 2000. De él se hicieron eco los medios informativos estadounidenses y está disponible en <www.cia.gov/cia/publications/globaltrends2015>.

momento que pasa, algo que le resulta obvio a cualquier viajero habitual. En realidad, lo que los medios informativos llaman globalización es, en buena medida, americanización y el 11 de septiembre no ha hecho disminuir esa tendencia. Pero proximidad y comprensión no son la misma cosa. En una época en la que están cada vez más entrelazados por la economía y la tecnología, Estados Unidos y el resto del mundo se miran a menudo el uno al otro con cara de mutua incomprensión.

¿Cómo, se preguntan los extranjeros, puede Estados Unidos ser tan poderoso e ingenuo al mismo tiempo? ¿Tan desconocedor de las naciones, los pueblos y las lenguas extranjeras y, a la vez, tan seguro de lo que mejor les conviene a todos ellos? ¿Cómo pueden ser sus ciudadanos tan abiertos y generosos y, sin embargo, tener una política exterior tan dominante? ¿Y de qué se extraña cuando quienes son blanco de sus políticas protestan o, incluso, contraatacan?

¿Qué explica el extraordinario optimismo de América, su espíritu dinámico, su incesante búsqueda de la «luz verde» que invocaba F. Scott Fitzgerald en *El gran Gatsby*? ¿Cómo puede poner a hombres en la Luna y bibliotecas enteras en *chips* de ordenador, al tiempo que sigue debatiendo la enseñanza de la teoría de la evolución en las escuelas públicas y casi destituye a un presidente por un asunto extramatrimonial? ¿Cómo pueden ser los estadounidenses tan ricos en posesiones materiales y tan necesitados en vínculos familiares y comunitarios? ¿Tan inundados de aparatos que ahorran tiempo y, a pesar de ello, tan perpetuamente estresados y apresurados? ¿Cómo puede haber sido Estados Unidos la cuna de manifestaciones culturales tan maravillosas y exultantes como el *jazz* y el *rock and roll* y de una ética de tanto eco social como el ecologismo y, aun así, haber fomentado la fama más vacua, la violencia más gratuita y el lujo más ubicuo?

¿Cómo puede una nación famosa por ser la tierra de las oportunidades estar generando una creciente clase marginal para la que el Sueño Americano se ha convertido en un cruel mito? ¿Cómo pudo la democracia más orgullosa del mundo rebajarse al caos y la corrupción que mancharon la contienda presidencial de 2000? ¿Fue ese episodio vergonzoso un presagio del declive estadounidense que se ha visto reforzado ahora por la incalificable tragedia del 11 de septiembre? ¿O volverá Estados Unidos a convertirse otra vez en la «brillante ciudad sobre una colina» que Ronald Reagan solía invocar con tanto orgullo?

Éstas son preguntas difíciles y hay estadounidenses que no tienen la más mínima intención de abordarlas. El país, desde su punto de vista, está en guerra y quien no respalde sin rechistar al comandante en jefe debería ser introducido en el siguiente avión a Bagdad. La comprensible oleada de patriotismo que siguió al 11 de septiembre ha llegado a derivar, en algunos casos, en un indecoroso complejo de superioridad: el convencimiento de que los estadounidenses somos inherentemente más valientes, afectuosos y generosos que nadie más. Precisamente «porque somos americanos» —tal y como lo expresaba el título de un libro—,[10] los bomberos de Nueva York se lanzaron sin dudarlo al caos en llamas del World Trade Center con el fin de sacar a las víctimas a un lugar seguro, como si los equipos de salvamento de otros países fueran incapaces de actos similares de valentía y dedicación.

Yo, personalmente, creo que nuestro país es suficientemente fuerte como para sacar provecho de una consideración detenida tanto de sus virtudes como de sus vicios. Para quien, a pesar de todo, insista en acusarme de despotricar contra Estados Unidos, permítaseme responder rotundamente, aunque sólo sea para desbaratar una calumnia que, si no lo hago, podría ser utilizada para descalificar este libro: no odio a América. Amo a América. Como periodista y como escritor, me siento bendecido por vivir en la tierra de la Primera Enmienda. Me siguen sobrecogiendo los ideales sobre los que se fundaron los Estados Unidos: 225 años más tarde perviven como fórmula para la defensa de «la vida, la libertad y la búsqueda de la felicidad» (por repetir las majestuosas palabras de Jefferson).

Pero me temo que Estados Unidos se ha apartado de los ideales de su fundación. El 11 de septiembre sumió a nuestro pueblo en una atmósfera de miedo, de unión en torno a la bandera. Cuando este-

10. *Because We Are Americans*, compilado por Jesse Kornbluth y Jessica Papin, fue publicado en edición rústica por Warner Books en noviembre de 2001.

mos preparados para volver a afrontar los hechos de nuevo, puede que veamos que nuestro país estaba en crisis mucho antes de que los terroristas de Bin Laden se lanzaran a su misión de odio. Políticamente, vivimos en una democracia que a duras penas merece tal nombre. Nuestro gobierno da lecciones a otros acerca de cómo celebrar elecciones y, sin embargo, la mayor parte de nuestros propios ciudadanos no vota. Quizá la generalizada renuncia a esa responsabilidad cívica básica tenga su origen, en parte, en la complacencia que la riqueza puede llegar a engendrar, pero seguramente otra de las causas es la alienación que sienten muchos estadounidenses respecto a un sistema político que ellos consideran, con razón, cautivo de los ricos y los poderosos. Tampoco nuestra economía se asemeja en gran cosa a nuestras aspiraciones democráticas. En su obra clásica de 1831 *La democracia en América*, Alexis de Tocqueville nos elogiaba como nación en la que «las grandes revoluciones se volverán menos frecuentes» debido a que nuestra igualdad, según él creía, era una tendencia arraigada. Hoy en día, Estados Unidos está cada vez más dividido entre una élite que vive en un lujo enclaustrado y una clase media y pobre condenada a trabajar duro sin progresar. Mientras tanto, en nuestra política exterior, afirmamos identificarnos con la libertad y, a menudo, lo hacemos, pero también podemos ser desvergonzadamente hipócritas y aliarnos con peligrosas dictaduras que sirvan los que consideramos que son nuestros intereses y derrocar a democracias auténticas que no lo hagan.

Estados Unidos tiene mucho de lo que estar orgulloso, pero también tiene cosas de las que arrepentirse. ¿Por qué nos tiene que costar tanto a los estadounidenses admitirlo? Nos llevaremos mejor con nuestros vecinos, y viceversa, si afrontamos ese hecho tan poco sorprendente pero tan poderoso al mismo tiempo. Insistir en que ignoremos nuestros defectos —y tildar de traidor a quien se niega a quedarse callado— es una locura. Las verdades incómodas no se desvanecen simplemente porque haya voces poderosas que las quieran acallar. Tampoco es antiamericana la disconformidad: todo lo contrario. Si una de las lecciones del 11 de septiembre es la de que ninguna nación es invulnerable en el mundo actual, seguramente otra de ellas es que Estados Unidos ya no puede seguir permitiéndose ignorar lo que piensa el resto del mundo, aun cuando no se trate precisamente de elogios (y puede que especialmente cuando no son elogios).

De ahí el mapa narrativo de este libro. Cada uno de sus diez capítulos presenta una especie de diálogo entre el modo en el que extranjeros y americanos perciben Estados Unidos. Organizo el diálogo en torno a una lista de diez cosas que piensan acerca de Estados Unidos personas de otros países y de las que los estadounidenses no solemos hablar, a saber:

1. Estados Unidos es provinciano y egocéntrico.
2. Estados Unidos es rico y fascinante.
3. Estados Unidos es el país de la libertad.
4. Estados Unidos es un imperio, hipócrita y dominante.
5. Los estadounidenses tenemos una visión simplista del mundo.
6. Los estadounidenses somos unos materialistas insensibles.
7. Estados Unidos es la tierra de las oportunidades.
8. Estados Unidos tiene pretensiones de superioridad moral con respecto a su democracia.
9. Estados Unidos es el futuro.
10. Estados Unidos va a lo suyo.

No pretendo tener todas las respuestas acerca de Estados Unidos. Mi patria es demasiado extensa, evidencia demasiadas facetas y está demasiado llena de sorpresas como para resumirla tan fácilmente. Estados Unidos, escribía John Steinbeck, es «complicado, paradójico, empecinado, retraído, cruel, bullicioso, insoportablemente querido y muy hermoso».[11] Al tratarse de una nación joven todavía, sigue siendo una obra aún por terminar (lo cual es uno de sus mayores puntos fuertes).

En un libro tan corto como éste, es imposible examinar a Estados Unidos de manera muy detallada. Lo que me propongo, en realidad, es plantear preguntas —incómodas algunas de ellas— acerca de la

11. La cita de Steinbeck, de su libro de 1966 *America and Americans* (trad. cast.: *Norteamérica y los norteamericanos*, Barcelona, Lumen, 1968), fue destacada en *Los Angeles Times Book Review* del 3 de marzo de 2002.

conducta y de las creencias de América en el albor del siglo XXI. Aunque la base de este libro se asienta sobre abundantes viajes, informes e investigaciones, la obra en sí es más bien un argumento inicial que una prueba definitiva. Espero provocar la reflexión y el debate, y si los lectores no están en desacuerdo con al menos una parte de lo que he escrito, habré cumplido probablemente con mi cometido.

Soy consciente de que a algunos estadounidenses no les será fácil oír ciertos pasajes de este libro. Como ya señaló Tocqueville, tendemos a «vivir en un estado de perpetua adoración propia. (...) Sólo los extraños o la experiencia pueden ser capaces de llamar la atención de los americanos sobre ciertas verdades».[12] Pero como mostró la efusión global de solidaridad tras el 11 de septiembre, el resto del mundo alberga un gran afecto por los estadounidenses, acompañado de otros sentimientos no tan entusiastas. Y la gran mayoría de los extranjeros distingue entre los americanos como pueblo —un pueblo que les cae bien, por lo general— y el poder y la política exterior americanos, que no cuentan, ni de lejos, con la misma admiración.

De hecho, la mayoría de las personas de otros países reconocen con bastante franqueza que, en su propio interés, les conviene comprender todo lo que puedan de Estados Unidos y con la mayor claridad posible: a fin de cuentas, todos viven bajo la sombra del águila. «Hace algún tiempo que quiero escribir un artículo de opinión en *The New York Times* para pedir que las elecciones estadounidenses sean abiertas a las personas de otros países, porque lo que el gobierno americano decide acerca de la política económica, la actividad militar y los *mores* culturales me afecta a mí y a todas las demás personas del mundo», me decía Abdel Monem Said Ali, un periodista que dirige el Al-Ahram Center for Political and Strategic Studies en El Cairo. «Cuando el crecimiento económico estadounidense se ralentiza, vemos cómo cae el precio del petróleo. Cuando el mercado bur-

12. La cita de Tocqueville sobre la «adoración propia» se encuentra en *Democracy in America*, traducido [al inglés] por George Lawrence y con anotaciones de J. P. Mayer, Nueva York, HarperPerennial, 1988, volumen 1, 2ª parte, capítulo 7 (trad. cast.: *La democracia en América*, 2 vols., Madrid, Alianza, 1999).

sátil estadounidense está a la baja, las becas que concede la Fundación Ford a mi centro también disminuyen.»

Sea cual sea el ámbito (económico, militar, político, científico o cultural), Estados Unidos es la nación dominante en el mundo. Su poder no es ni mucho menos absoluto, pero es el actor decisivo cuyo comportamiento, para bien o para mal, determinará el mundo en el que las personas de todas partes vivirán durante el siglo XXI. Beldrich Moldan, un ex ministro de Medio Ambiente de la República Checa, lo expresó mejor que nadie. «Como europeo», me dijo una vez en Praga, «puede que te guste o que no te guste Estados Unidos, pero sabes que es el futuro».

Capítulo 2

Glamour y glotonería

El señor Ma había pasado los primeros diez años de su vida laboral extrayendo carbón de las profundidades de la China septentrional. Un día vio cómo una vagoneta descontrolada descarrilaba y acababa aplastando la cabeza de un compañero. No era, ni mucho menos, la primera muerte espeluznante que Ma había presenciado bajo tierra, así que decidió que ya había tenido bastante. En cuanto volvió a la superficie, lo dejó y juró no volver nunca a trabajar en una mina de carbón.

Doce años después, cuando lo conocí, en diciembre de 1996, todavía vivía en su pueblo natal de la provincia de Shanxi, en el corazón de las extensas cuencas carboníferas de China, pero para entonces ya era un capitalista en ciernes. Regentaba un restaurante de poca monta con su mujer y era el copropietario de una furgoneta azul que él y su socio utilizaban como taxi. El restaurante daba a la carretera que iba hacia Datong, una ciudad fea y reseca a diez millas de allí, contra cuyo horizonte se perfilaban docenas de chimeneas que emitían incesantemente columnas de espeso humo negro. El autobús público procedente de Datong se paró a sólo unos metros del restaurante. Fuera había dos burros enganchados a carros repletos de unos pedazos enormes de carbón de un brillante color negro. Zhenbing (mi intérprete) y yo decidimos detenernos allí para almorzar antes de recorrer la campiña circundante.

En esa zona eran raras las caras blancas, pero cuando Ma se enteró de que yo venía de Estados Unidos, llamó a su mujer para que saliera de la cocina y viniera a ver. «Así es un americano», dijo entusiasmado con una sonrisa reluciente, repasándome de arriba abajo, como si yo fuera un caballo en una subasta. Se sentó a mi mesa y dijo: «Tengo muchas preguntas para usted. Ahora en China tenemos una economía de mercado, pero América hace ya tiempo que tiene una economía de mercado. Debe explicarme cuáles son sus secretos». Con ojos brillantes, concluyó: «Quiero ser rico como ustedes».

Ma era ya un astuto negociante. Cuando supo que yo quería visitar las minas de carbón cercanas como parte de mi investigación medioambiental, se ofreció para hacerme de guía turístico e incluyó el almuerzo en su tarifa. Antes de partir, le pregunté si había por allí algún lavabo. Con gesto de orgullo, Ma señaló hacia la parte de atrás del restaurante, en cuyo exterior había una fila de compartimentos bajos de hormigón. Ninguno de ellos tenía puerta, techo o ninguna otra cosa que no fuera un agujero en el centro del suelo. Tampoco, como era habitual en la China rural, había agua o jabón para después.

Pasé el resto de la tarde con el señor Ma, cuya compañía resultó de lo más entretenida: bromeando sobre cómo averiguar si el líder supremo, Deng Xiaoping, ya había muerto leyendo entre líneas lo que decían los medios de comunicación estatales chinos, u oyendo su relato del considerable soborno que se había visto obligado a pagar para obtener el permiso oficial para tener un tercer hijo. Quedé sorprendido cuando, sin habérselo preguntado, me dijo que se consideraba un hombre afortunado. Después de todo, según me explicaba, se había librado de trabajar en la mina, algo que no habían podido conseguir muchos de sus vecinos. Tampoco iba hurgando por los márgenes de la carretera en busca de carbón como otros muchos que yo había visto, recogiendo con palas los fragmentos caídos y echándolos en cestos que llevaban en equilibrio sobre sus hombros fatigados hasta sus casas. Con treinta y nueve años, Ma tenía quizá la edad suficiente para recordar el mayor acto de asesinato en masa del siglo XX: la hambruna maquinada por Mao Zedong de 1959 a 1962, que se estima que acabó con la vida de unos treinta millones de personas y atrajo el canibalismo y la miseria a gran parte de la China rural.[1]

1. La historia definitiva de la hambruna de Mao es *Hungry Ghosts: Mao's Secret Famine*, de Jasper Becker, Nueva York, Free Press, 1996.

«Recuerdo que la hermana de mi padre nos trajo comida que ella había escondido», murmuró en voz baja.

Ma respondió a todas las preguntas que le hice sobre China y él también preguntó bastantes acerca de América. La mayoría de ellas tenían que ver con las posesiones materiales: ¿allí todo el mundo tenía un coche? ¿Cuántas personas vivían en cada casa? ¿Cuánta tierra poseían? Mis respuestas despertaban murmullos de asombro y franca admiración. Estaba claro, decía Ma, que China tenía mucho que aprender de Estados Unidos.

Ya al final, conduciendo de vuelta a Datong a la caída de la noche, Ma se atrevió a abordar el tema que parecía intrigarle más de todos: el sexo. ¿Es verdad, preguntó, que en América las mujeres se acuestan con los hombres antes del matrimonio?

Al enterarse de que sí, de que eso era algo que ocurría a veces, se le escapó un gemido de envidia. Ma parecía irritado y encantado al mismo tiempo. Su esposa, según dio a entender, había sido la única compañera sexual que él había tenido nunca. Sus preguntas se aceleraron a partir de entonces: ¿todo el mundo en Estados Unidos hacía eso? ¿Yo lo había hecho? ¿Con cuántas mujeres se podía acostar un hombre antes de casarse? ¿Podía un hombre casado como él acostarse también con otras mujeres? A medida que mis respuestas iban dejando cada vez más claro el abismo que separaba la relativa libertad sexual estadounidense de la mojigatería china en esa materia, Ma se volvía más inquieto. «Justo lo que me imaginaba», dijo por fin, exultante, dando un puñetazo en el volante. «En América es donde hay más riqueza *y* más diversión.» Cuando nos dejó finalmente a Zhenbing y a mí en el hotel, insistió en que le diera mi tarjeta de visita. «Algún día, cuando sea rico», dijo, «le haré una visita allí en Estados Unidos. Sin mi mujer».

«Diversión, diversión, diversión»

Los estadounidenses no tenemos ni idea de lo ricos que somos, pero no hay duda de que todos los demás sí que la tienen. Suele ser lo primero que los extranjeros mencionan acerca de Estados Unidos. Existe también, por supuesto, una pobreza extendida (especialmente infantil) en el interior de Estados Unidos, un problema del que daré detalles más adelante en este mismo libro. Pero para la mayoría de estadounidenses, los cuartos de baño modernos, las duchas con agua caliente o el agua ilimitada para cocinar con sólo abrir el grifo son las cosas más naturales del mundo: nada de ir y venir cargados con cubos de agua de un riachuelo sucio ni de tener que encender un fuego antes, como innumerables mujeres hacen todavía en África, Asia y Sudamérica. Tampoco nos lo pensamos a la hora de subirnos a uno de los dos o tres coches de la familia y salir a toda pastilla cuando queramos y adonde queramos. Despreciamos los autobuses, los trenes y otras formas de transporte público —ampliamente utilizadas incluso en lugares ricos como Japón y Europa occidental— porque las consideramos demasiado lentas e incómodas, y se nos hace inconcebible caminar, algo a lo que recurren los cientos de millones de personas pobres de todo el mundo: muchos de nosotros cogemos el coche para ir a la tienda de dos manzanas más allá sólo para buscar pan y leche. Y ese pan y esa leche, siempre recién preparados, no son más que una muestra mínima de la impresionante variedad y volumen de alimentos y bebidas entre los que podemos escoger, ya sea en supermercados gigantes (cuyas estanterías están repletas de prácticamente todos los alimentos imaginables, sea cual sea la época del año o el lugar en que vivimos —desde fresas en febrero hasta cangrejos de mar en Denver—) o en restaurantes, los cuales reciben actualmente el 46 % de todo el dinero que los estadounidenses se gastan en comida al año.[2]

Dicho de otro modo, los americanos no nos damos cuenta de lo pobres que son la mayoría de personas en el mundo. Para la mayor parte de las personas del planeta, ir de compras es un ejercicio de prudencia y de ahorro extremos, y no el entretenimiento compulsivo en el que se ha convertido para muchos estadounidenses. Aproximadamente uno de cada cinco seres humanos subsiste con sólo un dólar al día, un nivel de pobreza que convierte el hambre y la enfer-

2. La cifra del 46 % de gasto en restaurantes está extraída de las «Frequently Asked Questions» de la National Restaurant Association, <www.restaurant.org>.

medad en compañeros de viaje habituales. Según la Organización de las Naciones Unidas para la Agricultura y la Alimentación, unos 35.600 niños mueren al día por «afecciones relacionadas con el hambre», es decir, por las numerosas enfermedades que hacen presa de sus diminutos cuerpos, que pasan hambre día sí y día también.[3]

Los estadounidenses no somos desconocedores de la pobreza en el mundo (nos enorgullecemos de enviar asistencia alimentaria a otros países), pero somos muy poco conscientes de lo mucho que nuestro nivel de consumo se aparta de lo que es la norma para el conjunto de los seres humanos. Ciertamente no ayuda en nada que nuestros propios medios informativos no muestren prácticamente ningún interés en el mundo exterior en general y en las dificultades de los pobres en particular; pero tampoco salimos a ver las cosas por nosotros mismos. El relativamente reducido número de estadounidenses que viajan al extranjero se limita generalmente a ir a las zonas de habla inglesa, más confortables. De ahí que sigamos ajenos a nuestro extraordinario privilegio.

Al mismo tiempo, la mística de América a los ojos del mundo se basa en algo más que la riqueza sin más. El señor Ma no es, ni mucho menos, el único extranjero que relaciona a Estados Unidos con la emoción, la aventura y el mero placer.

Tuve un pequeño topetón con el coche en medio de la locura del tráfico de Palermo. Los dos jóvenes del vehículo que acababa de abollar se mostraron encantadores. Restando importancia al incidente y a mis más sentidas disculpas, me preguntaron de dónde era y, luego, respondieron al unísono: «Es más bonito que esto, ¿verdad?». Estados Unidos es bonito, asentí, pero añadí que la de Monreale, en Palermo, me había parecido seguramente la catedral más bella de toda Europa. «América también es muy grande, ¿no?», prosiguieron, y sus ojos brillaban en anticipación de la respuesta. «Sí», respondí. «Y allí hay muchos edificios altos y restaurantes elegantes y buenos clubes de baile; muchas cosas divertidas para hacer, ¿verdad?» «Todo eso es cierto», dije. Y así siguió la cosa durante diez minutos más, en los

3. Los cálculos de la FAO estaban recogidos en el *Utne Reader* de noviembre-diciembre de 2001.

que cada una de mis respuestas les hacía asentir, sonreírse el uno al otro y preguntar por más detalles del lugar que —al menos, según se lo imaginaban ellos— estaba más «a la última» de todos.

Pensar que las personas de otros países admiran o envidian a Estados Unidos sólo porque es rico es simplificar excesivamente las cosas. Hay muchos otros países —en Europa, Asia u Oriente Medio— que también son ricos. La diferencia es que América, además, tiene *glamour*, es excitante y está «en la onda». Su enorme energía y su ambición incólume conforman una dinamo que transmite un incesante movimiento hacia delante, como cualquiera que conozca la ciudad de Nueva York podrá testimoniar. Su imponente escala y belleza, especialmente en el Oeste —el Gran Cañón, Yosemite, las cuencas salvajes de Alaska—, infunden júbilo y humildad al mismo tiempo. Peligrosa en ocasiones, siempre segura de sí misma, impredecible, América es un lugar en el que pasan muchas cosas, abierto de par en par, donde el dinero es la medida de todas las cosas y el cielo no tiene límite. Hasta una observadora de tanto mundo como la escritora francesa Simone de Beauvoir quedó impactada. En Estados Unidos, tal y como escribió durante una visita en 1947, «se tiene la inspirada sensación de que cualquier cosa es posible».[4]

Ese optimismo ha estado presente desde sus inicios como nación y contribuye a explicar por qué Estados Unidos empezó a hacerse rico. Los americanos son un pueblo aventurero, explicaba el filósofo George Santayana, porque «el descubrimiento del nuevo mundo ejerció una especie de selección entre los habitantes de Europa. (...) Los acomodados, los profundamente arraigados y los vagos se quedaron en casa; los instintos más salvajes o la insatisfacción tentaron a los demás a ir más allá de aquel horizonte».[5] En sus *Letters from an American Farmer*, publicadas en 1782, el inmigrante francés J. Hector St. John De Crèvecoeur señalaba que «un europeo, cuando llega

4. La cita de Simone de Beauvoir está extraída de su libro *America Day by Day*, traducido [al inglés] por Carol Cosman, Berkeley, University of California Press, 1999. (Versión original en francés: *L'Amérique au jour le jour*, París, Paul Morihien, 1948. Trad. cast.: *América día a día*, Barcelona, Mondadori, 1999.)

5. La cita de Santayana se encuentra en *America: The View from Europe*, de J. Martin Evans, San Francisco, San Francisco Book Company, Simon & Schuster, 1976, pág. 92.

por primera vez, parece limitado en sus intenciones y en sus puntos de vista; pero de pronto varía su escala: si doscientas millas parecían antes una enorme distancia, ahora se convierten en una nimiedad; en cuanto respira nuestro aire, empieza enseguida a hacer planes y se embarca en propósitos que nunca habría llegado a concebir en su propio país».[6]

El dinamismo de la nueva nación tenía sus raíces en rasgos tanto físicos como filosóficos, entre los que estaba incluida a veces la más absoluta indiferencia hacia sus ideales religiosos. «Estados Unidos es la única gran nación de la era moderna cuya historia es también la historia de las tres fuerzas determinantes del mundo occidental moderno: el *industrialismo* como tecnología, el *capitalismo* como modo de organizarla y la *democracia* como modo de dirigir a ambos», señalaba el ya difunto historiador Max Lerner. «La tradición americana, tejida a partir de estos elementos, adquirió también su dinamismo.»[7] Estados Unidos estaba además increíblemente bien dotado de recursos naturales que los colonos blancos se apresuraron a arrebatar a los habitantes nativos. Ya en 1827, un escocés de visita por el país, el capitán Thomas Hamilton, podía ver las grandes fortunas que se avecinaban: «Ningún hombre puede contemplar los enormes recursos internos de Estados Unidos —la variada producción de su terreno, el extremo sin parangón de sus comunicaciones fluviales, las reservas inagotables de carbón y de hierro diseminadas incluso a ras de suelo— y dudar de que los americanos están destinados a convertirse en una gran nación industrial».[8] No obstante, la agricultura fue lo primero en florecer. El algodón recogido por esclavos negros fue el principal producto de exportación de la nación hasta que la Guerra de Secesión puso fin a la esclavitud en 1865.

«América está en posesión de una gran reserva de energía y, por consiguiente, todo en ella, lo bueno y lo malo, se desarrolla con ma-

6. La cita de Crèvecoeur procede de Evans, *America*, pág. 65.

7. La afirmación de Lerner proviene de su libro *America as a Civilization*, Nueva York, Henry Holt, 1987, pág. 39 (trad. cast.: *Los Estados Unidos como civilización*, Buenos Aires, Compañía General Fabril, 1960).

8. La cita de Hamilton procedía de *Broken Image: Foreign Critiques of America*, seleccionado y preparado por Gerald Emanuel Stearn, Nueva York, Random House, 1972, pág. 34.

yor rapidez que en ninguna otra parte», sostenía Maxim Gorki, el autor ruso, en 1906.[9] De hecho, a Estados Unidos le llevó sólo un siglo y cuarto desde su fundación en 1776 convertirse en la mayor economía del mundo. Al acabar la Primera Guerra Mundial, en 1918, la economía estadounidense era mayor que las de Gran Bretaña, Francia, Alemania y Rusia juntas.[10] La Segunda Guerra Mundial amplió enormemente su liderazgo: la de Estados Unidos había sido la única economía que, en vez de ser destruida, había salido reforzada de la guerra y eso sentó las bases para su eclosión en una era de prosperidad sin precedentes en la historia humana.

La edad dorada de Estados Unidos duró desde el final de la guerra en 1945 hasta el embargo petrolífero de la OPEP de 1973. No fue casualidad que el mencionado embargo clausurara esa era: el petróleo barato y la historia de amor con el automóvil a la que esos bajos precios habían dado lugar habían sido cruciales para el hipercrecimiento de aquella época. Tras la Segunda Guerra Mundial, el coche había consolidado su dominio en el sistema de transporte nacional gracias a una combinación de vileza empresarial (un consorcio que incluía a la General Motors, la Standard Oil y Firestone Tire and Rubber había comprado en secreto sistemas de transporte por autobús y por tranvía en todo el país, y después habían procedido a su cierre con el fin de destruir la competencia que podían suponer para el automóvil), subvenciones estatales (Washington lanzó en 1956 lo que el presidente Dwight Eisenhower denominó «el mayor programa de obras públicas de la historia» para entrelazar la nación a través de superautopistas) y el propio atractivo del coche como forma cómoda y emocionante de desplazarse.[11] El aumento en el núme-

9. La cita de Gorki está recogida en Evans, *America*, pág. 184.

10. De la fuerza económica de Estados Unidos en 1918 da cuenta *The Reluctant Superpower: A History of America's Global Economic Reach*, de Richard Holt, Nueva York, Kodansha, 1995, pág. 11.

11. La historia de la destrucción del sistema de transporte público ferroviario en Estados Unidos está explicada con mayor detalle en «The Great Transportation Conspiracy», de Jonathan Kwitny, en el *Harper's Magazine* de febrero de 1981. El papel de las subvenciones estatales y la suburbanización está descrito en *Earth Odyssey: Around the World in Search of Our Environmental Future*, de Mark Hertsgaard, Nueva York, Broadway Books, 1998, págs. 107-108.

ro de automóviles hizo posible la aparición, a su vez, del mayor motor de crecimiento económico de la época: la creación de los suburbios residenciales, un acontecimiento de profundas implicaciones sociales, medioambientales y, también, culturales. Todas esas nuevas carreteras, casas, escuelas (y el resto de las infraestructuras para su mantenimiento), construidas para desplazar a decenas de millones de estadounidenses desde los centros urbanos hasta los suburbios, proporcionaron un estímulo enorme y continuado a la economía, que provocó el aumento tanto de los beneficios como de los salarios durante décadas.

El estilo de vida de elevado consumo que los americanos damos ahora por sentado prendió entre nosotros durante esa edad dorada (si bien sus orígenes se remontan al auge en la producción y la publicidad de bienes de consumo que tuvo lugar a comienzos del siglo XX). Las familias con dos coches se convirtieron en la norma: un coche para el trabajo de papá y otro para los recados de mamá. De pronto, había aparatos que ahorraban trabajo por todas partes: lavavajillas, aspiradoras, abrelatas eléctricos, lavadoras y secadoras de ropa. La radio se vio eclipsada de un día para otro en cuanto la nación se enamoró de la televisión, cuyos anuncios no hacían más que avivar el apetito por más productos de consumo. Al tiempo que proliferaban todo tipo de comodidades, también lo hacían los estudios de mercado; los estadounidenses pasaron a ser identificados más como consumidores que como ciudadanos.

Ningún otro lugar personificaba los atractivos de la época mejor que el Estado Dorado* por excelencia: California. ¡Eso sí que era un paraíso! Tal y como la retrataba Hollywood, California era un verano interminable de romance y capricho, un lugar mágico en el que la vida era fácil y todos los sueños se hacían realidad. El sol, la playa, los cuerpos y los coches (descapotables, por supuesto) que hacían posible que sol, playa y cuerpos coincidieran en el tiempo y en el espacio... ¿qué más se podía pedir? Era «diversión, diversión, diversión», como decía la canción de los Beach Boys, y atraía (sobre todo)

* «The Golden State» es, precisamente, el lema oficial del estado de California. (*N. del t.*)

a los jóvenes de toda la nación. En realidad, el atractivo de California en aquel entonces era como el atractivo de América hoy en día: el atractivo de una estrella de cine (carismática, extravagante, consentida, inolvidable).

Compartir el espacio medioambiental

En un mundo de desigualdad extrema y creciente, Estados Unidos representa el símbolo máximo de riqueza y desahogo. «La quinta parte más rica de la población mundial consume el 86 % de todos los bienes y servicios, mientras que la quinta parte más pobre se tiene que conformar con poco más del uno por ciento», según el Informe de las Naciones Unidas sobre Desarrollo Humano de 1999. La humanidad ha estado dividida entre ricos y pobres durante miles de años, pero una parte crucial de esa dinámica ha cambiado: la televisión hace que los pobres de hoy en día sean mucho más conscientes de lo pobres que son y del tremendo lujo que se están perdiendo. Sus diversas respuestas ante tal toma de conciencia (y, por extensión, ante Estados Unidos) ilustran lo que bien puede ser el mayor reto del nuevo milenio: combatir la pobreza que aflige a la mayor parte de la familia humana (y que proporciona un caldo de cultivo tan fértil para el terrorismo, las enfermedades y otras amenazas para los ricos y para los pobres), preservando, al mismo tiempo, los ecosistemas naturales que hicieron posible la vida en primera instancia.

«Si usted fuera por aquí por la calle preguntando a la gente la primera idea que les viene a la cabeza al pensar en América», me dijo un joven ingeniero llamado Hany mientras almorzábamos en El Cairo en junio de 2001, «la mayoría diría: "Ésa es la clase de vida fácil que yo quiero".» Ésa es una perspectiva que comparten muchísimas más personas pobres en todo el mundo. De las personas que he conocido han sido relativamente pocas las que parecieron sentirse ofendidas en algún momento por la riqueza de Estados Unidos. Todo lo contrario: como decía el señor Ma en China, lo que quieren es conocer su secreto y están dispuestas a trabajar para lograr sus mismas recompensas.

Hay personas de otros países que sí que adoptan un punto de vista más extremo y que condenan a Estados Unidos (y a otros miembros de la clase acomodada del mundo) por la indiferencia que muestra ante su sufrimiento. «A veces creemos que los forasteros vienen aquí a reírse de nosotros», me comentaba en 1992 Jok, un funcionario local encargado de la ayuda humanitaria en el sur de Sudán, en medio del hambre y la miseria de una guerra civil de varias décadas. «Sacan fotos, hacen preguntas, toman notas. Luego regresan a sus vidas cómodas y nada cambia. (...) Pero nosotros seguimos aquí.» Una vez, en San Petersburgo, le reproché ligeramente a un amigo ruso que fumara tantos cigarrillos: ¿acaso no le importaba su salud? Me lanzó una larga mirada de desdén, dio otra calada a su cigarrillo y dijo: «Te propongo un trato, Mark. Tú me das tu pasaporte estadounidense, te quedas a vivir aquí y yo vivo allí durante seis meses. Veremos luego quién fuma más cigarrillos».

Hay una minoría en muchos países que no sólo admira el estilo de vida americano, sino que lo copia descaradamente. Actualmente también se pueden ver vehículos 4×4 (esos monstruos engullidores de gasolina que suponen la mitad de las ventas de coches nuevos en Estados Unidos) en las calles de las capitales europeas y asiáticas. A muchos extranjeros, sin embargo, las pautas de consumo estadounidenses les parecen excesivas, incluso ridículas. «En los grandes centros comerciales de Estados Unidos te encuentras cientos de marcas y tamaños distintos de pasta, jabón, chicle, y de lo que quieras», me decía el ingeniero egipcio. «Es de risa. Seguro que con cinco o seis marcas de dentífrico hay más que suficiente.»

Pero el efecto global del consumismo americano no es como para tomárselo a broma. Teniendo el 5 % de la población de la Tierra, Estados Unidos es responsable de aproximadamente el 25 % del impacto medioambiental que deja la humanidad. En él se incluyen: su consumo de madera, minerales y otros recursos; su destrucción de la selva tropical, los pantanos y las especies en peligro de extinción, y su producción de contaminantes como las dioxinas que envenenan las reservas de agua y el dióxido de carbono que provoca el cambio climático global. Esa divergencia entre el 5 y el 25 % es debida a que los estadounidenses consumen muchísimo más *per capita* que los no estadounidenses. Así que cuando Estados Unidos se niega a limitar su enorme apetito —por ejemplo, cuando la administración Bush rechaza unilateralmente el protocolo de Kioto sobre calentamiento global basándose (engañosamente) en que la reducción en la emisión de gases invernadero dañaría la economía estadounidense, o cuando el Congreso vota en contra de un incremento de la eficiencia en el consumo de combustible de los automóviles que haría descender las emisiones estadounidenses aún más que el propio protocolo de Kioto— parece dar muestras de egoísmo propias de un glotón. «Ustedes, los americanos, son unos individualistas y consumen como tales», decía también el ingeniero egipcio. «Hacen lo que les conviene a ustedes y no les importa nadie más.»

No deja de ser irónico que Estados Unidos sea visto actualmente como una especie de renegado ecológico, puesto que fuimos nosotros los que dimos origen a la ética ecologista moderna. En 1872, Estados Unidos inventó el parque nacional —aplaudido luego por James Bryce, embajador británico en Washington, como la mejor idea que América había tenido nunca— cuando el presidente Ulysses S. Grant firmó una ley que declaraba más de dos millones de acres en Wyoming como Parque Nacional de Yellowstone. Estados Unidos fue pionero también en el concepto de parque natural: una zona en la que quedaba prohibida cualquier actividad humana que pudiera poner en peligro la naturaleza más salvaje. En 1962, la publicación de *Silent Spring*, de Rachel Carson,* dio inicio a una nueva fase del movimiento ecologista, centrada en la protección contra la contaminación industrial. Una ciudadanía movilizada obligó enseguida a Washington a aprobar leyes sobre la limpieza del aire y del agua que han devenido modelos para otros países en todo el mundo. Es una lástima que Estados Unidos haya comprometido todo ese legado durante los últimos veinte años por culpa de su consumismo desbocado y de su reincidencia.

El estilo de vida americano es atractivo, pero si los seis mil millones de habitantes de la Tierra vivieran de ese modo, harían falta otros tres planetas más para proporcionar todas las materias primas

* Trad. cast.: *Primavera silenciosa*, Barcelona, Luis de Caralt, 1964. (*N. del t.*)

necesarias y absorber toda la contaminación generada.[12] Como ésta es la única Tierra que tenemos, la humanidad ha de intentar compartir el espacio medioambiental existente. Una tecnología mejor (una mayor eficiencia energética, una rápida transición hacia los combustibles solares y no fósiles, así como transformaciones parecidas en la agricultura, el transporte, la construcción y otros sectores) puede reducir enormemente las secuelas ecológicas que deja la humanidad. Pero eso es todo lo que puede lograr la tecnología. Dado que miles de millones de personas pobres seguirán luchando por mejorar su suerte en años venideros, nuestro impacto medioambiental tenderá inevitablemente a crecer... a menos que se produzca una reducción equivalente en el consumo de las personas ricas, que ocupan ahora una parte mucho más grande de la que les corresponde en el espacio medioambiental.

Donde esta dinámica se evidencia de forma más dramática es en la relación de Estados Unidos con China. China consume un 10 % de la energía *per capita* que consume Estados Unidos. Pero incluso bajo la presidencia (de tono supuestamente ecologista) de Bill Clinton, Estados Unidos se ha negado a aceptar la obligación de reducir las emisiones de gases invernadero a menos que China y otros grandes países pobres hagan lo mismo. Sin embargo, según los chinos, la industrialización previa de las naciones ricas es la que tiene una mayor parte de responsabilidad en el cambio climático; así que ¿por qué han de ser consideradas las naciones pobres igual de responsables?

«Los americanos dicen que China es la gota que colma el vaso en lo que respecta a las emisiones de gases invernadero», me decía en Pekín Zhou Dadi, subdirector general del Instituto de Investigación Energética de la Comisión de Planificación Estatal. «Pero lo que nosotros decimos es: "¿Por qué no vaciáis una parte de la enorme cantidad de agua que habéis echado vosotros en el vaso antes?". Si el vaso fuera de Estados Unidos, pues beberíamos directamente de la

12. La información sobre el impacto medioambiental de Estados Unidos y la necesidad de tres planetas adicionales procede de *Stuff: The Secret Life of Everyday Things*, de John C. Ryan y Alan Thein Durning, Seattle, Northwest Environment Watch, 1997, pág. 67.

fuente y ya está. Pero el vaso no pertenece a Estados Unidos. (...) China seguirá insistiendo en el principio del cálculo *per capita*. ¿Qué otra cosa se supone que podemos hacer? ¿Volver a vivir sin calefacción en invierno? Imposible.»

Esto último no era mera retórica. Zhenbing, mi intérprete en China, creció en medio de una pobreza extrema en un pueblecito a unas 120 millas al noroeste de Pekín. En un clima tan frío como los de Boston o Berlín, su familia sólo podía quemar hojas secas o paja para calentar su choza de barro. «A menudo la paja no era suficiente», recordaba Zhenbing, «así que las gotas de agua congeladas blanqueaban las paredes interiores de la choza, como si fueran de nieve solidificada». Las familias como la de Zhenbing sólo pudieron empezar a adquirir suficiente dinero para comprar carbón después de que China iniciara reformas económicas en 1980.

Multipliquemos la historia de Zhenbing por los casi mil quinientos millones de personas que viven en China y nos daremos cuenta de por qué China se ha convertido en una superpotencia medioambiental, sólo superada por Estados Unidos. El carbón extra que los chinos quemaron a lo largo de las dos pasadas décadas para evitar tener paredes blancas en invierno ha traído consigo consecuencias ecológicas espantosas. Nueve de las diez ciudades con el aire más contaminado del mundo están en China. Casi una de cada tres muertes en ese país está relacionada con la contaminación del aire o del agua. Y el mundo exterior tampoco es inmune a ello. La modernización de China va camino de hacer que supere a Estados Unidos y convertirla en la principal emisora mundial de gases invernadero allá por el año 2020.[13]

Como superpotencias medioambientales, China y Estados Unidos ejercen, cada una por separado, lo que viene a ser un poder de veto sobre la evolución mundial hacia un futuro sostenible. Cada una de esas naciones supone tal cuota del consumo global que, sin su cooperación, los intentos internacionales para invertir (entre otras) la tendencia de las actuales emisiones de gases invernadero no pueden

13. Los datos sobre las condiciones energéticas y medioambientales de China y la cita de Zhou Dadi se encuentran recogidas y referenciadas en Hertsgaard, *Earth Odyssey*, especialmente en las páginas 5-6 y 187, y en el capítulo 5.

llegar a buen puerto. El peso ecológico de China deriva principalmente de su descomunal población: uno de cada cuatro seres humanos es chino. La alargada sombra medioambiental que proyecta Estados Unidos se debe, sobre todo, a sus derrochadoras pautas de consumo (sin olvidarnos de que también cuenta con la cuarta mayor población del mundo). Los chinos superan en número a los estadounidenses por más de cinco a uno, pero el norteamericano medio consume cincuenta y tres veces más bienes y servicios. En China hay un coche por cada quinientas personas; en Estados Unidos, un coche por cada dos.

Adictos a ir de compras

El coche es sólo el símbolo más obvio de la tendencia de los estadounidenses a consumir como si fuera lo último que hiciéramos. En verano subimos al máximo el aire acondicionado, helando nuestras casas, nuestras tiendas y nuestros cines a temperaturas que harían que tiritáramos y que protestáramos en invierno. Los niños y los adultos adoran sus respectivos juguetes y están ansiosos por comprar más (primero vienen las cámaras y, luego, las videocámaras; tras las televisiones vienen los aparatos de DVD; tras los esquís vienen las tablas de esquiar), de los cuales se desembarazan en cuanto aparecen nuevos modelos. En 1999 nos gastamos 535.000 millones de dólares en entretenimiento, más que el PNB agregado de las cuarenta y cinco naciones más pobres del mundo.[14] Nuestros restaurantes sirven raciones mucho mayores que las que cualquier persona pueda comer. Los refrescos que se venden en las tiendas son de tamaños tan ridículamente desproporcionados como sus propios nombres («Trago extremo», «Súper-Jumbo») indican y sus envases pasan enseguida a formar parte del aluvión de basura que se vacía diariamente en los vertederos de una nación donde prácticamente todo viene envuelto en exceso y se tira a la basura después de un solo uso. La gran mayoría de los estadounidenses asegura que les importa mucho el medio

14. El gasto en entretenimiento de Estados Unidos está documentado en el *Statistical Abstract of the United States, 2001*, publicado por el United States Census Bureau.

ambiente y muchos de ellos dan prueba de ello reciclando botellas, latas y periódicos. Pero la del reciclaje es una batalla perdida a menos que cambien las pautas subyacentes. Estados Unidos recicló el triple de papel en 1999 que en 1975, pero el incremento vertiginoso en las tasas de consumo hizo que, a pesar de todo, se incrementase el volumen total de desperdicios de papel.[15]

Parte de la responsabilidad de esta orgía de consumo recae sobre cada uno de los estadounidenses a nivel individual, pero nosotros no tenemos la culpa de vivir en una cultura de saturación publicitaria que no para de seducir, engatusar y hasta incluso de exigir directamente que cumplamos con nuestro deber patriótico y compremos un nuevo sistema de audio y vídeo doméstico. Los estadounidenses nos vemos acribillados a anuncios desde el momento mismo en el que nos levantamos por la mañana hasta la hora en la que nos vamos a dormir (y algún ejecutivo publicitario espabilado habrá que acabe, sin duda, descubriendo cómo invadir también nuestras horas de sueño). Aproximadamente uno de cada tres minutos de la televisión estadounidense es publicidad.[16] Los niños son un blanco destacado de la misma: hazte con una lealtad de marca temprana y ganarás un cliente para toda la vida. Y no hay nada que establezca dónde puede estar el límite de lo que se considera demasiado joven: en 1998, los comerciales empezaron a dirigirse a los niños de un año. Un ejecutivo del gigante mediático Time Warner vino a admitir que había «cierta maldad» en ello, pero el negocio es el negocio. A los siete años de edad, un niño estadounidense medio ve veintisiete horas de televisión a la semana (casi cuatro horas al día) y la increíble cantidad de veinte mil anuncios al año.[17]

Y el creciente recurso de la economía americana al endeudamiento facilita el consumo. Los bancos ofrecen a los consumidores la frio-

15. Las tendencias de consumo y reciclaje en Estados Unidos están documentadas en «Cutting the Costs of Paper», Worldwatch Institute, del 11 de diciembre de 1999, <www.worldwatch.org>.

16. La frecuencia de la publicidad en la televisión estadounidense aparecía documentada en un estudio de la American Association of Advertising Agencies, recogido en el *USA Today* del 15 de febrero de 2002.

17. Los datos sobre niños y televisión se encuentran en *Rich Media, Poor Democracy: Communication Politics in Dubious Times*, de Robert W. McChesney, Nueva York, New Press, 2000, págs. 45-47.

lera de cuatro mil millones de tarjetas de crédito al año (una media de quince tarjetas por cada hombre, mujer y niño o niña en Estados Unidos). Lo de «cárguelo en mi cuenta» se está convirtiendo en nuestro lema nacional. Pero las facturas hay que pagarlas: las quiebras personales aumentaron en un 70 % entre 1995 y 1999.

No es de extrañar que el centro comercial haya reemplazado a la iglesia y a la plaza del pueblo como foco de nuestra vida social. Cuando el escritor americano Bill Bryson regresó a Estados Unidos en 1996 tras haber vivido en Inglaterra durante veinte años, se quedó admirado de la simpatía y la generosidad de sus conciudadanos (la misma semana en la que su familia se instaló aquí de vuelta, hubo personas —a las que no conocía de nada— que pasaron a dejarles botellas de vino, platos de comida casera... hasta muebles para la sala de estar), pero esa misma cultura de consumismo sin sentido le dejó consternado. Una mañana, cuando intentaba pedir un café justo antes de subir a un avión, Bryson se extrañó de la lentitud a la que avanzaba la cola por delante suyo. Cuando llegó su turno entendió por qué; como los que le habían precedido, se vio obligado a escoger entre docenas de posibles variaciones antes de que le sirvieran: café moka, capuchino o descafeinado, y con leche desnatada, entera o con el 2 % de materia grasa. El dependiente no podía entender (literalmente) que lo único que quería era un café solo. Cuando fue al centro comercial también se le hizo patente el mismo tipo de exceso, ampliado en este caso con infinidad de tiendas y todo tipo de trastos innecesarios. Sus conciudadanos, entretanto, parecían contentos de deambular como sonámbulos de oportunidad en oportunidad de consumo. «En realidad, esta abundancia de opciones entre las que elegir (...) genera hasta cierto punto insatisfacción», señalaba Bryson. «Cuanto más hay, más ansía la gente. (...) Parece como si hubiéramos creado una sociedad en la que el pasatiempo principal es pastar entre establecimientos de venta al público buscando cosas —texturas, formas, sabores— nunca antes encontradas.»[18]

18. Las observaciones de Bill Bryson se encuentran en *I'm a Stranger Here Myself: Notes on Returning to America After Twenty Years Away*, Nueva York, Broadway Books, 1999, págs. 244-246.

No se trata sólo de que haya ya millones de individuos adictos a ir de compras: la nación en su conjunto depende de esas compras para mantener la economía viento en popa. El gasto en consumo equivale a dos terceras partes de la actividad económica doméstica. Si la gente interrumpe o, simplemente, aminora el ritmo de sus compras, las empresas se tambalean, aumentan los despidos y se cierne sobre nosotros la recesión. El peligro quedó crudamente puesto de manifiesto cuando los ataques terroristas del 11 de septiembre amenazaron con echar abajo no sólo el World Trade Center, sino también la economía nacional. Por si no fuera poco con el miedo a volar que provocaron los sucesos del 11 de septiembre en muchos estadounidenses (lo cual recortó los ingresos de las compañías aéreas, de los hoteles y de otros sectores relacionados con el negocio de los viajes), los ataques generaron además una nueva sensación de severidad en el pueblo americano, un alejamiento de la autocomplacencia y de las cosas materiales, en favor de los valores espirituales y el servicio a los demás. La consiguiente caída del consumo transformó el deterioro que se estaba dejando sentir ya antes en la situación económica en una recesión sin paliativos. Alarmados, los líderes políticos empezaron a transmitir al público la idea de que el respeto por los muertos estaba muy bien, pero que era ya hora de que salieran y gastaran dinero. «América, abierta para los negocios», anunciaban a bombo y platillo logotipos de color rojo, blanco y azul, que aparecieron de pronto expuestos en los escaparates y las vallas publicitarias de todo Estados Unidos. Como lema nacional, carecía de la grandiosidad del «De nada hemos de tener miedo más que del miedo mismo», de Roosevelt, o del «No preguntes qué puede hacer tu país por ti...», de Kennedy, pero reflejaba la fe americana en que comprar y vender son el camino a la felicidad.

«No puedo ir a Afganistán. Lo que sí puedo es asegurarme de que tengamos el mejor Santa Claus de la ciudad», decía Linda Wardell, directora general adjunta del centro comercial Polaris de Columbus, Ohio, una ciudad que se toma a menudo como barómetro representativo de la clase media norteamericana más tradicional.[19] Esta enor-

19. Linda Wardell aparece citada en el *New York Times* del 21 de diciembre de 2001.

me catedral del consumismo, este centro comercial de casi 140.000 metros cuadrados, abrió sus puertas el 25 de octubre, justo a tiempo para la avalancha de las fiestas. El período navideño es el estímulo anual esencial para el capitalismo estadounidense: el día de mayor volumen de compras del año es, irónicamente, el inmediatamente posterior a la festividad del Día de Acción de Gracias. Pero en los últimos años, han aumentado las protestas contra la comercialización de la Navidad (especialmente, contra la publicidad manipuladora que presiona a los consumidores para que compren, compren y compren si no quieren parecer unos tacaños miserables). Según un sondeo encargado por el Center for a New American Dream, un grupo de interés público que aboga por el consumo responsable, el 62 % de los estadounidenses se sienten molestos por la tensión que sienten a la hora de hacer sus compras navideñas y el 47 % salen de ese período de fiestas cargados de deudas. De éstos, uno de cada cinco se encuentra pagando todavía esos créditos el otoño siguiente, cuando el ciclo empieza de nuevo.[20]

Esa desilusión a propósito de las propias fiestas navideñas: ¿es un síntoma de que Estados Unidos se ha vuelto demasiado rico, hasta extremos incluso perjudiciales para sí mismo? En un país que siempre ha rendido culto a la riqueza y a la búsqueda de la misma, el simple planteamiento de una pregunta así constituye una blasfemia, pero es muy difícil pasar por alto la evidencia. Los propios cuerpos de los estadounidenses son testimonios vivos de abotargamiento e indolencia. El doctor David Satcher, ministro de Sanidad de Estados Unidos, advertía en diciembre de 2001 que el 60 % de nuestros adultos tienen sobrepeso o están obesos (un adulto de un metro y sesenta y ocho centímetros de estatura tiene sobrepeso a partir de los 72,5 kilogramos de peso y es obeso a partir de los 86 kilogramos). Él culpaba de ello a unos estilos de vida en los que el ejercicio brilla por su ausencia, pero en los que abunda la comida basura, y calculaba que, como resultado, mueren unos 300.000 estadounidenses al año (más que la cantidad total de los que fallecen por cul-

20. El sondeo del Center for a New American Dream está disponible en la página *web* del grupo: <www.newdream.org>.

pa del alcohol, las drogas, las armas de fuego y los automóviles juntos).[21]

Igualmente, estamos pagando cara nuestra pasión desenfrenada por los coches (el parque de vehículos de Estados Unidos creció seis veces más que su población humana entre 1969 y 1995). A pesar de que los coches son individualmente más limpios hoy en día, la contaminación del total del parque automovilístico causa 30.000 muertes directas y 120.000 muertes prematuras cada año, sobre todo entre los más jóvenes y los más mayores, que son los que tienen pulmones más sensibles. Uno de cada quince estadounidenses menores de dieciocho años está actualmente aquejado de asma. Cuando se impusieron restricciones al tráfico durante los Juegos Olímpicos de Atlanta de 1996, el descenso en la contaminación atmosférica produjo una caída del 42 % en el número de hospitalizaciones por asma.[22] Los atascos de tráfico cuestan 100.000 millones de dólares anuales en pérdidas de productividad, sin mencionar el hastío y el estrés que infligen en los conductores involucrados. En Los Ángeles, símbolo del sueño californiano, «los conductores se pasan actualmente una media de siete días laborables al año inmovilizados en medio del tráfico», según ha informado el *New York Times*.[23] Y el problema tiene todos los visos de empeorar, aunque sólo sea porque todos los adolescentes americanos asumen disfrutar del derecho a tener su propio coche. Pero ni la actual congestión asesina puede convencer a los estadounidenses de que conduzcan menos: a fin de cuentas, los atascos siempre son culpa de *los demás*.

«Más diversión, menos cosas materiales»

De poco nos sirve a los estadounidenses sentirnos culpables por lo rico que es Estados Unidos, pero seríamos unos insensatos si hiciéra-

21. De las advertencias del ministro de Sanidad (*surgeon general*) informaba la Associated Press el 13 de diciembre de 2001.

22. Los datos sobre el crecimiento del uso del automóvil y sus consecuencias se encuentran y están documentados en Hertsgaard, *Earth Odyssey*, capítulo 3.

23. La noticia del *New York Times* sobre los atascos de tráfico en Los Ángeles apareció el 10 de marzo de 2002.

mos caso omiso de lo privilegiados que somos. En un mundo que es, en su inmensa mayoría, pobre, nosotros somos increíblemente (a menudo, derrochadoramente) ricos. La riqueza de Estados Unidos tiene enormes consecuencias, pero apenas somos conscientes de las mismas y aún menos llegamos a hablar de qué hacer al respecto. No estamos siendo muy inteligentes en ese sentido. Tampoco estamos siendo compasivos. Es algo que va incluso en contra de nuestro interés propio más inmediato: la conveniencia de llevar unas vidas más sanas.

Hay algo de innoble en consumir de un modo tan irreflexivo cuando hay tantas otras personas que tienen tan poco, y los estadounidenses no deberíamos sorprendernos de que nuestro comportamiento provoque los mismos sentimientos que los ricos se han granjeado a lo largo de la historia: envidia sana, admiración, incluso adulación, pero también celos, resentimiento y la reacción violenta que esto último puede desencadenar. Nuestra aparente indiferencia ante la difícil situación de las personas pobres despierta en ellas, cuando menos, la determinación de hacerse tan ricas como nosotros, a menudo cometiendo los mismos errores. El enfoque que se le da al consumo en Estados Unidos, que *de ningún modo* ha de ser confundido con nuestro nivel de vida, es ecológicamente ruinoso. Pero como nuestro estilo de vida de «comprar hasta reventar» parece divertido, otros quieren copiarlo. En un planeta finito como el nuestro, esa receta equivale a un desastre seguro. Pero ¿cómo podemos esperar que la gente de China —como el señor Ma o Zhenbing— o de cualquier otro país se refrene cuando nosotros nos mostramos reacios a que se nos aplique el más mínimo recorte?

Algunos estadounidenses, especialmente en el sector empresarial, se quejan y alegan que cualquier mención de posibles límites al consumo es una estupidez peligrosa que acabará por dejarnos a todos a oscuras y temblando de frío. Menudo disparate. Nuestros hábitos de consumo actuales son los que nos están matando de obesidad y estrés, por no hablar de lo mucho que nos están alejando de lo que realmente importa en la vida. Existe una gran diferencia entre la comodidad y el exceso: podemos mantener un nivel de vida muy confortable reformando radicalmente, al mismo tiempo, el modo en el que consumimos. Podríamos empezar con el lanzamiento de un *Green*

Deal (siguiendo el modelo de nuestra carrera hacia la Luna de los años sesenta): un programa que hiciera posible que abandonáramos nuestra adicción al petróleo en un plazo de diez años. Sin gastar más pero sí de un modo más inteligente, un *Green Deal* de iniciativa estatal pero galvanizado por el mercado implicaría la retirada de las subvenciones federales al petróleo y a otros recursos sin porvenir ecológico y pondría la energía solar, las células de hidrógeno combustible y el transporte público a la orden del día, con lo que aumentarían tanto los puestos de trabajo como los beneficios.[24]

¿Y no deberíamos los estadounidenses intentar también consumir menos en términos absolutos? Después de todo, cuando se come bistec y helado dos veces al día, adelgazar es una sabia receta de supervivencia y no una dieta ni un sacrificio. Ponerse a régimen no tiene tampoco por qué hacer disminuir el *glamour* de Estados Unidos, porque seguro que el origen de nuestra mística radica en nuestro espíritu y no en nuestras tarjetas de crédito. Mucho antes de que los centros comerciales que abren las veinticuatro horas y las franquicias de comida rápida infestaran nuestro paisaje y de que la televisión nos convirtiera a muchos de nosotros en teleadictos, Estados Unidos era ya la tierra de Elvis Presley, el Greenwich Village, Amelia Earhart, el *blues* del Delta del Misisipí, Ella Fitzgerald, San Francisco, Muhammad Ali, el Salvaje Oeste, Mark Twain, el Grand Ole Opry, Babe Ruth, las Grandes Llanuras, Bob Dylan, el Cotton Club y una multitud más de personas y lugares que inspiraban los anhelos de las personas de otros países y que hacían que los nativos se sintieran orgullosos de ser americanos. El dinero está muy bien en el lugar que le corresponde, pero la magia de la vida mana de una fuente más profunda, tal y como mucha gente se vio impelida a recordar ante lo acaecido el 11 de septiembre. No será fácil quitarnos de encima ese materialismo excesivo al que nos hemos acostumbrado, pero hay un lema que surge de este movimiento de simplicidad voluntaria y que insinúa cuál puede ser la gratificación potencial: «Más diversión, menos cosas materiales».

24. El programa del *Green Deal* está descrito de forma más detallada en el capítulo final de *Earth Odyssey*, de Hertsgaard, así como en una edición especial para el Día de la Tierra de *Time*, en la primavera de 2000.

Capítulo 3

Damos la libertad por asumida

En la actualidad, Mohammed Ghaly es un inválido. Su trabajo de vendedor le solía llevar por todo Egipto e, incluso, Libia, hasta que un día un coche que iba dando virajes bruscos en medio del tráfico caótico de El Cairo se subió al bordillo de la acera y le aplastó la pierna izquierda. Ahora, a sus cincuenta y un años, necesita muletas para desplazarse y rara vez sale de su vecindario en el barrio islámico. Se pasa la mayor parte del tiempo visitando a sus amigos en los salones de té de la zona, leyendo el periódico, jugando al *backgammon*, pasando el tiempo.

El día en que nos conocemos hace un calor irresistible, unos 40 grados centígrados. Él se sienta en una silla destartalada, a la sombra, en uno de los numerosos callejones sin asfaltar de los alrededores de Al-Azhar, la universidad más antigua de El Cairo y su mezquita más famosa, donde yo mismo había visto el día antes a cientos de personas —congregadas en habitaciones oscuras y de techo bajo— que estudiaban el Corán, rezaban y se postraban ante Alá. En el callejón resuenan los gritos y los murmullos del animado bazar local. De las ventanas del primer piso cuelgan largas túnicas de colores carmesí, dorado y azul turquesa, mientras que una mezcla embriagadora de fragancias emana a bocanadas de la tienda de la esquina, en la que la cúrcuma, los dátiles y otras exquisiteces están apiladas en sacos bajos de arpillera. Un adolescente de aire resuelto se abre camino entre la muchedumbre. Lleva una bandeja con cuatro vasos de té y la deja sobre la mesita a la que estamos sentados Ghaly y yo. Es junio de 2001.

Mi intérprete empieza a explicar por qué estoy aquí y Ghaly parece ansioso por mostrar que sabe algo de inglés. «Bienvenido a El Cairo», tercia él con una sonrisa. «Espero que disfrute de su estancia.» Yo comienzo con mi pregunta habitual: «¿Qué es lo primero que le viene a la mente cuando digo "América"?». Ghaly espera hasta que se lo traducen y entonces, sin dudarlo, da una respuesta breve y contundente en su lengua nativa: «Democracia y libertad».

«¿De verdad?», digo, un tanto desconcertado. «La mayoría de los egipcios dicen Israel.»

Ghaly sonríe. «Eso es porque no les gusta que Estados Unidos siempre esté del lado de Israel y contra los árabes y los palestinos. Y estoy de acuerdo con ellos en ese punto. El gobierno estadounidense es bueno dentro de Estados Unidos, pero no es bueno fuera.» Toma un sorbo de té. «Pero sabemos que a algunos americanos tampoco les gusta lo que hace su gobierno [en el extranjero], porque Estados Unidos es un país libre y la gente de allí está muy capacitada y puede pensar por sí misma.»

Después de las duras condenas contra Estados Unidos que había oído aquella misma mañana de boca de los tres terroristas retirados, me extrañaron los comentarios de Ghaly. Ahora, en retrospectiva, me doy cuenta de que no deberían haberme sorprendido. A lo largo de los años he oído con frecuencia elogios parecidos dirigidos a Estados Unidos, especialmente en países donde la libertad y la democracia son sueños lejanos.

En las seis semanas que estuve en China en 1996-1997, me reuní con Dai Qing, una destacada periodista que me describió cómo había sido encarcelada y mantenida también bajo arresto domiciliario simplemente por haber escrito artículos que arrojaban dudas sobre el tristemente famoso proyecto de la Presa de los Tres Desfiladeros. De vuelta en Estados Unidos, entrevisté a Wei Jinsheng, el valeroso disidente del Muro de la Democracia, que acababa de ser puesto en libertad y exiliado tras dieciocho años entre rejas, durante los que había sufrido la caída de todos sus dientes, celdas a temperaturas bajo cero e innumerables palizas por insistir en derechos básicos que los estadounidenses dan por asumidos. En la actualidad, los chinos disponen de mayor libertad en la esfera personal (a la hora de escoger trabajo, pareja y lugar de residencia), pero quienquiera que exija democracia de verdad sigue asumiendo un gran riesgo. Aunque se han introducido elecciones en el nivel cantonal, los dirigentes del partido continúan al mando y recurren a la mano dura que consideren necesaria para seguir saqueando las rentas públicas.

En Rusia, en 1995, el ex comandante de submarino Alexandr Nikitin fue encarcelado por publicar información de dominio público acerca del vertido de materiales radioactivos que estaba llevando a cabo la armada en el Mar Báltico. Nikitin consiguió por fin la libertad en 1999 y cuando le entrevisté no tardó un segundo en dejarme claro que él había logrado triunfar gracias, sobre todo, a contar con ayuda internacional a la que no pueden acceder los rusos normales. Los rusos se sienten «totalmente indefensos» a nivel individual cuando se ven amenazados por el aparato de la seguridad estatal, según ha testificado en 2002 el comisionado nacional de derechos humanos. Este mismo año, el periodista Grigori Pasko ha conocido un destino similar al de Nikitin y por un «delito» parecido: cuatro años en prisión por revelar información que ya era de dominio público.[1]

¿Es acaso necesario que añada que tales injusticias no son privativas de los países (ex) comunistas? En Kenia hablé con la activista Wangari Maathai acerca de su ingenioso programa *Green Belt*, que paga un dinero a mujeres pobres para que planten árboles, con lo que se combaten la pobreza, la deforestación y la desigualdad femenina al mismo tiempo. Seis semanas después, tanto ella como otras personas que marchaban por el centro de Nairobi reclamando elecciones libres fueron golpeadas por matones enviados, al parecer, por el presidente dictatorial Daniel Arap Moi. En Brasil fui escoltado hasta el escondrijo secreto de unos campesinos sin tierras a cuyos líderes estaban arrestando o disparando por ocupar terrenos agrícolas sin labrar. Podría explicar historias relatadas de primera mano e igual de deprimentes de lugares como Zimbabwe, Turquía y México, y quien lo desee puede encontrar más en las publicaciones o las páginas *web* de Amnistía Internacional y otros grupos de defensa de los derechos humanos. No tiene nada de extraño, pues, que Estados Unidos pueda parecerles el paraíso a algunas personas de otros países.

1. De las declaraciones sobre derechos humanos en Rusia y del caso Pasko informó el *New York Times* del 3 de enero y del 14 de febrero de 2002, respectivamente.

Por su parte, Ghaly veía a diario pruebas de la represión estatal en El Cairo: no sólo en los medios de comunicación de Egipto (todas las cadenas de televisión y radio son estatales) y en los sistemas políticos del país (las elecciones constituyen apenas un formalismo), sino en el tratamiento que hace el régimen de sus amigos y vecinos. Ghaly y yo llevábamos hablando unos veinte minutos cuando un camión de reparto se nos acercó por la derecha, despidiendo la clase de humos que convierten el aire de El Cairo en un nocivo caldo de venenos. El callejón era tan estrecho que el camión tuvo que ir avanzando muy poco a poco para poder pasar, algo que el conductor logró, a mi parecer, con gran habilidad. Pero uno de los compañeros de Ghaly estalló en una desquiciada diatriba de insultos, dando puñetazos en uno de los costados del camión, hasta que sus amigos se lo llevaron a rastras de allí e hicieron una señal de disculpa al conductor para que siguiera su camino. Ese mismo individuo me había gritado un momento antes cuando había rechazado el refresco que me ofreció para acompañar el té. Ghaly vio la expresión de asombro en mi rostro y, a través de mi intérprete, aclaró: «No piense mal de Amir. La cárcel le hizo perder el juicio. Cuando era estudiante, participó en un grupo que pedía reformas políticas. Era un grupo religioso, no violento. Le enviaron a prisión sin juicio. Cuando salió de allí veinte años después ya estaba así».

«No creo que esto pudiese pasar en Estados Unidos», prosiguió Ghaly. «Allí si quieres decir algo, tienes la libertad de hacerlo. Tú respetas las opiniones de los demás y ellos te respetan a ti. Eso es muy importante. Y Estados Unidos fue el primer país del mundo que lo hizo, creo.»

¿Qué tiene la «USA PATRIOT Act» de patriótico?

Lo más admirado de Estados Unidos en el mundo después de su riqueza son sus libertades. Y con razón: la fundación de Estados Unidos fue un hito de significación monumental en el largo (y todavía inacabado) viaje de la humanidad desde el gobierno de la minoría hasta el gobierno de la mayoría. Cuando George Washington, Benjamin Franklin, James Madison, Thomas Jefferson y los demás fundadores de Estados Unidos afirmaron en nuestra Declaración de Independencia que «todos los hombres son creados iguales» (y con un descaro característicamente americano proclamaron que esa «verdad» era «evidente»), señalaron una ruptura radical con el pasado. En 1776, Europa todavía estaba gobernada por reyes, príncipes y papas y, salvo una reducidísima oligarquía, el público no era libre de la coacción ni participaba en las cuestiones comunales. Los fundadores de la nación insistieron en que era posible otro futuro, más inclusivo, y los estadounidenses se han pasado los últimos doscientos veinticinco años cosechando los beneficios de la visión de aquellas personas. Las libertades políticas, religiosas y legales que corresponden por nacimiento a todo estadounidense son justa fuente de orgullo nacional y de admiración en el exterior.

Pero la realidad de la libertad estadounidense es más compleja de lo que algunos extranjeros llegan a advertir. Tres meses después de mi entrevista con Ghaly, Estados Unidos se vio convulsionado por los ataques terroristas del 11 de septiembre y, de repente, la noción de que los estadounidenses éramos libres de decir lo que quisiéramos también se vino abajo. Dos columnistas que osaron cuestionar por qué el presidente Bush se pasó el 11 de septiembre desplazándose de un aeródromo a otro en vez de regresar a Washington fueron despedidos de la noche a la mañana. Cuando Jerry Falwell y Pat Robertson, dos conocidos líderes de la derecha cristiana, coincidieron en televisión en que los ataques habían sido un castigo por el supuesto hundimiento de Estados Unidos en el fango de la homosexualidad y la decadencia atea, la indignación pública resultante les hizo rectificar rápidamente sus comentarios. Bill Maher, toda una personalidad de la televisión, tuvo también que disculparse públicamente tras comentar que, fueran lo que fueran los terroristas, estaba claro que no eran unos cobardes. En su comparecencia ante el Congreso en diciembre, el Fiscal General John Ashcroft advirtió de que cualquier legislador que cuestionase sus propuestas de restricción de las libertades civiles no hacía «más que ayuda[r] a los terroristas». Los republicanos del Congreso acusaron igualmente al portavoz de la mayoría demócrata en el Senado, Tom Daschle, de proporcionar «ayuda y comodidad» al enemigo —la definición legal de traición— cuando él sugirió que la nación necesitaba saber más cosas a propósito del deseo de la administración Bush de atacar a Irak y derrocar al dictador Sadam Husein.

El clima de intimidación fue tal que el ataque más radical orquestado contra la Constitución de los Estados Unidos en décadas se convirtió en ley sin que la clase política o el público en general apenas rechistaran. El 25 de octubre de 2001, el presidente Bush sancionó como ley la «USA PATRIOT Act» (una expresión, por cierto, orwelliana donde las haya). Entre sus numerosas disposiciones extraordinarias, el proyecto de ley abolía los derechos de *habeas corpus* para los no ciudadanos (unos veinte millones de personas en Estados Unidos): el Fiscal General contaba a partir de ese momento con autorización para detener indefinidamente a cualquier no ciudadano que él (y sólo él) considerase una amenaza para la seguridad nacional. Permitía a los agentes del gobierno registrar el domicilio de un ciudadano sin notificárselo y ampliaba la capacidad del gobierno para pinchar y espiar no sólo las comunicaciones telefónicas, sino también las realizadas por Internet, puesto que le garantizaba acceso a los registros de correo electrónico, bancarios y de tarjetas de crédito de una persona. Los agentes federales podían confiscar también los registros de las bibliotecas públicas para comprobar lo que leían las personas.[2] El Departamento de Justicia también se arrogó, por separado, el derecho a vigilar las conversaciones entre los sospechosos de un delito y sus abogados. Nuevas leyes adicionales confirieron a la CIA el derecho a espiar a los estadounidenses, autorizaron al Fiscal General a declarar (bajo su exclusivo criterio) a cualquier grupo del país como organización terrorista y rebajaron el umbral legal necesario para obtener una orden de registro de «causa probable» a «relevante para una investigación criminal en curso». Entretanto, el presidente declaró por decreto ejecutivo que cualquier no ciudadano que

2. Los análisis más exhaustivos de las disposiciones de la «USA PATRIOT Act» fueron los de Ronald Dworkin en *The New York Times Review of Books*, el 28 de febrero y el 25 de abril de 2002, y Nat Hentoff en «Why Should We Care? It's Only the Constitution», en *The Progressive*, en diciembre de 2001, en el que también se incluyen los sondeos de opinión.

él considerara sospechoso de terrorismo podría ser juzgado por un tribunal militar en lugar de por la justicia ordinaria. El tribunal actuaría en secreto, estaría facultado para imponer la pena capital y contra su fallo no cabría recurso judicial.

Los representantes del pueblo en el Congreso aprobaron el proyecto de la «USA PATRIOT Act» por márgenes apabullantes. El Senado la aprobó por una votación de 98 a 1; en la Cámara, sólo 66 de los 435 miembros votaron en contra. En palabras del único senador disidente, el demócrata por Wisconsin Russell Feingold: «Es crucial que las libertades civiles de este país sean preservadas. Si no, me temo que el terror habrá ganado esta batalla sin disparar un solo tiro».[3] En la Cámara, el representante Dennis Kucinich, demócrata por Ohio, fue más lejos. La «USA PATRIOT Act» y las otras medidas tomadas por la administración Bush, señaló Kucinich en un discurso en diciembre, habían revocado la mitad de las diez enmiendas de la *Bill of Rights* [Declaración de Derechos]: el derecho a la libertad de expresión y de reunión de la Primera Enmienda, la prohibición de registro y confiscación irrazonables de la Cuarta Enmienda, el derecho al debido proceso legal de la Quinta Enmienda, el derecho a un juicio público sin demora de la Sexta Enmienda y la protección de la Octava Enmienda contra todo castigo cruel e inusual.[4]

No hubo prácticamente discusión (y aún menos crítica) alguna a propósito de esta ampliación extraordinaria del secreto de actuación del gobierno y del poder policial en el momento en el que más importante se hacía esa contestación: antes de que la ley fuese aprobada y sancionada como tal. Si se hubiesen aireado las medidas propuestas y hubiesen sido sometidas a un debate razonado, se podría haber contribuido a separar el grano de la paja y a arrojar luz sobre la clase de cambios que realmente hubieran mejorado la recogida de información y la preparación de nuestros servicios de seguridad y sobre cómo llevarlos a cabo sin sacrificar libertades esenciales. Pero no

3. El comentario del senador Feingold aparecía recogido en Hentoff, «Why Should We Care?».

4. Los comentarios del congresista Kucinich se produjeron durante un discurso que dio el 17 de febrero de 2002 en un evento patrocinado por Southern California Americans for Democratic Action.

se produjo tal debate. Un destacado periodista de Washington, que pidió permanecer en el anonimato, me dijo tras todo aquello que «no hubo tiempo [para darle cobertura informativa]. Aceleraron el trámite [del proyecto de ley] antes de que la prensa pudiera fijar su atención en él». Es verdad que el proyecto fue presentado el 19 de septiembre y sancionado el 25 de octubre, que es algo así como la velocidad de la luz en comparación con lo que es habitual en Washington. Pero, aun así, los periodistas tuvieron cinco semanas para analizar la ley y atraer la atención pública sobre las disposiciones de la misma. Para personas que se enfrentan a plazos de entrega todos los días, era tiempo más que suficiente.

Y de haber mediado una cobertura informativa abierta del tema, ¡la diferencia habría sido considerable! La excepción confirma la regla: cuando los periodistas acabaron finalmente por despertarse, pusieron su punto de mira en los tribunales militares de Bush, contra los que el articulista conservador William Safire arremetió calificándolos de «cortes irregulares y arbitrarias» que daban a Bush un «poder dictatorial». Otros críticos señalaron que dichos tribunales dañarían la reputación de Estados Unidos en el extranjero y, por consiguiente, acabarían con la superioridad moral en la guerra contra el terrorismo. Las continuas críticas de los medios de comunicación llevaron a la administración a modificar parcialmente su propuesta: los tribunales revisados no funcionarán en total secreto ni prohibirán todos los recursos.

Con todo, el aspecto más preocupante no lo constituyeron las escalofriantes restricciones del gobierno a la libertad, sino la aparente aceptación pública de esas restricciones. Los sondeos de opinión sugerían que más del 70 % de los estadounidenses estaban dispuestos a sacrificar parte de sus libertades durante la guerra al terrorismo (la cual, según se decía, iba a durar décadas). Algunos estaban preocupados por la posibilidad de que el gobierno restringiese excesivamente las libertades civiles del estadounidense medio, pero había una tolerancia elevada para las medidas dirigidas a los inmigrantes y las minorías. Según un sondeo de Gallup, el 82 % de los encuestados respaldaba que el gobierno tuviera mayor poder para detener incluso a los inmigrantes legales y el 49 % estaba a favor de la expedición de tarjetas identificativas para los árabes americanos. En un sondeo de Harris CNN/Time, el 31 % de los encuestados opinaba que los árabes americanos deberían ser confinados en campos de detención.

Así fue como la administración Bush y una considerable minoría de ciudadanos tantearon la posibilidad de reproducir uno de los episodios más vergonzosos de la historia estadounidense moderna: el internamiento en campos de unos 110.000 japoneses americanos (además de 11.000 germanoamericanos y de 3.000 italoamericanos) durante la Segunda Guerra Mundial sin ningún otro motivo que su origen étnico. En el haber del presidente Bush están sus declaraciones públicas en los días inmediatamente posteriores al 11 de septiembre en las que instó a los estadounidenses a mostrar tolerancia con los musulmanes americanos. Pero, mientras tanto, su administración violaba activamente los derechos de unos mil doscientos «no ciudadanos» que eran puestos bajo custodia y detenidos sin cargos, exactamente igual que los internados de la Segunda Guerra Mundial.[5] La administración Bush hizo más que negar el acceso de esos detenidos a un abogado: se negó a facilitar su identidad. Otras cinco mil personas de las comunidades árabe americana o musulmana fueron sometidas a interrogatorio policial. «Somos una sociedad abierta», declaró el presidente, «pero estamos en guerra.»

Los estadounidenses no conocemos nuestra propia historia

¿Por qué hemos levantado tan poco revuelo los estadounidenses a raíz de este asalto a nuestras libertades? ¿Hemos disfrutado de tanta libertad durante tanto tiempo que nos hemos vuelto displicentes a la hora de perderla? Presa del pánico por los ataques terroristas, ¿estamos ahora dispuestos a cambiar libertad por seguridad? Tenemos ya una cierta tradición de aceptación de restricciones de nuestras libertades en momentos en los que se percibe alguna amenaza. Las redadas Palmer de los años veinte y el macartismo en los años cincuenta

5. De la detención de mil doscientos extranjeros informó el *New York Times* del 15 de marzo de 2002.

contaron con un amplio respaldo. Pero ¿hasta qué punto somos conscientes de la escala de la actual ofensiva? James Madison señaló en una ocasión que «un pueblo que pretende ser su propio gobernante ha de armarse con el poder que da el conocimiento». Desafortunadamente, el conocimiento que tienen los estadounidenses acerca del gobierno procede de los mismos medios informativos que apenas han puesto de relieve la urgencia de la amenaza. Pero estamos aquejados, además, de una ignorancia de arraigo más hondo.

La triste realidad es que no conocemos nuestra propia historia. La evidencia más reciente se producía en mayo de 2002, cuando unos 23.000 estudiantes se sometieron a un examen de historia que organiza periódicamente el gobierno federal. En una de las preguntas tipo test, los estudiantes de último curso de secundaria tenían que responder si el término «Harlem Renaissance» hacía referencia a unos proyectos de renovación urbanística de los años sesenta, a las victorias políticas conquistadas por los afroamericanos durante el período de la Reconstrucción, a un renacer religioso en los años cincuenta o —la respuesta correcta— a los logros de los afroamericanos en el arte, la literatura y la música en los años veinte. Sólo el 10 % de los alumnos de duodécimo curso —estudiantes que ya tenían edad para votar o estaban a punto de cumplirla— obtuvieron una puntuación suficiente en el examen como para ser considerados competentes, un rendimiento que la pedagoga Diane Ravitch calificó de «ignorancia supina». (En un test parecido en 1995, más de la mitad de la totalidad de estudiantes de duodécimo curso desconocían que hubiera existido una Guerra Fría.)[6]

El desconocimiento que los estadounidenses tenemos de nuestra historia alcanza más allá de los meros hechos y cifras e incluye una ceguera conceptual más profunda: no somos capaces de darnos cuenta de que las libertades de las que disfrutamos hoy en día existen únicamente gracias a que nuestros antepasados lucharon para que se

6. De la «ignorancia supina» de los estudiantes de último curso de secundaria estadounidenses se informaba en el *New York Times* del 10 de mayo de 2002. Del test de 1995 se hablaba en un artículo de opinión de Lewis H. Lapham para el *Times* del 2 de diciembre de 1995.

hicieran realidad. Pusieron su empeño en acabar con la esclavitud, en extender el derecho al voto a los ciudadanos no blancos, a los no acaudalados y a las mujeres, en oponerse al macartismo y a otras ampliaciones del poder policial, etc. Nuestra historia demuestra que la libertad es una obra en proceso y que siempre es provisional. Se puede perder si no se está alerta para defenderla.

Buena parte de nuestra ignorancia proviene del modo en el que aprendemos historia en Estados Unidos. En vez de transmitir la verdad completa, en toda su complejidad, acerca de nuestro pasado, nuestras escuelas y nuestro discurso público transmiten un cuento de hadas unidimensional. ¿Quién puede negar que los fundadores fueron hombres valientes y sabios, y que al comprometer sus «vidas, fortunas y sagrado honor» por los recién creados Estados Unidos llevaron a cabo un acto heroico? (Además, sus palabras no eran mera retórica: muchos signatarios de la Declaración de Independencia perdieron sus vidas, sus fortunas o ambas cosas.) Soñadores audaces pero prácticos, combinaban su creatividad de librepensadores con una comprensión sagaz de la naturaleza humana. Cien años antes de que él la pronunciara, ellos ya habían captado la verdad eterna contenida en la admonición de Lord Acton: «El poder tiene tendencia a corromper y el poder absoluto corrompe absolutamente». Su gran logro fue concebir o perfeccionar principios y mecanismos (como los *checks and balances* [pesos y contrapesos] entre ramas separadas del poder estatal, la separación entre Iglesia y Estado, o una *Bill of Rights* que limitaba el poder del gobierno sobre los ciudadanos) que protegieran contra las incursiones en la libertad que el gobierno y sus agentes, llevados de su naturaleza humana, (¿inevitablemente?) intentarían. Los fundadores eran gigantes entre los hombres. Pero eran hombres, propensos a dejarse llevar por su interés propio y por sus limitaciones históricas como cualquier mortal, así que no es de extrañar que el sistema de gobierno que crearon inicialmente circunscribiera la libertad y la democracia a personas como ellos mismos: hombres, blancos y económicamente pudientes. Esos límites y la resistencia que provocaron en los excluidos han tenido repercusiones en la historia estadounidense desde entonces.

Toda la epopeya que habría de seguir quedaba prefigurada en esas seis palabras revolucionarias: «Todos los hombres son creados iguales». Con todo lo inclusiva que sin duda sonaba esta expresión en los oídos de sus coetáneos del siglo XVIII, dejaba fuera a la mitad de la población. Las mujeres no tenían derecho de voto alguno y no lo conquistaron a nivel nacional hasta que hubieron pasado 150 años. Tampoco «todos los hombres» eran bienvenidos a la nueva democracia. Aunque la expresión no hacía mención alguna del color de la piel (algo que los activistas de los derechos civiles aprovecharon luego en su favor), en la práctica tanto los hombres negros que habían sido traídos hasta el continente como esclavos como los «hombres rojos» que lo habitaban originariamente se vieron violentamente desprovistos de sus derechos políticos. De hecho, la Constitución definió a los negros como tres quintas partes de una persona a efectos censales (una provisión en la que hacían hincapié los sureños, puesto que aumentaba su representación en el Congreso). Y (entonces como ahora) también había un último límite establecido por razón de clase social, el gran tabú en el discurso estadounidense. En una época en la que sólo el 3 % de la población poseía una propiedad apreciable, ser rico era condición indispensable para ser elegible para un cargo público.[7] (Benjamin Franklin y Thomas Paine defendieron el sufragio universal masculino, pero perdieron ante John Adams y Alexander Hamilton, para quienes «los dueños de este país debían gobernarlo».)[8]

La versión convencional de la historia de Estados Unidos hace que los americanos seamos apenas conocedores de estos y otros inquietantes aspectos de nuestro pasado. A todos los escolares se les explica aquel pronunciamiento tan grandilocuente de Patrick Henry, «dadme libertad o dadme la muerte», pero son pocos los que llegan a saber que Henry poseía también esclavos, al igual que la mitad de los firmantes de la Declaración de Independencia. James W. Loewen,

7. La cifra del 3 % de propietarios de tierras se proporciona en *A People's History of the United States*, de Howard Zinn, Nueva York, HarperCollins, Perennial Classics, 2001, capítulo 5, especialmente la página 98 (trad. cast.: *La otra historia de los Estados Unidos: desde 1492 hasta hoy*, Hondarribia, Hiru, 1997).

8. La cita de Adams y Hamilton se encuentra en *American Aurora*, de Richard N. Rosenfeld, Nueva York, St. Martin's Press, 1997, pág. 3.

un estudioso de la Smithsonian Institution de Washington, analizó doce de los libros de texto de historia de Estados Unidos más utilizados en los institutos de secundaria estadounidenses en *Lies My Teacher Told Me*, un revelador libro de 1995.[9] Sólo dos de los doce textos llegan a mencionar que Henry era propietario de esclavos. Sólo seis señalan que Thomas Jefferson poseía esclavos. El hecho de que fuera propietario de esclavos no invalida las otras contribuciones de Jefferson a la democracia estadounidense, pero sí que indica lo arraigado que está el azote del racismo en la psique nacional. Si llegó a infectar a nuestro mayor visionario, ¿cómo no iba a dejar huella en la nación en general?

Los grandes avances en derechos civiles de los años sesenta permitieron que las miserias sufridas por los negros bajo la esclavitud quedasen retratadas de un modo más franco y abierto, pero los libros de texto continuaron tratando la propia esclavitud como algo que había ocurrido casi por sí solo: seguía minimizándose el papel de los blancos. Aunque en el Sur los linchamientos eran habituales en los años veinte, ni uno solo de los libros de texto traía foto alguna de un linchamiento. Loewen intentó incluir una en un libro de texto del cual él era autor, pero el libro fue rechazado por los inspectores de Misisipí. En el caso judicial que siguió, uno de los inspectores admitió que los linchamientos habían ocurrido, pero dijo que no tenía sentido regodearse en algo tan desagradable: era algo que había pasado hacía mucho tiempo. «Se trata de un libro de historia, ¿no?», interpeló el juez, que acabó dictando sentencia a favor del libro.

La verdadera historia de las relaciones con los americanos nativos es igual de desconocida. La versión que se enseña en las escuelas es más o menos la siguiente: los peregrinos hallaron una tierra escasamente habitada por unos salvajes primitivos, pero amistosos, que les enseñaron a pescar y a plantar maíz. Los peregrinos, agradecidos, invitaron a los indios al banquete de Acción de Gracias (que sigue siendo hoy en día la festividad más americana de todas). Los blancos

9. El libro de James W. Loewen es *Lies My Teacher Told Me: Everything Your American History Textbook Got Wrong*, Nueva York, New Press, 1995. La historia de la fotografía del linchamiento y del caso judicial se encuentra en la página 160.

intentaron civilizar a los indios, pero los indios no querían adoptar el estilo de vida moderno. Empezaron a atacar a los blancos: cortar cabelleras era su táctica favorita. Los blancos contraatacaron y, con la ayuda de la caballería de los Estados Unidos, colonizaron el Oeste. George Custer cayó derrotado en Little Bighorn, pero los indios fueron finalmente vencidos. Les fueron concedidas tierras en unas reservas, víctimas únicamente de la imparable marcha del progreso del que es sinónimo la historia estadounidense.

Philip Sheridan, un general del ejército del siglo XIX que se hizo famoso por decir que «el único indio bueno es el indio muerto», ofreció una perspectiva más realista. El motivo por el que los indios luchaban contra los blancos, escribió Sheridan, es que «les quitamos su país y su medio de sustento. (...) ¿Podía alguien esperar otra cosa?».[10] Hubo ocasiones en que los blancos intentaron legitimar tales robos mediante acuerdos negociados. El gobierno federal aprobó la Ley de Expulsión India de 1830, por la que se les prometía a las tribus nuevas tierras hacia el Oeste a cambio de que los blancos ocupasen las apetecibles tierras del Sudeste. Pero los estados de Alabama, Misisipí y Georgia confiscaron toda la tierra que quisieron sin pagar por ella. Las tribus se quejaron de que esto violaba sus tratados con Washington: el Tribunal Supremo les dio la razón. Pero el presidente Andrew Jackson desoyó al tribunal y tuvo además la desfachatez de instar a las tribus a firmar tratados que las empujaban aún más hacia el Oeste.[11] En 1869, una comisión nombrada por el presidente Ulysses S. Grant admitía que «la historia de las relaciones del gobierno con los indios es una sucesión vergonzosa de tratados rotos y de promesas incumplidas (...) asesinatos, atrocidades, robos e injusticias».[12]

10. Los comentarios de Sheridan se encuentran en Loewen, *Lies My Teacher Told Me*, pág. 108.

11. Lo dicho acerca de la Indian Removal Act de 1830 se basa en *What Every American Should Know About American History*, de Alan Axelrod y Charles Phillips, Holbrook, Massachusetts, Bob Adams, Inc., 1992, págs. 107-109.

12. La cita de la comisión del presidente Grant se encuentra en *The American Reader: Words That Moved a Nation*, compilado por Diane Ravitch, Nueva York, HarperCollins, 1991, pág. 168.

Detrás de todas estas transgresiones se oculta una tremenda ironía, ya que los ideales y las instituciones sobre las que se funda la democracia estadounidense pueden haber derivado en parte de fuentes americanas nativas. En 1754, cuando Franklin estaba intentando convencer a los líderes coloniales para que se unieran contra el dominio británico, invocó el ejemplo de la Liga Iroquesa, una antigua alianza de seis naciones iroquesas que funcionaba sobre la base de reglas democráticas. Nuestros libros de historia constatan las deudas filosóficas de los fundadores con los griegos antiguos y con pensadores europeos como Locke y Rousseau, pero las influencias iroquesas no reciben mención alguna, aunque se hacen claramente visibles tanto en los Artículos de la Confederación como en la Constitución (especialmente en lo referido a los conceptos de los derechos de los estados y de la separación de poderes).[13]

Para tener libertad, hay que luchar por ella

El de la raza es el eterno dilema de Estados Unidos, pero también su gracia redentora. A fin de cuentas, los descendientes de los esclavos crearon el *jazz*, que es, posiblemente, la mayor contribución de Estados Unidos al arte mundial. Aunque en su desarrollo han intervenido músicos de todas las razas, el *jazz* siempre ha estado dominado por los negros, aquellos estadounidenses que, tal y como Ken Burns y Geoffrey C. Ward decían en su película *Jazz* (y en el libro que la acompañaba), «vivieron la extraña experiencia de ser cautivos en un país libre». El *jazz* expresa con gran belleza la dialéctica entre esperanza y desesperación que desde siempre ha alentado la lucha racial en Estados Unidos. Representa también la tensión entre la libertad

13. La influencia de las ideas iroquesas es descrita en *In the Absence of the Sacred: The Failure of Technology & the Survival of the Indian Nations*, de Jerry Mander, San Francisco, Sierra Club Books, 1991, págs. 230-239 (trad. cast.: *En ausencia de lo sagrado: El fracaso de la tecnología y la supervivencia de las naciones indias*, Palma de Mallorca, José J. de Olañeta, 1996), que se inspira en gran medida en el trabajo académico de Donald Grinde, especialmente en su libro *The Iroquois and the Founding of the American Nation*, San Francisco, Indian Historian Press, 1977.

individual y el bien común: la esencia de la ciudadanía democrática. Ya en 1925 el crítico Charles S. Johnson se maravillaba: «¡En qué tremenda ironía han incurrido —aunque sea de un modo inconsciente— los negros! Ellos, que de todos los americanos son (...) los peor considerados y a los que más se les ha negado, han forjado la clave para la interpretación del espíritu americano».[14]

Pocas naciones pueden presumir de la diversidad racial presente en Estados Unidos: somos realmente una «nación arco iris». Según el censo de 2000, América es todavía una nación mayoritariamente blanca (el 72 %), pero no por mucho tiempo. En 2050, se espera que Estados Unidos se parezca a la actual California, en la que los blancos no llegan al 50 % de la población y el rápido crecimiento de la población hispana hace del español la primera lengua en muchas zonas.[15]

Pero la discriminación racial pervive con toda claridad. El prejuicio racial hace que la policía pare a los conductores negros con mucha mayor frecuencia que a los blancos. El Institute of Medicine de la National Academy of Science ha constatado que los negros y los miembros de otras minorías reciben una atención sanitaria de peor calidad que los blancos, incluso si se tienen en cuenta los efectos de las diferencias en la renta y en la cobertura de los seguros.[16] Los negros y los hispanos son encarcelados y sentenciados a la pena capital en proporciones muy superiores a las que se desprenderían de su peso demográfico total. Y a los estadounidenses de una y otra raza se les continúa haciendo casi imposible traspasar las líneas que los separan para hablar con toda franqueza acerca de las implicaciones de la cuestión racial.

14. Las citas sobre la «extraña experiencia» y la «tremenda ironía» proceden de *Jazz: A History of America's Music*, de Geoffrey C. Ward y Ken Burns, Nueva York, Knopf, 2000, págs. vii y 107.

15. Las proyecciones sobre la diversidad étnica estadounidense en 2050 se encuentran en *Chasing the Red, White, and Blue: A Journey in Tocqueville's Footsteps Through Contemporary America*, de David Cohen, Nueva York, Picador, 2001, págs. 222-223 y 14, respectivamente.

16. Del estudio de la National Academy of Science informó el *New York Times* del 21 de marzo de 2002, en el que también aparecía una noticia en la que se constataba que la policía de Nueva Jersey para mucho más a menudo a los conductores negros e hispanos que a los blancos.

Creo que el progreso en el tema de la raza nos es esquivo, en parte, porque hemos eludido el reconocimiento pleno de nuestro pasado. Como señalaba uno de los personajes de *Requiem for a Nun*,* de William Faulkner, «el pasado nunca muere. Ni siquiera es pasado». La historia nos rodea y no podemos escapar a su legado sin antes confrontarlo. El ejemplo más crudo es precisamente el menos mencionado. Nuestra nación nunca se ha enfrentado al pecado original de su fundación: el asesinato masivo de americanos nativos y la usurpación de sus territorios. Es ya demasiado tarde como para que un desagravio total resulte mínimamente realista, pero seguro que los descendientes de los habitantes originales de Estados Unidos merecen algo mejor que ser segregados en «reservas» en las que las únicas oportunidades económicas que se les presentan son la minería (que contamina sus pulmones y sus tierras) o el juego organizado (que fomenta el alcoholismo que tan terriblemente les ha castigado en el pasado).

¿Por qué no podemos hacer pública al menos una disculpa formal, una declaración de arrepentimiento de parte del gobierno federal, en la que se reconozca el pasado y se disculpe por el sufrimiento infligido a los americanos nativos? Washington lo hizo con los japoneses americanos confinados durante la Segunda Guerra Mundial. Llegó incluso a pagar hasta veinte mil dólares de indemnización a quienes habían estado internados.[17] Ese precedente ha sido invocado por el representante John Conyers y otros destacados afroamericanos, que están organizando una campaña en demanda de indemnizaciones por la esclavitud que se está haciendo cada vez más notoria.

No existe signo alguno de que el Congreso vaya a abordar estas cuestiones en el futuro inmediato y está claro que, como en el caso de los americanos nativos, la reparación total de la riqueza robada en el pasado sería impracticable desde el punto de vista financiero. La factura, incluso excluyendo los intereses, ascendería a cientos de miles de millones de dólares. Pero en este tipo de cuestiones lo que

* Trad. cast.: *Réquiem por una mujer*, Buenos Aires, Emecé, 1952. (*N. del t.*)

17. CNN.com informó de las medidas del gobierno federal respecto a las personas que habían padecido los confinamientos el 12 de junio de 1998, con motivo de la disculpa del presidente Clinton ante otras dos mil doscientas personas de ascendencia japonesa en Sudamérica.

importa no es la cantidad exacta en términos monetarios, sino el reconocimiento público de la injusticia pasada.

Las comisiones de la verdad y la reconciliación en Sudáfrica, Argentina y otras naciones han demostrado que confrontar la injusticia pasada es difícil y doloroso. Aun así, ayuda a purgar el resentimiento que, de otro modo, impide que las personas dejen atrás el pasado. También Estados Unidos gozaría de mejor salud si ampliáramos nuestras miras e incluyéramos la totalidad de nuestra historia (la oscura, la brillante y la que se sitúa en un término medio) y admitiéramos que la de la raza sigue siendo una división enorme (de la que generalmente no se habla) en nuestro país. La mayor parte de los blancos parecen creer que la raza ya no es un problema en Estados Unidos. La mayoría de los negros creen que siempre ha habido un problema en ese sentido.

Escribo estas líneas en plena celebración del nacimiento de Martin Luther King Jr., día festivo en la actualidad en todo el país. Entre los políticos que acuden hoy a las ceremonias en honor del fallecido líder de los derechos civiles está el presidente Bush, que ha elogiado a King por su rechazo «a responder al odio con odio o a confrontar la violencia con violencia».[18] Esas palabras sonaban extrañas en boca de un hombre que acababa de ordenar tres meses de bombardeo en Afganistán como represalia por los ataques del 11 de septiembre, pero no más extrañas que la osadía inicial de Bush de ser partícipe de la gloria de King. Menos de dos años antes, Bush no había vacilado en traicionar el legado de King para salvaguardar su propia campaña presidencial. Tambaleante ante el desafío inesperadamente contundente que le estaba planteando el senador John McCain, Bush afrontó unas primarias a vida o muerte en Carolina del Sur, donde se vivía una gran tensión motivada por la cuestión de si la bandera confederada debía continuar ondeando en el capitolio del estado. A pesar de las numerosas oportunidades que tuvo para hacerlo, Bush se negó a condenar la exhibición de ese símbolo esclavista. El guiño así dirigido a las susceptibilidades racistas le ayudó a derrotar a McCain.

18. El *New York Times* informó de los comentarios de George W. Bush a propósito de King el 22 de enero de 2002.

El contraste entre King y Bush es revelador de la dinámica que preside buena parte de la historia estadounidense: la lucha entre la promesa gloriosa de «libertad y justicia para todos», por citar el *Pledge of Allegiance** que recitan nuestros escolares, y las realidades de los privilegios y la hipocresía que obstruyen esa promesa. Esa lucha ha tenido su ir y venir, pero nuestra trayectoria histórica viene a corroborar, en líneas generales, la fe de King en que «el brazo del universo moral es largo, pero se dobla hacia la justicia». Pero no sin lucha. «El poder no concede nada si no se le reclama», como tan célebremente señaló el abolicionista Frederick Douglass. Pero Douglass, King y otros insurgentes americanos tenían una ventaja crucial: los ideales que defendían eran, en teoría, la ley del país. A pesar de todas sus incoherencias personales, los fundadores dejaron tras de sí un marco que garantizaba para los ciudadanos derechos y libertades sin precedentes. Correspondía a esos mismos ciudadanos, pues, invocar esos derechos, luchar por ellos y hacerlos realidad.

Algunas de las páginas más ejemplares de la historia de la libertad estadounidense fueron escritas por el movimiento de los derechos civiles de los años cincuenta y sesenta. Haciendo gala de una valentía y de una determinación inmensas, miles y miles de ciudadanos comunes, incluida una minoría de blancos, organizaron boicots, sentadas, plegarias colectivas, marchas y otras protestas que acabaron por cambiar el país para siempre. Las autoridades gubernamentales se mostraron indiferentes (en el mejor de los casos) ante las peticiones que se hacían desde dicho movimiento para que se protegiera a sus miembros de la violencia de la que estaban siendo objeto por parte de la policía y los racistas locales, pero el movimiento mantuvo su coraje y su norte y alcanzó victorias de importancia fundamental, como la Ley sobre los Derechos Civiles de 1964 y la Ley sobre los Derechos al Voto de 1965. El terror y el derramamiento de sangre no cesaron, el propio King cayó asesinado, pero a finales de los años sesenta Estados Unidos había sido transformado de manera irreversible. El movimiento de los derechos civiles había obligado al país a vivir consecuentemente con sus principios fundadores. El movimiento había mejorado no sólo

* Expresión que podemos traducir por «compromiso (o juramento) de lealtad». (*N. del t.*)

la autoestima y las condiciones de vida de los negros: había elevado a toda la nación y había demostrado al mundo entero la envidiable capacidad de Estados Unidos para corregirse a sí mismo.

La lucha por la libertad es contagiosa. El movimiento de los derechos civiles contribuyó a galvanizar el movimiento de liberación de la mujer que emergió en los años sesenta, del mismo modo que el movimiento abolicionista del siglo XIX había encendido la chispa de una primera ola de organización feminista. En 1840, Elizabeth Cady Stanton viajó a Inglaterra con su marido para asistir a una reunión antiesclavista. Cuando en la reunión se rechazó la participación de Stanton y de otras mujeres, le invadió un sentimiento de decepción. ¿Qué hacía más justificable la desigualdad sexual que la racial? En aquel entonces, las mujeres estadounidenses no podían votar, ser propietarias, acceder a la universidad, ni ejercer la clerecía, la abogacía u otras profesiones. Stanton volvió a casa y convocó la que Howard Zinn llama en *A People's History of the United States** «la primera Convención de Derechos de la Mujer de la historia». De la convención salió un manifiesto a imagen y semejanza de la Declaración de Independencia, pero con modificaciones sustanciales: «Consideramos las siguientes verdades evidentes: que todos los hombres y las mujeres son creados iguales. (...)».

El sufragio femenino no se convirtió en ley hasta transcurridos otros cincuenta años (el brazo del universo moral es largo) y a pesar del movimiento feminista de los años setenta, las mujeres en Estados Unidos siguen, a día de hoy, sin disfrutar de paridad económica con los hombres. Pero lo que sí logró la llamada «segunda ola» del feminismo fue revolucionar la conciencia de Estados Unidos a propósito de los roles y los derechos de la mujer y liberar a los hombres y a las mujeres por igual de viejos prejuicios acerca de la supuesta inferioridad de las mujeres y conferir a éstas el poder para exigir el acceso a trabajos y estilos de vida que habrían resultado inconcebibles para la generación de sus madres. Como Susan Faludi describió en *Backlash*,** esta

* Trad. cast.: *La otra historia de los Estados Unidos: desde 1492 hasta hoy*, Hondarribia, Hiru, 1997. (*N. del t.*)

** Trad. cast.: *Reacción: la guerra no declarada contra la mujer moderna*, Barcelona, Anagrama, 1993. (*N. del t.*)

afirmación de libertad se vio enseguida confrontada por la reacción contraria de los tradicionalistas que preferían que las mujeres siguieran siendo madres y esposas cumplidoras. La lucha sigue siendo encarnizada y, en particular, la batalla en torno a la cuestión del aborto continúa mostrándose enconada, pero hay cambios que parecen irreversibles. Incluso las mujeres jóvenes que no se identifican con el feminismo dan por sentado que pueden seguir una carrera profesional, retrasar el matrimonio o evitarlo, y, en general, vivir por sí mismas en vez de hacerlo exclusivamente a través de su marido o de sus hijos. La igualdad plena se muestra todavía esquiva, pero a cualquiera que pase cierto tiempo en el extranjero le parecerá evidente que las mujeres estadounidenses disfrutan de más libertad económica, política y personal que las mujeres de cualquier lugar de la Tierra con excepción del norte de Europa. (¿Qué madre estadounidense no envidiaría a sus homónimas holandesas? Las madres en Holanda disfrutan de tres meses de baja retribuida por maternidad y la reincorporación garantizada a sus puestos de trabajo.)

«No, no quiero que mi hija trabaje», decía Mustafá, trabajador social de veintiocho años y ya viudo, con quien tomaba una taza de té en la antigua ciudad egipcia de Luxor, a orillas del río Nilo, mientras su suegra cuidaba de su hija de cuatro años. «La escuela, sí, quiero que vaya a la escuela, pero luego debe casarse y tener hijos.» Yo estaba sorprendido. La cultura árabe es patriarcal —a menudo las únicas personas que veía esperando en los andenes de las estaciones de tren eran hombres y niños—, pero Mustafá me había parecido un tipo bastante occidentalizado. Hablaba buen inglés, tenía titulación superior, le encantaba ver películas y programas de televisión estadounidenses. Le pregunté por qué no quería que su hija trabajase. «Si trabaja, habrá hombres en su lugar de trabajo que la mirarán y hablarán con ella.» ¿Y cuál es el problema? «Los hombres no pueden hablar con ella», respondió con acritud. «Está prohibido.»

«Japón es mi hogar, pero aquí me siento menos libre», me contaba en Japón Hitomi, una esposa y madre que vive en Yokosuka. Después de vivir casi siete años en California, Hitomi había regresado a Japón hacía cuatro. Tenía un hijo de tres años y otro a punto de llegar. Un mediodía, mientras almorzábamos, me dijo: «Aquí hay muchas reglas y costumbres; no están escritas en ninguna parte, pero es muy importante observarlas». Yo extendí el brazo para servirme otra taza de té verde. «Por ejemplo», me decía, «como mujer que soy, debería ser yo la que te estuviera sirviendo el té. En vez de disfrutar de mi comida sin más, debería estar pendiente de ti, de si quieres algo de beber, de si estás disfrutando de tu almuerzo». Ese tipo de deferencia refleja el dominio masculino conservado en la cultura japonesa desde hace siglos y el cual da pocas muestras de debilitamiento. Incluso hoy en día, explicaba Hitomi, a las mujeres japonesas que se convierten en madres les resulta difícil seguir trabajando: se considera que el trabajo que les corresponde de verdad está en sus casas, criando a sus hijos.

A los estadounidenses nos resulta fácil olvidar que vivimos en un país de libertad, pero que muchas personas en el mundo no lo hacen. Eso convierte a nuestra nación en un símbolo para el mundo, lo cual, a su vez, nos confiere ciertas responsabilidades. Si queremos ser admirados como epítomes de la libertad, hemos de responder a esa imagen. Los logros de los movimientos de mujeres y de defensa de los derechos civiles ilustran una lección central de la historia estadounidense: la libertad nunca puede confundirse con unas palabras escritas en un papel sin más, por muy elocuentes que sean. La libertad hay que exigirla; hay que luchar por ella, conquistarla. Y luego hay que defenderla. Ésa es una lección que necesita ser enfatizada hoy en día, en un momento en el que la libertad estadounidense está siendo atacada tanto desde dentro como desde fuera. Es habitual que, en época de guerra, las autoridades insten a la instauración de restricciones a las libertades civiles, al debido proceso legal y a otros pilares de la libertad. Pero la obligación de un pueblo libre es escudriñar ese tipo de propuestas y, allí donde sea necesario, resistirse a ellas o modificarlas. La inmutación con la que ha sido recibido el ataque de la administración Bush a la libertad da a entender que muchos americanos damos nuestras libertades por asumidas. Y ésa es una forma inmejorable de acabar perdiéndolas (y de acabar perdiendo, de paso, la admiración del mundo).

Capítulo 4

El imperio inconsciente

«Los de Tejas son los peores», me dijo el taxista londinense. Era una bonita mañana, de las últimas de aquel verano, y estábamos esperando a que el semáforo se pusiera verde para poder cruzar el Támesis. «Llevé a uno en el taxi hace unas semanas, debía tener unos treinta y pico años. Pasamos al lado del London Eye y me dice: "¿Qué es eso?". Le digo que es el London Eye, la noria más alta del mundo. Me dice: "Tenemos una más grande que ésa". Y yo pienso: "¡Huy! Éste es uno de ésos". Vamos, que a mí no me importa si el Eye es el más alto del mundo o no, y puede que hasta haya otro más grande en Tejas, yo qué sé. Pero es la fanfarronería y la arrogancia lo que me saca de quicio. Viera lo que él viera, Tejas tenía más. No me acuerdo al lado de qué pasamos después, un autobús de dos pisos, quizás, o el Big Ben... algo totalmente exclusivo de Londres. Me dice: "¿Qué es eso?". Y yo se lo digo. Y él me dice: "Nosotros tenemos uno más grande". Después de eso, pasé absolutamente de él».

El semáforo se puso de color verde, el taxista pisó el acelerador. «La mayoría de estadounidenses me caen bien», añadió, «pero es que es asombroso lo poco que conocen de otros lugares del mundo» —me dirigió una mirada maliciosa a través del retrovisor— «como no sea que los estén invadiendo.»

El taxista dejó caer aquel sarcasmo el 10 de septiembre de 2001, pero dudo que lo hubiese repetido dos días más tarde. En los momentos inmediatamente posteriores al 11 de septiembre, en Europa se vivía un estado de *shock* y de profunda simpatía por los estadounidenses. «Lo sentimos muchísimo», me dijeron unos amigos en París, como si hubiera sido yo el atacado. Dos días después, en Praga, pasé caminando al lado de la embajada estadounidense cuando iba a cenar. Toda la manzana estaba tenuemente iluminada por las velas que la gente había dejado allí junto a cientos de flores y notas de condolencia y ánimo. Encontré más flores y más notas en uno de los lugares públicos más venerados de Praga: el monumento de la plaza de San Wenceslao, que marca el sitio en el que el estudiante Jan Palach se inmoló prendiéndose fuego en protesta por la ofensiva soviética de 1968. «No al terrorismo», se leía en un mensaje pintado con spray sobre el hormigón. Los periódicos de todo el continente traían artículos en los que se informaba de actos similares de solidaridad en Japón, en Rusia y en otros lugares, así como comentarios en los que se declaraba que «hoy todos somos americanos».

Las muestras de afecto eran sinceras y realmente conmovedoras, pero durante las semanas siguientes, en las que continué hablando con personas de toda Europa y analizando los medios de comunicación locales, también quedó claro que los ataques terroristas no habían hecho que los europeos olvidaran lo que ya creían anteriormente acerca de Estados Unidos. Igual ahora, por educación, el taxista londinense se lo pensaba dos veces antes de repetir sus comentarios anteriores, pero eso no quería decir que hubiera dejado de creer que los estadounidenses eran unos ignorantes arrogantes. La historia no había empezado el 11 de septiembre.

A pesar del horror que les produjo la tragedia acaecida en Estados Unidos, eran muchas las personas de otros países que no estaban realmente sorprendidas. La mayoría conocía los motivos por los que había resentimiento e incluso odio hacia Estados Unidos en algunas zonas del mundo, y, en muchos casos, tenían también sus propias quejas. Un profesor de instituto en España me dio su pésame por las víctimas del 11 de septiembre y sus familias, pero me dijo que esperaba que los estadounidenses se diesen cuenta de que la tragedia era «consecuencia de la política exterior de Estados Unidos», especialmente de su tratamiento partidista del conflicto entre israelíes y palestinos. Hubo europeos que llegaron al extremo de mencionar la conducta exterior de Estados Unidos como justificación virtual de los ataques. Incluso aquellos que se negaban a creer que Estados Unidos «se había buscado» lo que le había sucedido el 11 de septiembre admitían que América podía resultar exasperante en ocasiones.

Puede que no haya nada de Estados Unidos que irrite tanto en otros países como la reiterada costumbre americana de creer que aquí tenemos todas las respuestas y el derecho a imponérselas a cualquiera. Un ejemplo destacado de ello fue el primer discurso importante del presidente Bush tras los ataques terroristas. Ante el Congreso, el 20 de septiembre, Bush declaró que las naciones extranjeras tenían que entender que, en la inminente guerra de Estados Unidos contra el terrorismo, «o bien están con nosotros o bien están con los terroristas». Se trataba de una muestra más (como cuando Bush afirmó que quería a Bin Laden «vivo o muerto») de la jerga de *cowboy*, de la advertencia de *sheriff* del Salvaje Oeste («haz lo que te digo o lárgate de la ciudad»), del tipo de actitud, en definitiva, que había irritado tanto a amigos como a enemigos de Estados Unidos durante décadas. Daba igual que otras muchas naciones hubieran sufrido anteriormente dolorosas experiencias de terrorismo: tenían que seguir las órdenes de Washington o ya verían si no.

Estados Unidos nunca aceptaría esos ultimátums de nadie, pero la arrogancia del comentario de Bush pasó desapercibida para la élite política y periodística americana. En el *International Herald Tribune*, el diario que publican en el extranjero el *New York Times* y el *Washington Post*, no se mencionaba la aseveración de Bush hasta el vigésimo párrafo de una noticia que estaba oculta en las páginas interiores. Por el contrario, el diario francés *Le Monde* la destacó tres veces en su portada y la incluyó en el titular y en el párrafo inicial de la noticia correspondiente. Si nos fiamos de los sondeos de opinión, tampoco los estadounidenses de a pie apreciaron incorrección alguna en la postura de su presidente respecto al resto del mundo. Los índices de aprobación de Bush se mantuvieron por encima del 75 % durante todo el otoño de 2001.[1]

Pero en el caso de mis compatriotas estadounidenses, yo alegaría desconocimiento antes que mala intención. La lamentable verdad es

1. *Time* informaba el 4 de febrero de 2002 de que Bush disfrutaba de un índice de aprobación del 77 %.

que la mayoría de nosotros sabemos poca cosa acerca del mundo exterior y que estamos especialmente mal informados de lo que nuestro gobierno hace en nuestro nombre. Por ejemplo, a los estadounidenses se nos recuerda incesantemente (y con razón) que Sadam Husein es un hombre malvado, pero no que las sanciones económicas impuestas por Estados Unidos han causado, desde 1991, la muerte de, al menos, 350.000 niños iraquíes y han empobrecido a la que otrora fuera la próspera clase media de aquel país.[2] La sangrienta violencia entre israelíes y palestinos que tantos estragos hizo en marzo y abril de 2002 recibió una amplia cobertura mediática en Estados Unidos. No obstante, muchos estadounidenses siguieron estando desinformados acerca de aspectos básicos del conflicto. Un sondeo llevado a cabo a principios de mayo por el Program on International Policy Attitudes de la Universidad de Maryland reveló, por ejemplo, que sólo el 32 % de los estadounidenses era conocedor de que habían muerto más palestinos que israelíes en el conflicto. Sólo el 43 % sabía que la mayoría de los demás países del mundo desaprobaba la política de Estados Unidos en Oriente Medio y un escaso 27 % estaba enterado de que la mayoría de países simpatizaba más con el bando palestino que con el israelí en la contienda.[3]

Tras el 11 de septiembre, la pregunta que obsesionaba a los estadounidenses acerca del mundo musulmán era: «¿Por qué nos odian?». Pero los musulmanes llevaban ya mucho tiempo preguntándose lo mismo acerca de los americanos. En una refrescante excepción dentro de lo que fue la cobertura informativa predominante en Estados Unidos, Sandy Tolan informó en la National Public Radio en enero de 2002 que casi todas las personas a las que había entrevistado durante las seis semanas que acababa de pasar por todo Oriente Medio se sentían molestas por los estereotipos negativos asociados a los mu-

2. La cifra de 350.000, que es considerablemente inferior a otras estimaciones habitualmente citadas, aparece justificada en «A Hard Look at Iraq Sanctions», de David Cortright, *The Nation*, 3 de diciembre de 2001.

3. Las opiniones de los estadounidenses sobre el conflicto de Oriente Medio fueron examinadas en un sondeo realizado por el Program on International Policy Attitudes de la Universidad de Maryland, dado a conocer a los medios de comunicación el 8 de mayo de 2002 y disponible en la página *web* de dicho programa en <www.pipa.org>.

sulmanes y a los árabes en las películas, la televisión y las noticias estadounidenses. En Europa, siguiendo una tradición que se remonta incluso a las novelas de Goethe y a las óperas de Mozart, hacía mucho tiempo que existía un gran respeto por los grandes logros de la civilización islámica en cultura, astronomía, arquitectura y otros campos. Estados Unidos, sin embargo, tenía a los musulmanes por unos fanáticos primitivos, indignos de cualquier confianza, con los que sólo valía la pena tratar porque disponían de petróleo.

«Hablamos aquí de personas que tienen una concepción casi infantil de lo que está ocurriendo en el mundo», comentaba al *Financial Times* poco después del 11 de septiembre Gerald Celente, director del Trends Research Institute en Rhinebeck, Nueva York. «Eso es todo lo que sabemos decir: "Nunca le hemos hecho nada a nadie, así que ¿por qué nos hacen ahora esto?"».[4]

Algunos estadounidenses se han refugiado en la respuesta más obvia: envidian nuestra riqueza y se sienten molestos por nuestro poder. Hay algo de cierto en ello, tal y como comentaré más adelante, pero apenas roza la superficie de la cuestión. El motivo por el que muchas personas de otros países no comparten la elevada opinión que los estadounidenses tienen de sí mismos es sencilla: les desagrada tanto el modo en que Estados Unidos se comporta en el exterior como la actitud que muestra ante tal conducta.

Estados Unidos, dicen en otros países, es un gallito que dispara a la menor provocación, que va a lo suyo y que, además, se lo tiene muy creído. No siente obligación alguna de obedecer el derecho internacional, coacciona con frecuencia a otras naciones y les impone políticas y, en ocasiones, líderes tiránicos que están al servicio exclusivo de los intereses estadounidenses. Y si se resisten demasiado, fuerza su obediencia bombardeándolos con misiles crucero. Sólo un estadounidense se sorprendería de oír que Estados Unidos es la más beligerante de las grandes potencias mundiales. Para las personas de fuera, esa observación es tan obvia que roza lo banal. La conducta prepotente de Estados Unidos deja perplejos a quienes admiran sus

4. La cita de Gerald Celente apareció en el *Financial Times* del 29-30 de septiembre de 2001.

libertades internas («¿cómo se puede explicar esa incoherencia?»). Los observadores menos sentimentales apuntan que así es como han tratado los fuertes a los débiles a lo largo de la historia. Pero, añaden, lo que irrita especialmente de Estados Unidos es su insistencia (llena de pretensiones de superioridad moral) en negar la evidencia y en afirmar que es el epítome de la virtud ecuánime y de la generosidad desinteresada: el Faro de la Democracia que otras naciones deberían emular y al que deberían dar las gracias.

El 10 de noviembre de 2001, el presidente Bush hizo su primera aparición ante la Asamblea General de las Naciones Unidas y, en un discurso elogiado por el *New York Times* por su «franca elocuencia», le dijo al resto del mundo que no estaba haciendo lo suficiente para ayudar a Estados Unidos a combatir el terrorismo. «Ésta es una causa que incumbe a todas la naciones del mundo», declaró Bush antes de aleccionar a su público sobre cómo la responsabilidad de la lucha contra el terrorismo era «vinculante para todas las naciones que ocupan un lugar en este hemiciclo».[5] Pero el mismo día (de hecho, en el preciso instante) en que Bush estaba reprendiendo a otros acerca de sus responsabilidades internacionales, su propia administración eludía negociaciones en Marruecos para ultimar el protocolo de Kioto sobre calentamiento global. ¡Y ésa sí que es una cuestión que incumbe a todas las naciones! Los glaciares de la Tierra se están derritiendo, los niveles del mar están subiendo y las tormentas catastróficas se están haciendo más intensas y frecuentes... y pensemos que las temperaturas han aumentado sólo un grado Fahrenheit a lo largo de todo el siglo pasado. El consenso científico predice un calentamiento adicional de entre 3 y 10,5 grados (Farenheit) hasta 2100, lo cual hará que el tiempo se vuelva más violento, que se inunden las zonas costeras y que se genere un gran desorden social. Pero la administración Bush no ceja en su empeño de no hacer nada para disminuir las emisiones estadounidenses de gases invernadero. Con razón están molestas con nosotros las personas de otros países.

La élite estadounidense habla a veces de las tendencias aislacio-

5. La información sobre el discurso de Bush y los elogios recibidos por el mismo aparecían en la edición del 11 de noviembre del *New York Times*.

nistas de nuestra nación, pero el adjetivo correcto es unilaterales. Históricamente, Estados Unidos no ha rehuido casi nunca implicarse allende sus fronteras: simplemente insistimos en fijar nuestros propios términos. Esta tendencia se ha vuelto especialmente pronunciada desde que la victoria en la Guerra Fría nos dejó como la única superpotencia sobreviviente. Decididos a que siguiera siendo así, los altos funcionarios de la primera administración Bush diseñaron una estrategia a gran escala para la nueva era (que fue filtrada al *New York Times*): a partir de ese momento, la meta de la política exterior estadounidense sería impedir que cualquier otra nación o alianza se convirtiera en superpotencia. Estados Unidos debía gobernar sin contestación alguna a su supremacía.[6] Esa estrategia pervive bajo la presidencia de George W. Bush, lo cual no es en absoluto sorprendente, ya que el vicepresidente Dick Cheney y algunos más de sus asesores clave fueron quienes diseñaron la estrategia de Bush padre. Poco después de ocupar el cargo, la administración de Bush II anunció que iba a retirarse del Tratado de Misiles Antibalísticos, piedra angular del control de armas nucleares durante los últimos treinta años, en una afirmación de unilateralidad que produjo la consternación no sólo del otro firmante del tratado, Rusia, sino de toda la comunidad internacional. El rechazo más curioso de Bush a la cooperación global fue su negativa a sumarse, siquiera con carácter retroactivo, al acuerdo contra bioterrorismo alcanzado en julio de 2001, el cual podría hacer más difíciles los ataques con ántrax. La delegación estadounidense abandonó las negociaciones porque se negó a aceptar las mismas reglas que el propio Estados Unidos exige de Irak y de otros «Estados canallas»: inspecciones internacionales de los puntos de producción potencial de armas.[7]

No pretendo cebarme en el señor Bush. El doble rasero cuenta ya con una larga tradición bipartidista en la política exterior americana. El padre de Bush lanzó una de las más febriles declaraciones de pre-

6. La estrategia a gran escala de la primera administración Bush fue descrita en el *The New Yorker* del 1 de abril de 2002.

7. El rechazo de Bush al protocolo de verificación de armas biológicas fue analizado por Nilton Leitenberg en el *Los Angeles Times Book Review* del 28 de octubre de 2001.

rrogativa estadounidense en 1988, cuando era vicepresidente de Ronald Reagan. Cinco años antes, cuando la Unión Soviética había derribado un avión de pasajeros surcoreano que sobrevolaba el Pacífico y había causado la muerte de las 276 personas que iban a bordo, Estados Unidos había condenado el ataque como una prueba más de la auténtica naturaleza del «Imperio del Mal» y había rechazado la explicación soviética, según la cual la aeronave se había comportado como un avión militar. Ahora se habían vuelto las tornas: Estados Unidos había abatido un avión civil iraní que se confundió por error con un aparato militar. Habían fallecido los 290 pasajeros. Cuando se le preguntó a Bush padre si no correspondía una disculpa, respondió: «Nunca pediré disculpas en nombre de Estados Unidos. No me importa cuáles sean los hechos».

Los demócratas han sido exactamente igual de malos en ese tipo de cuestiones. En 1998, hubo voces críticas tanto en el interior como en el extranjero que condenaron a la administración Clinton por el lanzamiento de misiles crucero contra Irak por considerarlo, como poco, innecesario, cuando no un plan interesado para restar fuerza al proceso de *impeachment* del presidente. Pero como tan modestamente explicaba la secretaria de Estado, Madeleine Albright, «si nos vemos obligados a recurrir a la fuerza, es porque somos Estados Unidos. Somos la nación indispensable. (...) Somos los que nos preocupamos más por el futuro». Como Rupert Cornwell, corresponsal en Washington del diario británico *The Independent*, observó en otra ocasión, «nadie disfraza el interés propio de superioridad moral como lo hacen los estadounidenses».[8]

De todos modos, los americanos somos un pueblo imparcial y dudo que apoyáramos mayoritariamente esa clase de hipocresía si fuéramos plenamente conscientes de la misma. Creo que la mayoría de nosotros instaría a que Estados Unidos recondujera su conducta global de acuerdo con sus propios principios internos. Pero eso podría amenazar los quc Washington considera que son intereses nacionales vitales; de ahí que los poderes fácticos se resistan a ello. Dado

8. El comentario de Rupert Cornwell apareció en *The Independent* el 27 de julio de 2001.

que Estados Unidos es la patria tanto de Hollywood como de Madison Avenue, nuestra respuesta oficial ha consistido en contratar a expertos en relaciones públicas para que consigan «transmitir nuestro mensaje» al exterior de manera más efectiva. Brillante, ¿no? Después de todo, es imposible que nuestras propias políticas sean el problema.

Los estadounidenses continuaremos sin comprender el mundo y el lugar que en él ocupamos hasta que afrontemos toda la verdad sobre el modo en el que nuestro gobierno ha actuado en el exterior. Esto es algo que se me hizo especialmente evidente en Sudáfrica, donde el entusiasmo que despierta América en personas como Malcolm Adams se ve contrarrestado por la ira de quienes recuerdan que Estados Unidos fue durante mucho tiempo un firme defensor del *apartheid*.

¿Por qué no nos quieren?

El transbordador procedente de Ciudad del Cabo tarda cuarenta minutos en llegar a Robben Island, una prisión tristemente famosa porque en ella estuvieron encarcelados Nelson Mandela y otros luchadores por la libertad en Sudáfrica. El transbordador atraca en un embarcadero a 200 metros de un complejo de edificios bajos con tejados de chapa de cinc que constituye la prisión propiamente dicha. En un letrero conservado desde los días del *apartheid* se puede leer, en inglés y en afrikaans: «Robben Island. Bienvenidos. Servimos con orgullo».

Actualmente hay visitas guiadas a la isla y lo que las hace especialmente atractivas es que las dirigen los propios ex prisioneros. Un hombre delgado, vestido con un blusón blanco, dio la bienvenida a mi grupo. Se llamaba Siphiwo Sobuwa. En un tono llano y pausado, Sobuwa explicó que había sido encarcelado cuando tenía diecisiete años tras haber sido capturado traficando con armas destinadas al ala militar del CNA. Fue interrogado y golpeado y no se le permitió el acceso a un abogado. Fue condenado a cuarenta y ocho años en prisión. Cumplió quince años, todos ellos en Robben Island, antes de que el desmoronamiento del *apartheid* hiciera posible su liberación en 1991.

Mientras nos conducía al vestíbulo de entrada del centro, Sobuwa nos contaba cómo había pasado los primeros dos años en prisión incomunicada porque no hablaba afrikaans. Al llegar a la prisión, un guardián le explicó a su grupo que no se permitía hablar bajo ningún concepto, pero como Sobuwa no entendía afrikaans, preguntó a otro interno qué estaba pasando. El guardián decidió dar a Sobuwa un castigo ejemplar. «Me enviaron a la sección A, la sección de tortura», nos dijo. «No podía escribir ni recibir cartas. No podía hablar, cantar ni silbar. Me pasaban la comida por debajo de la rejilla de la puerta. Esos dos años fueron los más duros.»

Abrimos una puerta que nos condujo a un patio descubierto, donde escuchamos de boca de Sobuwa el relato de otros castigos habituales en Robben Island. El más humillante era un juego al que jugaban los guardas y que consistía en ordenar que un preso fuese enterrado hasta el cuello para dejarlo asfixiándose al sol todo el día, al tiempo que ellos, por turnos, le orinaban encima. Más horripilante era la práctica de colgar a un prisionero de un árbol, boca abajo, y esperar durante horas hasta que perdía el conocimiento o, como ocurrió en un caso en concreto, hasta que fallecía por una acumulación gradual de sangre en el cerebro que privaba a dicho órgano de oxígeno. Pero de todas las privaciones (el trabajo físico extenuante, el insoportable tedio, la comida intragable, la falta de calefacción). Sobuwa mencionó el bloqueo de información como el más difícil de soportar. Los internos hacían lo que podían para compensarlo. «Las torres de vigilancia no tenían lavabos», explicaba, «así que los guardianes hacían sus necesidades en periódicos y luego los tiraban al suelo. Nosotros recogíamos esos diarios, los limpiábamos un poco y leíamos las noticias que traían. No nos importaba la porquería que pudieran llevar dentro: queríamos noticias».

Al oír tales abominaciones de primera mano, la visita a Robben Island se convierte en algo tan imborrable en la memoria como el peregrinaje a Dachau o a Hiroshima. Y hablar con un hombre como Sobuwa rescata la política exterior de sus abstracciones habituales y hace tangibles las implicaciones de ambigüedades lingüísticas de la diplomacia tales como «compromiso constructivo», la justificación que ofrecía la administración Reagan de su respaldo inquebrantable al *apartheid*. Cuando entrevisté a Sobuwa en su casa de hormigón ligero de un *township* de Ciudad del Cabo, me dijo que su trabajo le había enseñado a diferenciar entre el pueblo estadounidense y su gobierno. Tenía pocas cosas buenas que decir del segundo. Washington, señaló, al igual que Israel, habían apoyado el *apartheid* —y, por tanto, la opresión de Robben Island— hasta el último instante. Además, dijo, «los presidentes estadounidenses tienden a pensar que hay que desestabilizar a los países del llamado Tercer Mundo. Estados Unidos cree en la solución de los problemas por medio no de negociaciones, sino de presión militar».

Pero a través de sus conversaciones como guía turístico, Sobuwa se había dado cuenta de que no todos los estadounidenses apoyaban la política de su gobierno. Estaba agradecido a aquellos que se habían sumado a las protestas que acabaron por forzar a los gobiernos occidentales, incluido el de Estados Unidos, a refrendar la caída del *apartheid*. Él desconocía que el nuevo vicepresidente de Estados Unidos, cuando era congresista en 1985, había votado en contra de instar a la liberación de Mandela, pero la verdad es que la mayoría de estadounidenses tampoco conocían ese aspecto del pasado de Dick Cheney.[9] Lo que sí sabía Sobuwa era que Bill Clinton tenía mucha cara. «Vino aquí hace un par de años para visitar a Mandela y hablar ante nuestro parlamento, y nos dijo que Sudáfrica debía cortar sus vínculos con Cuba porque el de Cuba era un mal gobierno. Bueno, pues cuando necesitábamos ayuda durante nuestra lucha de liberación, Cuba nos la dio. Cuando necesitábamos comida, Cuba nos la proporcionó. Tratándose de alguien que no nos ayudó en nuestra lucha, venir aquí ahora y pedirnos que nos distanciemos de alguien que sí que nos ayudó es comportarse de un modo muy arrogante.»

Arrogante, pero, desgraciadamente, no atípico. Hace mucho que Estados Unidos presiona a las naciones sudamericanas para que corten sus lazos con el gobierno de Castro. En la misma línea, en junio

9. Dick Cheney fue uno de los ocho únicos congresistas que votaron en contra de la resolución que instaba al gobierno de Sudáfrica a excarcelar a Mandela y a iniciar negociaciones con el Congreso Nacional Africano. Véase la información de Joe Conason en Salon.com, publicada el 1 de agosto de 2000.

de 2002, George W. Bush anunció que Yasir Arafat tenía que abandonar la presidencia palestina. Había que celebrar elecciones libres, dijo Bush, pero Washington presionaría a favor de un Estado palestino sólo si esas elecciones «libres» quitaban a Arafat de en medio.

La perspectiva de Washington sobre esas cuestiones (la de la razón de la fuerza) quedó sucintamente expresada por Henry Kissinger cuando, siendo consejero de seguridad nacional del presidente Richard Nixon, defendió en privado el derrocamiento del gobierno electo de Chile diciendo que no veía por qué Estados Unidos tenía que permitir que Chile «se volviera marxista» sólo porque «su pueblo es irresponsable». Testificando ante el Senado estadounidense el mismo día en que tuvo lugar el golpe que derrocó a Allende en 1973, Kissinger aseguró que Estados Unidos no había jugado papel alguno en dicho golpe de Estado. Pero son abundantísimos los documentos gubernamentales que demuestran que Kissinger, como jefe del llamado Comité Cuarenta,[10] que supervisó las acciones encubiertas de Estados Unidos entre 1969 y 1976, estaba perfectamente informado de cómo la CIA había ordenado un golpe en 1970 que había fracasado en su intento de frustrar el gobierno de Allende y, en 1973, había cuando menos dado su apoyo tácito (si no ayudado de forma activa) a los militares chilenos que, bajo el mando del que sería nuevo dictador, el general Augusto Pinochet, impusieron la ley marcial y acabaron en última instancia con la vida de 3.197 ciudadanos chilenos.[11]

Fijémonos en la fecha del asalto —auspiciado por Estados Unidos— al gobierno democrático de Chile: 11 de septiembre de 1973. Fijémonos en ese número estimado de muertos (entre ejecuciones y bajas militares): 3.197 personas. ¿No resulta asombrosa la coincidencia entre aquel golpe y el ataque al World Trade Center? Cierto: uno fue obra de fanáticos religiosos y el otro de un Estado, y los hechos de uno y otro distan veintiocho años entre sí. Pero ambos tuvieron

10. La cita de Kissinger a propósito de Chile y la descripción de sus actividades en el Comité Cuarenta aparecen en «The Case Against Henry Kissinger», de Christopher Hitchens, en el *Harper's Magazine* de febrero y marzo de 2001.

11. La cifra de muertes provocadas por el golpe de 1973 en Chile está documentada por John Dinges en *The Condor Years: How Pinochet and His Allies Brought Terrorism to Three Continents*, Nueva York, New Press, 2003, capítulo 1.

lugar la misma fecha y ocasionaron un número comparable de muertes. Aun así, esa estremecedora concomitancia pasó prácticamente desapercibida en Estados Unidos.

Esto resulta contraproducente. No es ningún secreto para los chilenos que Estados Unidos ayudó a aupar al poder a la dictadura que los gobernó durante diecisiete años. Tampoco los salvadoreños ni los guatemaltecos son ajenos al hecho de que Estados Unidos proveyó de dinero, armas y entrenamiento a los gobiernos militares que asesinaron a tantos conciudadanos suyos en décadas recientes. En Guatemala, una comisión de la verdad auspiciada por las Naciones Unidas concluyó en 1999 que «la formación en técnicas de contrainsurgencia recibida de Estados Unidos por el cuerpo de oficiales» fue un «factor clave» en un «genocidio» que incluyó el asesinato de 200.000 campesinos.

El mismo argumento rige cuando hablamos de Oriente Medio o de Asia. Prácticamente todos los aliados de Washington en Oriente Medio son monarquías absolutas en las que la democracia y los derechos humanos son conceptos foráneos y donde las mujeres, en particular, son ciudadanas de segunda clase. Pero tienen petróleo y por eso se les perdona todo. De manera similar, todo el mundo en Corea del Sur sabe ahora que Estados Unidos escogió a los generales que gobernaron el país desde el fin de la Segunda Guerra Mundial hasta 1993; los hechos salieron a relucir durante un juicio que halló a dos de los dictadores que seguían vivos culpables de terrorismo de Estado. Ferdinand Marcos en Filipinas, el general Suharto en Indonesia, el general Lon Nol en Camboya... la lista de tiranos a los que Washington ha dado su apoyo en Asia es ampliamente reconocida, salvo en Estados Unidos.[12]

Como siempre, lo que resulta ofensivo no es simplemente la crueldad de las políticas estadounidenses, sino su hipocresía. Estados Unidos insiste en que las resoluciones de la ONU son sagradas cuando

12. Las conclusiones de la Comisión de Clarificación Histórica auspiciada por las Naciones Unidas, así como el apoyo estadounidense a dictadores asiáticos, están resumidos en *Blowback: The Costs and Consequences of American Empire*, de Chalmers Johnson, Nueva York, Henry Holt, Owl Books, 2001, págs. 14 y 25-27, respectivamente.

castigan a enemigos como Irak con inspecciones de armamento, pero no cuando obligan al destinatario número uno de su ayuda exterior, Israel, a retirarse de los territorios palestinos ocupados en Cisjordania y Gaza. En política comercial, Washington exige a los países pobres que cumplan con las reglas de la Organización Mundial del Comercio contrarias a las subvenciones de los Estados a sus propios agricultores e industrias nacionales, porque esas reglas permiten a las multinacionales estadounidenses invadir las economías de esos países. Sin embargo y sin el más mínimo sonrojo, Washington no escatima miles de millones de dólares en subsidios a nuestro propio sector agrícola (dominado, por cierto, por esas mismas multinacionales) e impone aranceles a las importaciones de acero del exterior. ¿Por qué violamos las reglas del juego limpio tan descaradamente? Porque podemos. «Estados Unidos puede hacernos mucho más daño del que nosotros podemos hacerle a él», se quejaba un funcionario de comercio canadiense.

Tenemos, además, una definición de «terrorismo» que nos viene bien a nosotros, un concepto que la élite política y mediática americana nunca aplica a Estados Unidos o a sus aliados, sino sólo a enemigos o a terceros. Nadie discute que los ataques del 11 de septiembre contra Estados Unidos fueron actos de terrorismo: tuvieron como objetivo a civiles inocentes en cumplimiento de fines políticos o militares. Las bombas que el Ejército Republicano Irlandés hizo estallar en estaciones de metro y en grandes almacenes de Londres a mediados de los noventa también eran terrorismo. Lo mismo que las explosiones suicidas palestinas en Israel a comienzos de 2002 y el empleo de gas venenoso por parte de Sadam Husein contra los kurdos en Irak en 1998. Pero cuando Israel atacó los campos de refugiados palestinos en abril de 2002, demoliendo edificios y matando o hiriendo a numerosos civiles, ¿acaso no era terrorismo? Cuando Estados Unidos lanzó obuses del tamaño de un Volkswagen sobre pueblos libaneses en 1983 y «bombas inteligentes» sobre Bagdad en 1991, fueron muchos los civiles inocentes que perecieron mientras Washington enviaba su mensaje geopolítico. El napalm arrojado durante la guerra de Vietnam, el bombardeo de Dresde y la aniquilación de Hiroshima y Nagasaki en la Segunda Guerra Mundial fueron, todos ellos, actos que perseguían objetivos políticos o militares mediante el asesinato de un gran número de civiles, igual que los ataques del 11 de septiembre. Pero en el discurso estadounidense dominante, Estados Unidos nunca es culpable de terrorismo: sólo es su víctima y su enemigo implacable.

Estos y otros aspectos desagradables de las relaciones exteriores de Estados Unidos no son del todo desconocidos en el propio país. Los especialistas académicos, los activistas de los derechos humanos y los militantes de la izquierda política están familiarizados con esta historia. En (raras) ocasiones, se alcanza a entrever la verdad en las informaciones de la prensa mayoritaria. Además, el papel desempeñado por la CIA en la subversión de democracias y el derrocamiento de gobiernos fue ya constatado documentalmente en las investigaciones que llevó a cabo el Congreso en 1975. En 2002, Samantha Powers publicó un libro, *A Problem From Hell*, que documenta meticulosamente cómo Washington decidió deliberadamente no intervenir contra algunos de los peores actos de genocidio del siglo XX, incluyendo la devastación llevada a cabo por Pol Pot en Camboya, la limpieza étnica en Bosnia y la masacre tribal en Ruanda. El libro recibió una atención considerable en los círculos mediáticos: se dejó oír su mensaje. No obstante, en general, a las perspectivas que son críticas con las acciones estadounidenses no se les da, ni de lejos, la misma importancia o reiteración en el gobierno, en los medios o en el debate público que al punto de vista convencional que ve a Estados Unidos como un adalid imparcial de la democracia y la libertad. Pero la dirección básica de la política exterior estadounidense rara vez varía y Washington se sigue granjeando lo que el fallecido reportero del *Wall Street Journal* Jonathan Kwitny denominó «enemigos sin límite» en todo el mundo.[13] Peor aún: los americanos comunes y corrientes no son conscientes de que eso ocurre y por eso se sorprenden cuando los extranjeros no nos quieren como creemos que deberían.

El desconocimiento nos excusa, pero no nos brinda un escudo protector. «Aunque puede que la mayoría de los estadounidenses

13. La frase de Kwitny era el título de su revelador y exhaustivo libro, *Endless Enemies: The Making of an Unfriendly World*, Nueva York, Congdon & Weed, 1984.

sean desconocedores en buena medida de lo que se ha hecho y todavía se hace en su nombre, es muy probable que todos ellos paguen un elevado precio (...) por los esfuerzos continuados de su nación por dominar la escena global», escribía Chalmers Johnson, el veterano especialista en temas asiáticos, en su furibundo libro *Blowback*. La tendencia de Estados Unidos a intimidar, advierte Johnson, hará que se «acumulen depósitos de resentimiento contra todos los estadounidenses (los turistas, los estudiantes y los hombres de negocios, así como los miembros de las fuerzas armadas) que pueden tener resultados letales».

*Blowback** es el término que aplica la CIA a la posibilidad de que la política exterior de un país se vuelva en contra de esa misma nación y haga que lo pague caro más adelante de formas imprevistas, especialmente después de casos que hayan implicado operaciones secretas. Johnson cita un informe del Comité Científico de Defensa del Pentágono de 1997: «Los datos históricos evidencian una fuerte correlación entre la participación estadounidense en situaciones internacionales y el aumento en el número de ataques terroristas contra Estados Unidos».[14] Un ejemplo flagrante es la crisis de los rehenes de 1979 en Irán. Para proteger los intereses petrolíferos americanos, la CIA derrocó en 1953 al gobierno electo de Irán e instaló al Shah Reza Pahlevi (un acto que un director posterior de la CIA, William Colby, calificó como el «momento de mayor orgullo» de la agencia). El *shah* instauró un gobierno férreo, asesinó a miles de personas, se ganó el (merecido) odio general y fue expulsado a la fuerza del poder en 1979. La ira que aún quedaba entre los iraníes condujo a un ataque a la embajada de Estados Unidos en Teherán y al secuestro de cincuenta y cuatro rehenes, una crisis que supuso la sentencia definitiva para la presidencia de Jimmy Carter.[15]

El libro de Johnson fue publicado en 2000. De ahí que no se hiciera referencia en él al más espectacular de todos los casos de *blowback*:

* Un término que se podría traducir por «devolución del golpe». (*N. del t.*)

14. Las citas de *Blowback*, de Johnson, corresponden a las págs. 33 y 4, respectivamente.

15. La historia definitiva de las actuaciones de Estados Unidos en Irán, incluida la ayuda que el corresponsal local del *New York Times* facilitó a los orquestadores del golpe, se encuentra en Kwitny, *Endless Enemies*, págs. 161-178.

los ataques terroristas del 11 de septiembre. Pero en los números del 15 de octubre y del 10 de diciembre de 2001 de *The Nation*, Johnson explicó cómo la CIA había apoyado a Osama Bin Laden desde 1984 (por lo menos) como parte de su financiación de los muyaidines, la resistencia islámica a la ocupación soviética de Afganistán. La CIA canalizó su apoyo a Bin Laden y a otros muyaidines (un apoyo que incluía la construcción del complejo en el que Bin Laden entrenó a unos treinta y cinco mil seguidores) a través del servicio de inteligencia de Pakistán. Pero Bin Laden se volvió contra Estados Unidos tras la Guerra del Golfo Pérsico de 1991, cuando las tropas americanas «infieles» fueron estacionadas en suelo sagrado islámico, en Arabia Saudí, para ayudar a que el régimen autoritario del país se mantuviera en el poder. Los ataques del 11 de septiembre, concluye Johnson, fueron el *blowback* de la actividad encubierta de Estados Unidos en Afganistán en los años setenta y, probablemente, el ciclo no se ha cerrado todavía: «La respuesta actual del Pentágono en Afganistán —la de lanzar bombas donde ya no queda nada que bombardear— [está] preparando el camino para asaltos venideros».

¿Acaso eso desacredita necesariamente la guerra de Estados Unidos en Afganistán? Después de todo, logró destruir o, al menos, dispersar gran parte de la red de Al Qaeda de Bin Laden, liberó al país de las garras medievales de los talibanes e hizo posible que se iniciara la reconstrucción. Sin embargo, los costes fueron elevados. El número exacto de víctimas civiles sigue siendo incierto, pero lo más probable es que sobrepasen las aproximadamente tres mil muertes de los ataques que motivaron la guerra (los del 11 de septiembre). Hubo un número adicional de afganos que murieron debido a una hambruna preexistente a la que las agencias de ayuda no pudieron hacer frente por culpa de los bombardeos. «Todo el mundo musulmán está impresionado y observa lo que ocurre con espanto», comentaba un analista saudí al *New York Times*. «En los jóvenes se está generando una nueva animadversión y hay llamamientos a la venganza. Esto es peligroso: es el tipo de ambiente que da lugar al terrorismo.»[16]

16. La cita «Todo el mundo musulmán...» está extraída del *Times* del 31 de enero de 2002.

Hacer lo correcto

Estados Unidos da muy escasas muestras de modestia, pero, curiosamente, se manifiesta reticente a asumir el estatus de imperio más poderoso de la historia. Mientras los imperios anteriores se enorgullecían de su estatus privilegiado (Roma) o trataban de dirimir sus implicaciones morales (Gran Bretaña), el imperio estadounidense se dice simplemente a sí mismo que no existe como tal. Se tome la definición histórica que se tome, Estados Unidos es un imperio de extraordinario poder, pero ni siquiera sus élites habían llegado nunca a emplear el término y sólo han empezado a hacerlo (y siempre en sentido favorable) a la sombra de lo ocurrido el 11 de septiembre. Los estadounidenses creen que son ricos porque son personas decentes y trabajadoras (que, por lo general, lo son), sin darse cuenta de las enormes ventajas que les procura el poder de Estados Unidos allende sus fronteras, empezando por el petróleo barato y abundante de Oriente Medio, que alimentó el considerable crecimiento de la economía americana de los pasados cincuenta años.

Estados Unidos ha actuado como un imperio desde el principio, recurriendo repetidamente a la fuerza para ampliar su territorio. Empezó desalojando a los americanos nativos de sus tierras. En la Guerra de 1812, hizo retroceder definitivamente a los británicos hacia Canadá, un despliegue de fuerza que convenció a España de que debía renunciar a sus reivindicaciones en el Suroeste. Con la Doctrina Monroe de 1823, Estados Unidos declaró su control oficioso sobre todo el hemisferio occidental. En 1898 se expandió más allá de sus fronteras terrestres «liberando» a Cuba y a Filipinas de España, pero convirtiéndolas en colonias estadounidenses en la práctica. Optó también por una estrategia de «puertas abiertas» que recurría más a la fuerza económica que a la militar para ejercer dominio en el exterior. Durante la primera mitad del siglo XX se contaron por docenas las intervenciones en el exterior para sostener a gobiernos amigos y proteger los negocios estadounidenses, especialmente en Centroamérica.

El imperio estadounidense alcanzó la madurez tras surgir de la Segunda Guerra Mundial convertido en la potencia mundial más fuerte y más rica. Se establecieron bases militares en toda Europa, Asia y

Oriente Medio. Se rescribieron las reglas del comercio y de las finanzas internacionales con el fin de fomentar la expansión de las compañías estadounidenses en el exterior. Durante la Guerra Fría que siguió, el imperio soviético desafió pero no llegó nunca a amenazar seriamente la supremacía de su homólogo americano. En la actualidad, varios años después de la caída del Muro de Berlín, Estados Unidos mantiene prácticamente la misma postura global que durante la Guerra Fría: un sinnúmero de bases militares en el extranjero, el mayor volumen de ventas de armamento del mundo (el 90 % del cual es para gobiernos no democráticos o que abusan de los derechos humanos)[17] y una sobrecapacidad de exterminio nuclear masivo (cada uno de sus treinta y dos submarinos Trident puede reducir cuatrocientas ciudades a polvo radiactivo, y los Trident no son más que una pequeña parte del arsenal total).[18] En resumen, el imperio estadounidense no muestra signos ni de contracción ni de retirada.

¿Se sienten ofendidos los extranjeros ante todo este poder? ¿Envidian las ventajas económicas que ese poder otorga a Estados Unidos? ¿Lo compensan convirtiendo a Estados Unidos en chivo expiatorio de sus propios defectos? Obviamente sí: los psicólogos llaman a esto naturaleza humana.

«Estuve hablando con un corresponsal de [la agencia de noticias rusa] TASS unas semanas después de los ataques del 11 de septiembre», me explicaba Loren Jenkins, editor internacional de la National Public Radio. «Me dijo: "¿Sabes? Durante la Guerra Fría medio mundo podía odiar a la Unión Soviética y la otra mitad podía odiar a Estados Unidos. Vuestro problema ahora es que sois los únicos que quedáis para que os odien. Cualquier persona de cualquier parte que esté infeliz con su vida culpará a Estados Unidos".»

«A la mayoría de los franceses les gusta América y los americanos, pero consideran que su política exterior es imperialista y les ofende su tendencia a la unilateralidad», me decía en París Laurent Joffrin,

17. Las ventas de armas estadounidenses aparecen descritas en Johnson, *Blowback*, pág. 88.

18. La descripción del poder y la función de los submarinos Trident en el arsenal nuclear americano es de Ramsey Clark, antiguo fiscal general de los Estados Unidos, en una entrevista aparecida en la revista *Sun* en agosto de 2001.

director de *Le nouvel observateur*, un destacado semanario francés. Una de las fuentes de resentimiento es la envidia derivada del propio pasado imperial de Francia, añadía Joffrin. «A todos los escolares franceses se les enseña que Francia era una de las grandes potencias del mundo. También aprenden que Estados Unidos acudió en nuestro auxilio en dos ocasiones durante el siglo pasado: durante la Primera y la Segunda Guerra Mundiales. Por un lado, estamos agradecidos por la ayuda estadounidense. Por el otro, hace que nos sintamos molestos. Uno prefiere ser el salvador a ser el salvado.»

Tal y como el comentario de Joffrin sugiere, los imperios no son malos por naturaleza. Es verdad que América tenía sus propios motivos para «salvar» a Europa, no sólo durante las guerras sino también posteriormente. El Plan Marshall, que permitió que las economías europeas se recuperasen, también creó nuevos mercados para las empresas estadounidenses y debilitó el atractivo de los partidos comunistas en Europa. ¿Y qué? Cuando se construye la historia, las motivaciones no anulan los hechos y no se puede negar que el efecto de la política estadounidense fue lograr una vida mejor para los europeos de todas las clases. La historia es más desigual en el caso del Japón de posguerra. A pesar de las sustanciales transferencias en ayuda a la reconstrucción y en tecnología desde Estados Unidos, la economía de Japón no despegó hasta que recibió un aluvión de contratos del Pentágono para la guerra en Corea (incluyendo un encargo de *Jeeps* que salvó a una pequeña empresa llamada Toyota de una quiebra inminente).[19] Pero la política estadounidense en Japón tuvo también el efecto de reactivar a un enemigo vencido y mejorar la vida de su gente.

Tampoco han sido malignas todas las intervenciones militares de Estados Unidos en el exterior. Cuando el dictador serbio Slobodan Milosevic estaba orquestando la matanza de infinidad de inocentes en todo el territorio de la antigua Yugoslavia a principios de los noventa, las potencias de Europa occidental respondieron con poco más que muestras inútiles de preocupación. Aunque Estados Unidos no reaccionó con la rapidez con la que podría haberlo hecho, fue el

19. El papel de Estados Unidos a la hora de evitar la bancarrota de Toyota está descrito en Holt, *The Reluctant Superpower*, pág. 150.

fuego estadounidense, en última instancia, el que frenó a Milosevic. Cuando, durante mi primer viaje alrededor del mundo en 1991, estaba recogiendo información en el África oriental, me enorgulleció comprobar que el embajador de Estados Unidos se oponía de forma activa a la brutal conducta de Daniel Arap Moi, el corrupto mandamás de Kenia. Ese mismo año, en Moscú, entrevisté a funcionarios de la embajada estadounidense que estaban prestando especial atención al daño catastrófico que el régimen soviético había ocasionado a los ecosistemas y la salud pública de Rusia (una atención muy necesaria). Pocos años después, se produjeron divisiones acerca de la política que Estados Unidos debía seguir con respecto a China. Una opción era presionar al gobierno chino para que respetara los derechos humanos y la otra, supeditar tales preocupaciones al objetivo de ampliar el acceso de las empresas al mercado chino; pero, como mínimo, se debatió cuál era la política a seguir. A mi paso por Zimbabwe en 2001, pude apreciar abundantes signos evidentes de la política de mano dura que estaba empleando el presidente Robert Mugabe para acallar la libertad de expresión y confiscar las tierras de los granjeros de forma indebida. Cuando Mugabe, como se esperaba, escamoteó las elecciones de 2002, la administración Bush condenó la votación (y con motivo) por no haber sido libre ni limpia.

La historia ofrece muchos más ejemplos de ese tipo, pero la idea central que quiero mostrar aquí es que la política exterior estadounidense implica más cosas que la financiación de dictadores y el derrocamiento de democracias. A veces, nuestra conducta en el exterior se corresponde con nuestros ideales; a veces, sí que hacemos lo correcto. El motivo por el que la política exterior estadounidense no es monocromática es, en mi opinión, que nuestro compromiso con los más elevados principios no es un mero fraude. Nuestra historia, nuestras leyes, nuestra concepción misma de quiénes somos, nos obligan a tomarnos en serio nuestra tan invocada reverencia por la libertad, la democracia, los derechos humanos y la justicia. Hay otros objetivos, por supuesto, que compiten con los anteriores a la hora de determinar la política exterior y que cada presidente sopesa de manera diferente: conseguir el acceso a mercados y recursos naturales, fomentar climas que inviten a la inversión, buscar una influencia geopolítica. En cualquier caso, entre todos esos intereses se libra una auténtica batalla, tanto en el Washington oficial donde se elaboran las políticas, como en el país en general, donde el público debe ratificar las políticas (al menos, implícitamente).

Del mismo modo que los activistas de los derechos civiles citaban la Constitución para exigir justicia para todos los americanos, las voces críticas con la política exterior insisten en que Washington haga cuadrar su apoyo retórico a los derechos humanos con sus relaciones con Arabia Saudí, Turquía y China. Gracias a la presión de los activistas en el pasado, el Departamento de Estado está hoy obligado a publicar un informe anual sobre el cumplimiento de los derechos humanos en todos los países del mundo. Cuando el informe de 2002 reveló que muchos de los aliados más próximos de la administración Bush en la guerra contra el terrorismo cometían atrocidades en materia de derechos humanos, se abrió ante los ciudadanos, los medios de comunicación y el Congreso estadounidenses una oportunidad para exigir mayor coherencia en la política americana. La presión pública había obligado a Estados Unidos a retirarse de Vietnam en los años setenta y el miedo a la reacción pública ha hecho desde entonces que el Pentágono sea reacio a desplegar tropas terrestres en otros países. Las manifestaciones y las cartas de los activistas anti-*apartheid* llegaron a obligar incluso a la administración Reagan a moderar su respaldo al régimen blanco de Sudáfrica en los años ochenta. Igualmente, gracias a una presión parecida en los noventa, se puso de relieve la complicidad estadounidense con empresas que regentan talleres de fabricación en los que se explota a menores de edad y con otros casos de globalización descontrolada.

Pocas fuerzas pueden evidenciar un mayor poder en defensa del bien que la política exterior estadounidense en esas ocasiones en las que aboga por los valores de la democracia y el juego limpio. Lo trágico es la poca frecuencia con la que eso ocurre. No es demasiado tarde para que eso cambie: como ya se ha señalado, son muchas las corrientes que inciden en el fluir de la política exterior estadounidense. Pero es improbable que se produzca mejora alguna hasta que el pueblo americano preste mayor atención a lo que su gobierno está haciendo realmente en todo el mundo y exija algo mejor.

Capítulo 5

Nuestra prensa de palacio

«Creo que los estadounidenses son básicamente buenas personas», decía Denis Halliday, ex director del programa de ayuda humanitaria de las Naciones Unidas en Irak. «Si comprendieran que Irak no se compone de veintidós millones de "Sadam Husein" sino de veintidós millones de personas —de familias, de niños, de personas mayores (familias con sueños, esperanzas y expectativas para sus hijos y para los propios padres)—, se horrorizarían al darse cuenta de que la matanza de civiles iraquíes inocentes que está llevando a cabo la Fuerza Aérea estadounidense (...) se está haciendo en su nombre.»

En el momento de la entrevista a Halliday, en marzo de 2002, el vicepresidente Cheney estaba de gira por Europa y Oriente Medio, tratando de ganar apoyos para los deseos de derrocar a Saddam de la administración Bush. Según Halliday, la administración estadounidense estaba vulnerando flagrantemente tanto el derecho internacional como la decencia moral: primero, al mantener unas sanciones económicas que castigaban a la población de Irak en general, y luego, al bombardear Irak en misiones que patrullaban la «zona de exclusión aérea» establecida tras la Guerra del Golfo de 1991. Lo que Halliday quería saber era: «¿Dónde está el pueblo americano? ¿Por qué no está controlando a un gobierno (el suyo) que parece fuera de sus cabales?».[1]

1. Los comentarios de Halliday aparecieron en una entrevista con Salon.com el 20 de marzo de 2002.

Son muchas las ocasiones en las que he oído a personas de otros países quejarse de que los estadounidenses sólo piensan en sí mismos. En Europa, especialmente, pero también en otras partes, se nos tiene por gente agradable y simpática, pero se nos atribuye una simplonería infantil en lo que concierne al mundo exterior y una indiferencia egoísta ante el papel de Estados Unidos en ese mundo. «Muchos de nosotros tenemos amigos estadounidenses», me comentaba Ana, una intelectual de Barcelona, un par de semanas después del 11 de septiembre, «pero nos gustaría que nuestros amigos americanos pensaran un poco más en su gobierno, porque nosotros tenemos que soportar las consecuencias de la política de Estados Unidos y suele ser difícil, sobre todo cuando suenan tambores de guerra».

¿Se mostrarían más condescendientes las personas de otros países si supieran la poca información crítica que los estadounidenses recibimos acerca de la política exterior de nuestro gobierno? ¿Cómo se puede esperar que los americanos nos formemos opiniones informadas sobre la «guerra contra el terrorismo» si nuestros medios informativos transmiten poco más que la versión de la verdad según el gobierno? Los miembros de los medios de comunicación han de «vigilar lo que dicen», según declaró el portavoz de la Casa Blanca, Ari Fleischer, poco después de los ataques del 11 de septiembre. Fleischer no tenía ni que haberse molestado en lanzar esa advertencia: la prensa estadounidense ha resultado ser una portavoz entusiasta del mensaje del gobierno. «George Bush es el presidente. (...) [Si] quiere que cierre filas, sólo tiene que decirme dónde me pongo», dijo uno de los periodistas más influyentes de la nación, el presentador de las *CBS Evening News* Dan Rather.[2]

La mayor farsa política que circula por Estados Unidos es la de que tenemos una prensa liberal. Es una broma que se toman en serio un número sorprendentemente amplio de personas, incluidas las que componen la importante minoría derechista del país (aproximadamente, uno de cada cuatro votantes). Las compras de este colectivo dieron impulso a un libro que reincidía en el mito (*Bias*, de Bernard

2. La cita de Rather procede de una aparición suya en *Late Night with David Letterman*, el 17 de septiembre de 2001.

Goldberg) hasta situarlo en las primeras posiciones de las listas de ventas americanas a comienzos de 2002. La idea de que la prensa es liberal fue inyectada en la conciencia nacional hace treinta años por Richard Nixon, quien culpó a la prensa de la derrota en la Guerra de Vietnam y de haber inflado lo que para él era un robo «de tercera categoría» hasta convertirlo en el escándalo del caso Watergate. Desde entonces, el mito de la prensa liberal ha servido de arma política en manos de las fuerzas conservadoras y de la derecha ávidas de desactivar toda cobertura informativa crítica con el gobierno y con el poder empresarial. Y los periodistas y sus superiores han caído en la trampa. Siempre se están preguntando si el tratamiento que dispensan es demasiado liberal, nunca si es demasiado conservador.

Entiéndase bien: en Estados Unidos «liberal» significa «de izquierda», con todas las connotaciones que ello tiene de antigubernamental, antiempresarial, anti-*establishment*, algo que no podría distar más de la manera en la que funcionan los periódicos, la televisión, la radio, Internet y otros medios de comunicación de masas de Estados Unidos en la realidad.

¿Antigubernamental? La mayor parte de lo que la prensa americana informa acerca del gobierno estadounidense es la versión gubernamental de la historia. Cojan cualquier periódico, vean cualquier programa. Encontrarán todo lo que el presidente ha declarado hoy acerca del tema X, lo que el secretario de Defensa ha manifestado sobre la cuestión Y, o cómo ha sido recibida la propuesta Z por parte del líder de la mayoría del Senado o de la Cámara de Representantes. A menudo se producen disputas entre estas diversas instancias —el conflicto es un ingrediente necesario de la narrativa informativa—, pero tales polémicas tienden a circunscribirse a meras nimiedades o movimientos tácticos. Brillan por su ausencia las informaciones que se desvinculen de los debates internos de Washington, que pongan en cuestión las premisas sobre las que se sustentan y que ofrezcan un análisis realmente alternativo.

«Lo que hacemos la mayor parte del tiempo es funcionar como una auténtica correa de transmisión», confesaba el fallecido James Reston, quien trabajara durante décadas como hombre de *The New*

York Times en Washington.[3] Obviamente, es importante hacerse eco de la versión del gobierno acerca de cualquier noticia. Pero si se convierte en toda (o casi toda) la noticia, el cuadro resultante es, inevitablemente, engañoso. Lo que se les acaba contando a los ciudadanos no es tanto una mentira como una deplorable verdad a medias, que puede venir a ser lo mismo. Por ejemplo, la prensa informó repetidamente de las garantías dadas desde la administración Bush en el sentido de que se estaban tomando medidas extraordinarias para evitar víctimas civiles durante la guerra en Afganistán. Sólo de manera ocasional y muy posterior a los hechos llegó a presentar información contraria. A través de la cobertura informativa, pues, se daba la sensación de que morían pocos inocentes cuando, en realidad, el número de víctimas mortales estaba siendo probablemente superior al número de personas muertas en los ataques del 11 de septiembre.

En Estados Unidos no tenemos, gracias a Dios, una prensa estatal o controlada por el Estado. Pero sí que tenemos una que es amiga del Estado. Es decir, nuestra prensa apoya el sistema político imperante, los supuestos y las relaciones de poder sobre los que se fundamenta, y las políticas económica y exterior que emanan de los mismos. Y tanto los unos como las otras casi nunca son liberales.

He podido comprobar que ni a los estadounidenses ni a los no estadounidenses les resulta fácil hacerse a la idea de que la prensa sea amable con el Estado en Estados Unidos. Observan las libertades de las que está impregnada la vida americana y asumen que lo natural es que el intercambio diverso y saludable de ideas sea parte de la mezcla. A fin de cuentas, la libertad de prensa está recogida en la primera enmienda de nuestra *Bill of Rights*. Desafortunadamente, en el Estados Unidos contemporáneo, esa libertad existe más en la teoría de lo que es ejercida en la práctica. «Es algo que siempre me ha asombrado de vosotros», me dijo una vez un periodista británico. «Aquí en Gran Bretaña hacemos mucho periodismo de investigación, aunque nuestras leyes antidifamación sean muy estrictas. Vosotros tenéis toda la libertad del mundo y no la hacéis servir.»

3. La cita de Reston aparece en la página 66 de *On Bended Knee: The Press and the Reagan Presidency*, de Mark Hertsgaard, Nueva York, Farrar, Straus and Giroux, 1988.

A. J. Liebling escribió la mejor frase jamás escrita sobre la prensa (por un estadounidense, al menos): «La libertad de prensa está garantizada sólo para aquellos que posean una».[4] En la actualidad, la propiedad de la prensa estadounidense ha caído en manos de un puñado de gigantes empresariales transnacionales (nada más lejos de unos izquierdistas alborotadores o, siquiera, de unos liberales respetuosos con la ley y el orden). ¿Acaso debería alguien sorprenderse de que las noticias que proporcionan resten importancia a los puntos de vista poco convencionales, a las críticas a la élite empresarial y gubernamental y a cualquier otra información que no congenie con el orden establecido?

Creyente como era en la diversidad de opiniones y en el papel de la prensa como control y contrapeso al poder más arraigado, Liebling estaba preocupado ya en los años cuarenta por el hecho de que la propiedad se estuviese concentrando en un número cada vez más reducido de manos. Y eso en una época en la que la mayoría de las principales ciudades americanas podían presumir de, al menos, unos cuantos diarios que competían entre sí. ¿Qué pensaría él ahora, cuando la mayoría de ciudades están monopolizadas por un único diario y apenas diez compañías controlan más del 50 % de los medios del país (diarios, emisoras de radio y televisión, revistas, libros, música y cine, e Internet)? Entre esas compañías están: General Electric (129.900 millones de dólares en ingresos anuales), que posee tres cadenas de noticias y trece emisoras; Sony (53.800 millones de dólares), productora de cine y música; AT&T (66.000 millones de dólares), que es la principal proveedora de servicios por cable en Estados Unidos; AOL Time Warner (con unos ingresos de 36.200 millones de dólares en 2000), que cuenta entre sus propiedades con la CNN, *Headline News* y *Time*; la Walt Disney Company (25.400 millones de dólares), propietaria de las cadenas de televisión y de radio de la ABC y de sesenta emisoras; Bertelsmann (16.500 millones de dólares), la mayor editorial en Estados Unidos de libros especializados, y News Corporation (11.600 millones de dólares), que es propieta-

4. La cita de Liebling se halla en un libro en el que se compilan sus artículos para la revista *The New Yorker*, titulado *The Press*, Nueva York, Pantheon, 1981, pág. 32.

ria de la cadena de televisión Fox, de veintiséis emisoras y del *New York Post*.[5]

¿Cómo se puede conciliar este reparto de titanes transnacionales con el mito de una prensa liberal? Tratándose de algunas de las mayores compañías del mundo, es difícil que puedan ser anti-*establishment*: son los pilares del orden establecido. Tres de ellas (Sony, Bertelsmann y NewsCorp) son extranjeras, pero, por su condición de corporaciones transnacionales, no guardan lealtad a otra cosa que no sea su participación provechosa en tantos mercados como les sea posible, y ningún mercado es más rico que Estados Unidos. En resumen, los pocos conglomerados globales que dominan el sistema mediático americano pueden tener el mismo interés en desafiar el *statu quo* estadounidense que el de los elefantes en desafiar el *statu quo* de la selva.

Obviamente, para producir información las compañías han de contratar a periodistas. El mito de la prensa liberal localiza el foco del problema en esos mercenarios y afirma que el sesgo de los mismos distorsiona las noticias. Esto es algo que puede resultar verosímil hasta que uno se da cuenta de que los periodistas responden ante superiores que responden, a su vez, ante superiores que están por encima de los anteriores, a todos los cuales se les paga para asegurarse de que la compañía produce lo que los jefes quieren que produzca. «Se me juzga por los beneficios», decía Leslie Moonves, presidente de la cadena CBS, justificando sus planes para efectuar recortes de personal en la división de informativos incluso después de los ataques del 11 de septiembre.[6] El control empresarial no es absoluto, evidentemente: el ritmo acelerado del periodismo diario hace que no resulte práctico consultar todas las decisiones con los jefes. Pero los jefes son los que deciden a qué periodistas contratar y ascender, y, naturalmente, escogen a individuos con opiniones acordes con las suyas.

(Lo cual, paradójicamente, ayuda indirectamente a explicar el único aspecto verosímil del mito de la prensa liberal. Los conservadores protestan airadamente por el tratamiento que hacen los medios de las

5. La identidad y los ingresos de las grandes compañías que dominan los medios informativos estadounidenses venían recogidos en *The Nation* el 7-14 de enero de 2002.

6. La cita de Moonves procede del *The New Yorker* del 10 de diciembre de 2001.

cuestiones sociales: el aborto, el control de armas, la homosexualidad, la religión. Un sondeo de 1998 realizado entre redactores y reporteros de Washington reveló que eran realmente más «liberales» que la mayoría de los estadounidenses con respecto a tales cuestiones: estaban a favor del aborto libre, eran tolerantes con los homosexuales y apoyaban el control de armas.[7] Pero los periodistas eran más conservadores que el estadounidense medio en las cuestiones económicas: estaban a favor de las posturas empresariales en temas fiscales, comerciales y de gasto público. Esa filosofía dividida es un reflejo de la de los propios superiores empresariales de los periodistas, la mayoría de los cuales son republicanos moderados o demócratas centristas, defensores entusiastas de las posiciones de las grandes empresas en temas económicos y políticos, pero más alejados del programa conservador en las cuestiones sociales. Puede que el tratamiento informativo que refleja esa visión del mundo irrite a los conservadores, pero sólo es liberal en un sentido muy limitado del término.)

El taquígrafo del poder

Aunque a veces se recurra a la censura abierta para mantener a los periodistas a raya, lo más habitual es que los propios periodistas se censuren a sí mismos. La simple necesidad de obedecer al jefe se traduce en noticias que reflejan, en líneas generales, una visión empresarial del mundo que incluye una serie de artículos de fe, a saber: que la iniciativa privada sin trabas de ninguna clase es una bendición para los trabajadores y para los capitalistas por igual, que el gobierno de Estados Unidos es una fuerza que defiende el bien en el mundo, que los manifestantes antiglobalización son unos anarquistas violentos, y que comprar alegremente y sin fin es el deber patriótico de todo estadounidense.

Otros mensajes no son tan bien recibidos, como yo mismo he podido comprobar alguna vez de primera mano. Hace unos años, uno

7. El sondeo de 1998 que revelaba las opiniones «liberales» de los periodistas de Washington aparecía citado en McChesney, *Rich Media, Poor Democracy*, pág. 296.

de mis jefes amenazó con despedirme tras la emisión de una sátira radiofónica en la que hacía burla de la NBC y de McDonald's por organizar cada noche una lotería de un millón de dólares pensada para hacer que los americanos consumieran más comida basura y más televisión. «Ya sé que era graciosa, pero estabas criticando el sistema de libre empresa», me dijo. «Tú no puedes hacer eso.» En 2001, contratado por una de las principales revistas de ámbito nacional para que investigara a la administración entrante de George W. Bush, llegué a la poco sorprendente conclusión de que aquel magnate del petróleo de toda la vida tenía pensado debilitar las regulaciones medioambientales. Los editores exigieron tres nuevos redactados para moderar el tono de la historia, dejando muy clara su intención esencial: «Este reportaje tiene que agradar a todos nuestros lectores, incluso a los que conducen vehículos 4×4 como los que se anuncian en nuestras páginas».

Podría citar otros muchos reportajes que nunca me publicaron porque sus críticas al orden establecido eran demasiado afiladas, o que ni siquiera me llegaron a encargar, pero mis experiencias personales no son más que una pequeña muestra de un problema más amplio. Cuando escribía *On Bended Knee*, un libro acerca del tratamiento informativo dispensado a la presidencia de Reagan, los periodistas me contaron muchos otros ejemplos de censura directa e indirecta.

Para entender por qué los estadounidenses no conocen su propia política exterior, consideremos la historia del reportero de *The New York Times* Raymond Bonner. En 1983, Bonner fue relevado de su cargo como corresponsal del diario en Centroamérica tras revelar en sus informaciones que Washington estaba apoyando el terrorismo y la represión, y no la democracia ni los derechos humanos, en su patio trasero. En su artículo más explosivo detallaba cómo el batallón de élite Atlacatl del ejército salvadoreño había masacrado a cientos de campesinos, principalmente mujeres, niños y personas mayores, en diciembre de 1981. El batallón había sido la primera unidad militar entrenada por los asesores estadounidenses que el presidente Reagan había enviado para resistir la que él advertía que iba a ser inmediata ocupación comunista de El Salvador. El reportaje de Bonner fue publicado en el *Times* el 27 de enero de 1982, el mismo día en que la administración Reagan certificó ante el Congreso que aquel régimen, que era cliente suyo, estaba llevando a cabo «esfuerzos significativos para acatar los derechos humanos internacionalmente reconocidos». Los funcionarios de Reagan, a los que se sumaron la página editorial de *The Wall Street Journal* y otras voces derechistas en la prensa, orquestaron una feroz campaña en la que se tildó a Bonner de blando con el comunismo y, en seis meses, ya había sido apartado del meollo informativo. Pero habían sido sus propios superiores del *Times* los que le habían dado el tiro de gracia. «Creo que el auténtico problema fue que mi manera de informar no se ajustaba al signo de los tiempos... o al del *Times* de Abe Rosenthal», me comentó Bonner con posterioridad. Rosenthal, el director ejecutivo del diario, negó que la reasignación de Bonner que él había ordenado significara algo más que una rotación burocrática rutinaria. Aun así, la coincidencia de hechos es asombrosa: como los reportajes de Bonner contradecían las verdades proclamadas desde Washington, el gobierno y sus aliados políticos lo atacaron y lo acusaron —a él y al *Times*— de simpatizar con los comunistas. Bonner fue rápidamente sustituido por reporteros mucho más dispuestos a transmitir la visión estadounidense oficial de la guerra.[8] (Años más tarde, cuando Rosenthal ya se había retirado, Bonner volvió a ser contratado por el *Times*, donde trabaja actualmente.)

La sumisión de la prensa en Estados Unidos no se ha limitado, ni mucho menos, a la era Reagan ni ha requerido habitualmente de presión abierta por parte del gobierno. Por ejemplo, mucho después de que el señor Reagan hubiera dejado el cargo en 1988, los medios continuaban siendo increíblemente corteses (y por voluntad propia) con el sistema de defensa antimisiles con el que él mismo había soñado. Y digo corteses porque las informaciones sobre el tema no sacaban casi nunca a la luz la deficiencia más embarazosa de dicho sistema: su construcción es imposible. Durante años, el sistema que se estaba desarrollando falló hasta en la más fácil de las pruebas: hacer impacto en un misil con velocidad y trayectoria conocidas de ante-

8. La historia de Ray Bonner está explicada en detalle en el capítulo 9 de Hertsgaard, *On Bended Knee*.

mano. Robert Park, físico de la Universidad de Maryland y portavoz de la American Physical Society, señala que, en el mundo real, los misiles emprenden acciones evasivas y están protegidos por señuelos, lo cual hace que sea «imposible» tener puntería.

Pero la creencia en la posibilidad de una defensa antimisiles es materia de fe en la derecha republicana, por no hablar de lo enormemente lucrativa que resulta para Raytheon y para otras compañías que se benefician de contratos con el Pentágono (hasta la fecha, los contribuyentes estadounidenses han invertido 100.000 millones de dólares en defensa antimisiles y están previstos otros 238.000 millones de dólares hasta 2025); así que la idea cuenta con un tremendo impulso político.[9] En 1996, el presidente demócrata Bill Clinton pidió con insistencia que se gastaran 13.500 millones de dólares más en defensa antimisiles antes de decidir, en 1999, si desplegarla o no. Las informaciones sobre su discurso en la prensa americana no llegaron nunca a señalar que la defensa antimisiles era un espejismo. Todos los reportajes dieron implícitamente por sentado que era realmente posible construir un sistema de ese tipo. La prensa sí que se centró, sin embargo, en las diferencias tácticas de Clinton con el senador Robert Dole, su rival republicano en las elecciones del siguiente otoño. ¿Cuál de los dos hombres quería construir un sistema con mayor rapidez? ¿Quién parecía ser más duro en materia de defensa? ¿Cómo responderían los votantes indecisos?

El problema que tiene la prensa estadounidense no es el de que favorezca a los republicanos o a los demócratas: el problema es que funciona como un taquígrafo del poder. En nombre de la objetividad y de la neutralidad política, el cuerpo de periodistas de Washington limita su definición de lo que son fuentes informativas citables al Washing-

9. El análisis que hace Park de los obstáculos a la defensa antimisiles apareció en una entrevista con el autor. Véase una descripción más completa de la inviabilidad técnica de la defensa antimisiles en los diversos informes compilados por la Union of Concerned Scientists, disponibles en su página *web*: <www.ucsusa.org>, así como en «Missile Shield or Holy Grail?», de Walter C. Uhler, en *The Nation*, 28 de enero de 2002. El precio de 238.000 millones de dólares atribuido a la defensa antimisiles era el que aparecía en un estudio de la Oficina Presupuestaria del Congreso del que informaba el *New York Times* el 1 de febrero de 2002.

ton oficial: los funcionarios de la administración, los miembros influyentes del Congreso, los expertos de la pléyade de gabinetes estratégicos que hay en la ciudad. Esto limita el ámbito de debate al espectro que media entre republicanos y demócratas. Por muy válida que sea una determinada opinión desde el punto de vista intelectual —por ejemplo, la de que la defensa antimisiles es una quimera tecnológica—, si no es la sostenida vehementemente por una parte importante del *establishment* de Washington, no recibe atención alguna.

En resumidas cuentas, el cuerpo de periodistas de Washington funciona como una auténtica prensa de palacio. Son expertos en relatar las intrigas de la política de la corte: ¿qué es lo que propone el presidente? ¿Cómo reaccionará el Congreso? ¿Quién va a ganar la pelea? ¿Dónde radica el equilibrio de poder? No es que sea ésta una información sin importancia, pero dista mucho de ser la que los ciudadanos realmente necesitan para poder imputar responsabilidades a su gobierno. (Además, hace que los reporteros parezcan más estúpidos de lo que la mayoría de ellos son en realidad.) Como la prensa no tiene tendencia a aventurarse más allá del modo de pensar de las autoridades sobre las que informa, cede buena parte de su independencia formal y casi nunca actúa como el control y el contrapeso de los gobernantes de la nación que habían previsto los fundadores.

Un corolario clave de todo lo anterior es que la prensa sólo llega a enfrentarse a un determinado presidente hasta donde lo haga el partido de la oposición. Como los periodistas deben (aparentar) ser neutrales y han de citar principalmente fuentes oficiales, dependen del partido de la oposición para equilibrar su información. Si la oposición es dura, la cobertura informativa dispensada al presidente será consecuentemente más dura. Hay otros factores que contribuyen al perfil mediático de un presidente, pero esta regla básica explica buena parte del trato favorable del que gozó Reagan: los demócratas, sencillamente, no estaban dispuestos a criticarlo. Bill Clinton, por el contrario, se vio sometido a un crítica feroz prácticamente desde el día en que asumió el cargo, en buena medida porque los republicanos, especialmente los de la extrema derecha, querían desquitarse con él.

¿Y George W. Bush? Antes de su investidura, todo parecía indicar que la prensa le iba a hacer pasar un mal rato: muchos demócratas estaban todavía furiosos por la controversia electoral en Florida. Pero en cuanto Bush asumió el cargo, los líderes demócratas decidieron hacer borrón y cuenta nueva e hicieron un acto de fe bipartidista. La mayor parte de los demócratas se sumó a la aprobación del eje central del programa de Bush (un recorte de impuestos para las empresas y los ricos), por lo que éste fue objeto de pocas críticas desde los medios de comunicación. La cobertura informativa del nuevo presidente estaba siendo, pues, relativamente favorable, incluso antes de que la tragedia del 11 de septiembre hiciera que sus números en los sondeos se disparasen y redujera tanto a demócratas como a periodistas a un mero coro de aduladores de la corte. Bush no tuvo que hacer frente a críticas duras desde los medios hasta que aparecieron pruebas en mayo de 2002 de que su administración había dilapidado pistas sobre los planes de ataque terrorista de Al Qaeda contra Estados Unidos (y sólo después de que sectores clave de la élite política —que, crucialmente, incluían a destacados congresistas republicanos— empezaran de pronto a exigir respuestas).

El mal de la cháchara intrascendente

En época bastante reciente, hasta finales de los ochenta, lo que convertía en radical (y poco común) a un periodista en Estados Unidos era su disposición a desafiar los supuestos básicos de las élites políticas y económicas que reciben la atención predominante de los medios de comunicación. En la actualidad, lo radical simplemente es ser inteligente.

Cuando regresé a Estados Unidos en 1995, tras haber vivido cinco años en el extranjero, el cambio que más me impactó fue el ver que los medios de comunicación ya no se tomaban nada en serio. Al revisar un puesto de revistas en el aeropuerto Kennedy de Nueva York me dio la impresión de que todas las portadas mostraban la cara de algún famoso y todos los reportajes tenían algún tipo de gancho sexual o hasta enfoques característicos de la prensa rosa. La televisión era la que estaba peor (hasta *Nightline*, otrora el programa informativo más inteligente, dedicaba casi la mitad de sus emisiones al juicio de O. J. Simpson), pero los periódicos también habían sucumbido al mal de la cháchara intrascendente. Desde entonces, la tendencia se ha intensificado. En 2001, los noticiarios nocturnos de media hora de duración dedicaban un promedio de menos de dos minutos a las noticias internacionales. Si tenemos en cuenta que la televisión continúa siendo la fuente principal de noticias de la mayoría de estadounidenses, empezaremos a entender por qué somos tan completamente ignorantes acerca del resto del mundo.

Los medios informativos estadounidenses han degenerado a lo largo del último cuarto de siglo hasta convertirse en una especie de colosos obsesionados por los beneficios, de traficantes de pseudonoticias que embelesan y degradan al público al mismo tiempo. La idiotización de las noticias es producto de la monopolización de los medios y del consiguiente aumento de la presión para incrementar los beneficios. «La mayor parte de las compañías estadounidenses estarían encantadas con un margen de beneficio del 10 %, pero la mayoría de propietarios de periódicos consideran que para que sus monopolios den síntomas mínimos de buena salud han de generar entre el 15 y el 20 % de beneficio», escribían Leonard Downie Jr. y Robert G. Kaiser, dos destacados redactores del *Washington Post*, en su libro de 2002 *The News About The News*. La predilección por los beneficios antes que por el profesionalismo es aún más intensa en televisión. Las pseudonoticias atraen mayores audiencias porque tocan la fibra emocional sensible. Su producción es menos costosa porque no necesitan apenas (por no decir en absoluto) información recopilada del exterior ni conocimientos profundos al respecto. Además, conllevan menores repercusiones políticas, lo cual las convierte en el producto preferido de los hombres y mujeres de empresa que fijan los parámetros en los que mueven los periodistas actuales.

No deja de ser instructivo el contraste con los medios de comunicación de otras naciones capitalistas avanzadas. En Gran Bretaña, Francia, Suecia, Alemania, Italia o Japón también hay tabloides e informativos televisivos efectistas. Pero, de momento, sus sistemas mediáticos siguen dominados por un impresionante elenco de fuentes informativas fiables. En Alemania, los dos semanarios de noticias más destacados, *Der Spiegel* y *Focus*, traen cada semana el doble de páginas (literalmente) que sus equivalentes estadounidenses porque vienen repletos de una mayor (y más inteligente) información sobre los temas de actualidad. El supuesto en el que se basan es el de que el camino adecuado para aumentar los beneficios y la influencia es mejorar la calidad de la revista, no empeorarla. Los noticiarios vespertinos en Europa y Japón atraen a amplias audiencias sin rebajarse a las intrascendentes «noticias a su medida» que imperan en los programas americanos. Pero si son capaces de ser más serios, es, en parte, porque son públicos y, por tanto, no necesitan preocuparse tanto por los índices de audiencia ni sacrificar un tercio de su espacio de emisión a la publicidad. Norimichi Kobayashi, un estudiante japonés que pasó un año de intercambio en Estados Unidos en 2001, comentaba que estaba escandalizado por el comercialismo y la superficialidad de la televisión estadounidense. «Hasta la PBS acepta publicidad de Exxon», escribió. «Se me caía el alma a los pies.»

Antes, los medios de comunicación estadounidenses eran más serios y cívicos, pero eso cambió rápidamente tras la elección de Ronald Reagan en 1980. En nombre de la libre empresa, Reagan desreguló el sector audiovisual. Se relajaron o se eliminaron reglas federales cuyo fin era asegurar que se tuvieran en cuenta los intereses públicos en el uso de las frecuencias de emisión de la nación (que son, a fin de cuentas, de propiedad pública). La desregulación de Reagan hizo que la renovación de las licencias de emisión fuese prácticamente automática: las compañías ya no tenían que ganarse las licencias ofreciendo programación que incluyera información y temas de interés público. Y, en lo que constituyó la parte más lucrativa de todo el proceso, Reagan distendió, además, los límites que se aplicaban a la propiedad de canales y emisoras. Históricamente, la legislación federal había establecido que, en el territorio de Estados Unidos, una sola compañía podía ser propietaria de un máximo de siete canales de televisión, siete emisoras de radio en FM y siete emisoras de radio en onda media. El razonamiento en el que esto se basaba era el de que en una democracia ninguna voz particular debía controlar una cuota demasiado amplia del sistema de comunicaciones. Reagan determinó que era el mercado el que debía decidir: su intención era eliminar las restricciones por completo, pero tuvo que conformarse con ampliar la llamada regla del 7-7-7 hasta convertirla en la regla del 12-12-12. Esas quince emisoras adicionales suponían un regalo de, literalmente, miles de millones de dólares en ingresos añadidos a lo largo de los años siguientes para las compañías del sector audiovisual.[10]

Los críticos advirtieron ya en aquel entonces de que la desregulación de Reagan podía enriquecer a los magnates de los medios de comunicación, pero que empobrecería a la nación, y así ha sido. La consecuencia más obvia la podemos ver en nuestras pantallas: se trata de esa tontería manipuladora e intrascendente a la que llaman ahora información. Los ataques del 11 de septiembre serenaron los medios de comunicación estadounidenses durante unos meses, pero, llegados a mayo de 2002, las cadenas de televisión (las de cable en particular) ya habían vuelto a las andadas. Cuando Robert Blake, un actor de Hollywood ya entrado en años, fue acusado de asesinar a su joven esposa, la CNN y sus compañeros de viaje se abalanzaron sobre la noticia como si se tratara de un nuevo caso O. J. Simpson (algo que, no me cabe duda, deseaban con todas sus fuerzas).

Igual de alarmante que este modo insultante de emplear el término «noticias de última hora» es lo que los estadounidenses no llegan a ver por televisión: información honesta sobre los tejemanejes de las propias compañías mediáticas. General Electric (GE), por ejemplo, no sólo es propietaria de la cadena de televisión NBC, sino que también es una destacada contratista del Pentágono y sus ingresos anuales hacen palidecer el producto nacional bruto de países enteros. Pero la NBC nunca va a someter a examen la influencia de GE en la vida de las personas de todo el mundo: GE se lo prohibió explícitamente después de que un reportero de la NBC cometiera la imprudencia de intentar informar acerca de las actividades de GE relacionadas con la energía nuclear. Igualmente, el principal reportero de investigación de ABC News preparó un reportaje que ponía al descubierto la contratación de empleados pederastas en Disneyworld y que dejaba malparado a este parque de atracciones (del que es propietaria la compañía matriz de la ABC, la Walt Disney Company); pero

10. La desregulación televisiva de Reagan está descrita con todo detalle en Hertsgaard, *On Bended Knee*, capítulo 8.

el reportaje fue rechazado y nunca llegó a ser emitido. Y *60 Minutes* guardó en un cajón una noticia que dejaba en mal lugar a la industria del tabaco por miedo a que una demanda judicial desde ese sector pusiera en peligro la inminente fusión de la CBS con la Westinghouse Corporation; el escándalo fue llevado al cine en 1999 en la película *El dilema*.[11]

«¿Quién hace de policía de la policía?», pregunta un viejo dilema de la filosofía política. En 1996, la industria del sector audiovisual ayudó a redactar un proyecto de ley destinado a enriquecerla enormemente y a expandir aún más su control sobre el sistema estadounidense de medios de comunicación. Yendo incluso más allá de la regla del 12-12-12, el proyecto de la Ley de Telecomunicaciones de 1996 proponía aumentar hasta uno de cada tres hogares la cuota de audiencia nacional que cada emisor podía alcanzar por separado. Además, la ley concedería de forma gratuita a esa industria un nuevo espacio del espectro digital, valorado en 70.000 millones de dólares. Este regalo era demasiado, incluso para personas habitualmente favorables a los intereses empresariales, como Bob Dole, que lo tildó de subsidio social a las empresas en un artículo para *The New York Times*. Pero los americanos comunes y corrientes nunca llegaron a oír ni una palabra de esa traición al interés público. Las cadenas televisivas no emitieron ni un solo reportaje sobre la ley y el Congreso la aprobó por abrumadora mayoría.[12]

La desregulación ha continuado haciendo furor, ahora, con la administración Bush. El nuevo presidente de la Comisión Federal de Comunicaciones (FCC), Michael Powell, dio muestras claras de lo poco que le interesaba salvaguardar el espectro audiovisual público del control empresarial cuando, preguntado sobre cuál era su definición de interés público, respondió lo siguiente: «La noche inmediatamente posterior a que jurase el cargo [como comisionado] estuve esperando la visita del ángel del interés público. Esperé toda la no-

11. La censura a los periodistas de la NBC y la ABC (y de otras compañías mediáticas) aparece descrita en McChesney, *Rich Media, Poor Democracy*, págs. 52-60.

12. McChesney analiza la Ley de Telecomunicaciones de 1996 en *Rich Media, Poor Democracy*, págs. 75-76.

che, pero no vino».[13] Powell no quería que existiera restricción alguna a la propiedad del espectro de frecuencias de emisión (con lo que una única compañía podría así comprar todas las emisoras y canales por cable que pudiera pagar) y los tribunales federales parecieron estar de acuerdo. El 19 de febrero de 2002 un tribunal de apelación ordenó a la FCC que reconsiderara dichos límites. También derogó una regulación que limitaba la cantidad de canales de televisión en abierto de los que podían ser propietarias las compañías que operasen por cable. A menos que sea anulado por el Tribunal Supremo, ese fallo abrirá las puertas a que Walt Disney, AOL Time Warner y otros gigantes acaben por engullir la poca diversidad que queda en los medios de comunicación de Estados Unidos.[14]

El centro de gravedad ideológico de los medios informativos estadounidenses se ha desplazado claramente hacia la derecha a lo largo de los últimos veinte años, algo que se debe en parte a que las grandes compañías se han hecho con la práctica totalidad de organizaciones informativas que llegan a una audiencia de masas, incluidas entidades aparentemente no comerciales, como la National Public Radio y la Public Broadcasting System. La NPR y la PBS se han vuelto cada vez menos distinguibles de los canales comerciales a medida que los políticos de la derecha se han ido saliendo con la suya y les han ido retirando fondos, un proceso iniciado en los años ochenta, en plena era Reagan, y concluido durante la revolución Gingrich de 1995, momento en el que numerosos congresistas pugnaron por «dejar a cero» los presupuestos de ambas organizaciones. Sumidos en un mísero racionamiento presupuestario, la NPR y la PBS se vieron obligadas a recurrir crecientemente a la financiación procedente de las compañías privadas, las cuales, a su vez, las forzaron a producir una programación que fuera más del agrado de los patrocinadores. Se trata de una programación que, en muchos casos, continúa sien-

13. Powell dijo lo del «ángel» en abril de 1998, en un discurso ante la American Bar Association del que informó Mark Crispin Miller en «What's Wrong with This Picture?», en *The Nation*, 7-14 de enero de 2002.

14. Del fallo judicial del 19 de febrero informaba el *New York Times* del 20 de febrero de 2002.

do admirable desde el punto de vista técnico, pero que da muy pocas muestras de distanciamiento de los centros de poder en Estados Unidos, especialmente de los gigantes empresariales que dominan nuestra economía y nuestro gobierno. En abril de 2002, la PBS emitió «Commanding Heights», un documental en el que se elogiaba la globalización empresarial y que había sido patrocinado por fuentes de financiación tan imparciales como BP (la antigua British Petroleum), Fed Ex y Enron, si bien esta última fue excluida de los créditos finales del programa tras su quiebra (salpicada por la corrupción) en octubre de 2001. «Quiero morder la mano que me da de comer», canta Elvis Costello refiriéndose a los magnates de los medios que traicionan el interés público, «quiero morder esa mano con todas mis fuerzas». Pero en el mundo real, son pocos los que lo hacen.

«Una gran mentira»

Los estadounidenses tienen actualmente una prensa de la que lo mejor que se puede decir es que recita de memoria las declaraciones de los poderosos y, lo peor, que fomenta la estupidez de las personas a base de pseudonoticias que no despejan ninguna incógnita trascendental: sólo la cuenta de resultados de la empresa que las difunde. Y si creen que estoy pintando un cuadro demasiado gris y deprimente, ¿qué les parece esto?: no mucho antes del 11 de septiembre, la prensa dejó pasar (es decir, desperdició) la oportunidad de informar de los planes de Osama Bin Laden para atacar a Estados Unidos. Sí, es cierto. Las organizaciones empresariales de la información en Estados Unidos tuvieron la oportunidad de dar la voz de alarma sobre los planes de Bin Laden con ocho semanas de antelación, pero optaron por no publicar la noticia.

Un año más tarde, en 2002, los medios de comunicación arremetieron contra la administración Bush por haber desoído las advertencias de ataque terrorista inminente; con ello dieron muestras de una desfachatez considerable, teniendo en cuenta que los propios medios habían cometido exactamente el mismo error. El 23 de junio de 2001, una noticia en la que se informaba de que «seguidores del disidente saudí en el exilio, Osama Bin Laden, están planeando un gran ataque a intereses estadounidenses e israelíes» fue enviada por el servicio telegráfico de Reuters, lo cual significa que llegó a prácticamente todas las redacciones importantes de Estados Unidos. La United Press International distribuyó una información similar el 25 de junio, en la que informaba a los medios suscritos a sus servicios de que «el disidente saudí Osama Bin Laden está planeando un ataque terrorista contra Estados Unidos». Pero esas noticias fueron ignoradas en su mayor parte por los medios de comunicación nacionales. El periodista Simon Marks escribía en *Quill*, la revista de la Society of Professional Journalists: «Si se busca en las páginas *web* de los principales diarios y cadenas del país, se puede comprobar que prácticamente ninguno de ellos consideró que valiese la pena publicar esas informaciones».[15]

Pero, claro, los medios de comunicación estadounidenses encontraron tiempo más que suficiente durante esos mismos días para continuar aireando un escándalo sexual que tenía como protagonista a Gary Condit, un oscuro congresista demócrata, y para divulgar el arresto de la hija del presidente Bush, Jenna, por consumir alcohol siendo menor de edad. Pero ¿una noticia sobre un tipo de Oriente Medio cuyo nombre los estadounidenses no podían ni siquiera pronunciar y en la que se advertía de un ataque que tanto podía ocurrir como no? ¿Quién tenía tiempo para ese tipo de trivialidad cuando la nación se enfrentaba a temas vitales de sexo y drogas? «No creo que éste sea un fenómeno exclusivamente estadounidense», me comentó Marks posteriormente. «Hace una década, un hombre que es ahora uno de los líderes de la industria de la televisión en Gran Bretaña me dijo que me quería para que hiciera que Rusia fuera *sexy* (...) una invitación que rechacé.»

¿Habría cambiado algo si la prensa hubiera informado acerca de los planes de Bin Laden? ¿Habrían provocado tales noticias investigaciones adicionales o una mayor alerta en las autoridades federales? Nunca lo sabremos. Lo único que sabemos es que la prensa no se

15. El artículo «Asleep at the Switch: Journalism's Failure to Track Osama Bin Laden», de Simon Marks, apareció en *The Quill*, en diciembre de 2001.

molestó en informar de aquella noticia cuando se presentó: estaba demasiado ocupada buscando dinero.

Para los periodistas de la nación, como para muchos americanos, el 11 de septiembre supuso una llamada de atención. Aunque nunca llegaron a reconocer su fallo a la hora de informar sobre Bin Laden, los ataques terroristas hicieron que se hablara mucho y seriamente de la posibilidad de reducir la cantidad de noticias intrascendentes. Y, por un momento, se vivió un refrescante retorno a la seriedad, aunque el contenido no fuese siempre brillante: después de todo, muchas de las corresponsalías en el extranjero estaban cerradas desde hacía tiempo, como también hacía tiempo que se había despedido a muchos reporteros experimentados. No resultaba tan sencillo empezar de nuevo a ofrecer información de calidad sobre el mundo exterior. Además, las viejas costumbres no se pierden fácilmente cuando las estructuras subyacentes permanecen inalteradas.

En la radio y en la televisión, especialmente, el sistema de valores de los medios de comunicación seguía prefiriendo el impacto y la grandilocuencia a la claridad y la razón. El 7 de octubre, horas antes de que Estados Unidos lanzara sus primeros ataques aéreos en Afganistán, el corresponsal de la CNN en la Casa Blanca informó literalmente a gritos de la respuesta de la administración Bush a la solicitud de más negociaciones por parte de los talibanes. Sin aliento y con la cara enrojecida, Major Garrett (que tal era el improbable aunque apropiado nombre del reportero) no parecía diferenciarse en nada de cualquiera de sus «tocayos» del Pentágono cuando declaraba, furibundo, que no habría negociaciones, que el tiempo se había acabado, que el presidente había dicho que de negociaciones, nada, y que eso era exactamente lo que había querido decir.

Lo de gritar se ha convertido también en algo rutinario en los programas de análisis (aquellos que se supone que deben ayudar a los espectadores a comprender mejor los acontecimientos). Tal y como sugieren sus propios títulos, en programas como *Crossfire*, *Hardball* y *The Washington Gang*,* se da rienda suelta a todos los tópicos de la

* «Fuego cruzado», «implacables» (traducción en sentido figurado de un término del mundo del béisbol) y «la banda de Washington». (*N. del t.*)

masculinidad más trasnochada: los panelistas se ponen bravucones, se insultan y se interrumpen unos a otros, y, en general, hacen gala de una sabiduría y una capacidad de reflexión propias de una jauría de perros que no paran de ladrar. Su mentalidad ideológica es decididamente derechista. Las opiniones de los tertulianos abarcan desde el conservadurismo hasta la derecha más dura; la izquierda, para ellos, está personificada en los miembros de la anterior administración Clinton.

No toda la cobertura informativa inmediatamente posterior al 11 de septiembre fue una memez: los medios impresos de élite tales como el *New York Times*, el *Washington Post*, *Los Angeles Times* y el *Wall Street Journal*, así como la National Public Radio y algunas avanzadillas de cordura televisiva como *Frontline*, en la PBS, ofrecían de vez en cuando opciones alternativas más inteligentes. Oportuna e informativa, la cobertura allí dispensada revelaba un nivel de competencia admirable: en esas organizaciones trabajan periodistas muy cualificados. Las partes de la historia que contaron (lo acaecido el 11 de septiembre, la manera en la que el país estaba haciendo frente a su dolor y su miedo, la forma en la que se estaba desarrollando la guerra en Afganistán) fueron presentadas con *savoir faire* y profesionalismo. El problema estribaba en que se estaban pasando por alto aspectos importantes de esa misma historia.

Algunos de los vacíos se debían a la negativa de la administración Bush a permitir que los reporteros acompañaran a las tropas al interior de las zonas de guerra, lo cual formaba parte de un esfuerzo coordinado de censura informativa que incluía presiones a los ejecutivos de los medios para que no emitieran entrevistas a Bin Laden ni a otros adversarios. (¿Acaso no deberían los estadounidenses conocer tanto como fuera posible de sus enemigos?) La trágica noticia del secuestro en Pakistán del reportero del *Wall Street Journal* Daniel Pearl es un ejemplo de la clase de riesgos que los periodistas estaban dispuestos a asumir en busca de la verdad. El Pentágono no era sincero, pues, cuando justificaba sus restricciones de acceso al campo de batalla basándose en una supuesta preocupación por la seguridad de los reporteros. Cuando Doug Struck, corresponsal de guerra del *Washington Post*, trataba de confirmar una información según la cual en un pueblo habían muerto civiles afganos víctimas de misiles estadounidenses, soldados de Estados Unidos le impidieron —a punta de cañón— acceder al lugar. Un portavoz del Pentágono afirmó más tarde que Struck había sido detenido por su propia seguridad. El corresponsal dijo que ésa era «una gran mentira» y añadió: «Muestra los extremos a los que llegan los militares (...) para impedir que los reporteros descubran lo que está pasando».[16]

Dejando a un lado esos ejemplos aislados, la inclinación tradicional de la prensa a aceptar la perspectiva de Washington en política exterior —un instinto acrecentado tras el 11 de septiembre— reforzó el carácter tendencioso de la mayor parte de la cobertura informativa. Un estudio del Project for Excellence in Journalism de la Universidad de Columbia, resumido por Bill Kovach y Tom Rosenstiel, reveló que «menos del 10 % de las informaciones que evalúan las políticas de la administración disienten con ésta de un modo mínimamente significativo. La mayor parte no discrepa en absoluto».[17] Aquella «confianza al más puro estilo soviético en las fuentes oficiales y semioficiales» de la que el crítico mediático Michael Massing se lamentaba en *The Nation* contribuyó aún más a que rara vez se ofreciese una imagen poco menos que gloriosa de la conducta y la política estadounidenses.[18]

Tomemos, por ejemplo, la sensible cuestión de las víctimas civiles en Afganistán. Sí, hubo alusiones esporádicas al sufrimiento padecido en algún que otro pueblo, pero esas menciones apenas ocupaban los resquicios que dejaban otras noticias, más amplias, en las que se pregonaba a los cuatro vientos el éxito de la guerra. No fue hasta mucho después, cuando los combates ya habían finalizado en su mayor parte y la administración Bush había ganado la guerra de relaciones públicas, que *The New York Times* publicó, el 10 de febrero, un recuento acumulativo de los civiles que habían perecido en Afganistán. Los medios de otros países, sin embargo, habían prestado mucha

16. Los comentarios de Doug Struck aparecieron en el *Washington Post* del 17 de febrero de 2002.

17. El artículo de Kovach y Rosenstiel apareció en la página editorial y de opinión del *New York Times* del 29 de enero de 2002.

18. El artículo de Massing apareció en *The Nation* el 15 de octubre de 2001.

atención a esa cuestión desde el principio, basándose en sus propios reporteros y citando, también, un estudio de Marc Herold, profesor de Economía en la Universidad de New Hampshire, quien había reunido informaciones procedentes de Europa, la India y Pakistán, y había estimado el número total de civiles muertos en más de cuatro mil. Puede que Herold, quien se había opuesto a la campaña de bombardeos estadounidenses calificándola de «criminal», hubiera sobreestimado sus cifras, pero no estaba más sesgado que los funcionarios del Pentágono cuyos fervientes desmentidos de la existencia de víctimas civiles eran citados sin muestra alguna de escepticismo en las informaciones de la prensa americana.[19]

Los medios de comunicación de Estados Unidos no deberían oponerse por sistema a las políticas gubernamentales, pero sí que deberían ampliar su perspectiva ideológica para que todos los puntos de vista significativos fuesen tomados en consideración. Por ejemplo, los principales medios no concedieron casi ningún espacio a quienes defendían respuestas no militares a los ataques del 11 de septiembre. Mientras las páginas de opinión del *New York Times* y, especialmente, de *The Washington Post* venían plagadas día tras día de llamamientos al bombardeo inmediato de Afganistán y de otros lugares, los productores de televisión explicaban la ausencia de voces alternativas diciendo que no habían podido encontrar a nadie que se opusiera a la guerra. No debían de haber buscado con mucho ahínco, porque el 28 de septiembre casi doscientos destacados estadounidenses, incluidos famosos de aquellos por los que la televisión suele tener preferencia (como Martin Sheen y Bonnie Raitt) e intelectuales de renombre internacional, como Edward W. Said y Frances Moore Lappe, habían firmado una declaración en la que se pedía «justicia y no venganza». La declaración fue publicada posteriormente en forma de anuncio en varios diarios.[20] En Estados Unidos, al parecer, hay cosas que sólo es posible decir si se compra la libertad para hacerlo.

19. El informe de Marc Herold puede encontrarse en: <http://pubpages.unh.edu/~mwherold>.

20. El anuncio «Justice Not Vengeance» y la lista de sus firmantes puede encontrarse en: <www.ips-dc.org>.

En los medios aparecieron críticas a la guerra en Afganistán, pero sólo en referencia a la táctica a seguir, no a su justificación básica. Fue un buen ejemplo de la dinámica «palaciega» en acción: como el *establishment* de Washington estaba divido acerca de cómo llevar a cabo la guerra, los medios airearon profusamente esas divisiones a través de noticias en las que se debatía si el plan de ataques aéreos de Bush tendría éxito o no, si serían necesarias tropas terrestres o si la alianza se mantendría. Hubo otras cuestiones (si la guerra estaba justificada, si existían respuestas alternativas o si el 11 de septiembre debía provocar una reconsideración básica de la perspectiva estadounidense sobre los asuntos exteriores) que, simplemente, no llegaron nunca a plantearse (y, ni mucho menos, debatirse).

¡Qué diferente sería el mundo si el pueblo americano conociera todo lo que le ocultan sus medios de comunicación! Un tratamiento menos superficial y patriotero de los asuntos internacionales ayudaría a los estadounidenses a entender por qué la reputación de su país en el exterior es tan desigual. Nos permitiría ver a las personas de otros países no como estereotipos incomprensibles y abstractos, sino como seres humanos de carne y hueso con el mismo tipo de defectos, virtudes y flaquezas que los nuestros. Una mejor información nos haría entender por qué los extranjeros ven el mundo desde una perspectiva diferente, por qué están mucho más preocupados por la globalización que los estadounidenses, por qué les molesta la escasa disposición de Washington en materia medioambiental y su prepotencia imperial y por qué, a pesar de todo y por lo general, ansían mantener unas relaciones más amistosas con Estados Unidos. El periodismo de calidad no es la panacea: no por el hecho de que mejore la información mejorarán automáticamente las políticas aquí en casa ni aumentará la cooperación en el extranjero de forma inmediata. Pero es un primer paso de vital importancia. Mientras los medios de comunicación estadounidenses se mantengan encerrados en esa especuladora postura palaciega, el público americano estará condenado al desconocimiento del mundo exterior y eso no es bueno para nadie.

Capítulo 6

Los dioses de América: los sagrados y los profanos

París, orilla izquierda del Sena, una mañana espléndida de finales de mayo. La luz del sol que inunda el Boulevard Saint-Michel confiere un aire brillante incluso al logotipo azul sobre fondo amarillo de la oficina de correos. En el interior, colas de clientes esperan a ser atendidos.

En ese momento entra una mujer de unos cuarenta y cinco años, con rostro angustiado, seguida de su hija (una estudiante universitaria, a juzgar por su edad). Mira las colas con impaciencia y luego camina hacia una ventanilla que sólo tiene un letrero en el que se lee «fermé» (cerrado). En una mesa que está unos cuatro metros y medio por detrás de la ventanilla, un encargado está sentado, en plena concentración, contando una pila de monedas. La mujer empieza a gritar hacia él en inglés americano agitando un fajo de cheques de viaje: «¡Eh, hola! ¿Cambian ustedes aquí estos cheques?». El hombre levanta la vista, asustado. ¿Por qué le está gritando esa mujer? Como su recuento ya se ha echado a perder, se concentra en el parloteo de la mujer y en su retahíla de preguntas y luego le responde, en un inglés titubeante: «No, *madame*. Lo siento. Esto es una oficina de correos». La mujer gruñe: «¿No los cambian aquí? ¿Por qué no? ¿Qué es lo que cambian ustedes?». Algunos clientes menean la cabeza, contrariados por la impaciencia de esta señora, pero el encargado no pierde la compostura. Se levanta de su mesa y le dice: «En el banco, *madame*. El banco, ahí, en el Boulevard Saint-Michel». Ella pregunta —casi aúlla—: «¿Cuál es Saint-Michel? ¿Éste de aquí?». Antes de que él pueda seguir ayudándola, ella sale enfadada a toda prisa, sin dar ni las gracias, y confesándole a su hija: «Te digo, Jenny, que este sitio me tiene muy disgustada».

Puede que esta mujer sólo tuviera un mal día. Está claro que los estadounidenses no tienen el monopolio de la mala educación en un país extranjero (los turistas más odiosos con los que me he encontrado nunca eran una panda de aficionados ingleses al fútbol que convirtieron la zona roja de Amsterdam en un urinario al aire libre mientras cantaban consignas racistas) y las personas de cualquier país se sienten más cómodas hablando su lengua materna. Pero nadie se cree con tanto derecho a hablar su propio idioma como los estadounidenses. Importamos muy pocos libros y películas en lengua extranjera, y rara vez aparecen personas no anglófonas en nuestros informativos. Asumimos que son las personas de otros países las que se tienen que ajustar a nosotros, y no nosotros a ellas.

Se trata de algo que, a mi parecer, va en detrimento nuestro. Muchos europeos hablan dos (cuando no tres) idiomas. En África, el plurilingüismo es aún más común. Recuerdo un chaval de doce años en un pueblo polvoriento del norte de Kenia que hablaba cuatro lenguas: la de la tribu de su madre, la de la de su padre, el swahili (la lengua panafricana por excelencia) y el inglés que aprendía en la escuela. El chico no veía nada de especial en ello: se sentía más orgulloso del coche de juguete que había montado él mismo con pedazos de alambre y que conducía por los callejones del lugar. Los africanos y los europeos no son intrínsecamente más inteligentes que los americanos: simplemente tienen incentivos de los que nosotros carecemos. El inglés no tiene rival en Estados Unidos, el resto del mundo está lejos y cuando viajamos, nos damos cuenta de que las personas de los lugares a los que vamos hablan cada vez más inglés (especialmente en Europa, donde numerosas compañías transnacionales —y hasta el servicio postal alemán— han convertido el inglés en lengua oficial de trabajo). Pero si los viajeros estadounidenses aprendieran unas cuantas expresiones locales («buenos días», «perdone», «esta comida está exquisita»), tendrían seguramente una experiencia mucho más rica de la cultura que están visitando.

Ahora bien, aprender a desenvolverse en un idioma nuevo lleva su tiempo y el tiempo es algo de lo que los estadounidenses siempre pensamos que carecemos. En Montalcino, una localidad adoquinada de las colinas de la Toscana, hay un bar de vinos que lleva abierto in-

ininterrumpidamente desde 1808. El camarero que me atendió se movía con paso ligero; era un tipo animado que venía de Marruecos. Hablamos en italiano, pero pude comprobar, por sus conversaciones con otros clientes, que su inglés era bueno. Aun así, según me confesó en un momento de cierta calma en medio del ajetreo de la hora central de la tarde, a veces tenía problemas con los clientes estadounidenses. «Los americanos siempre tienen prisa», se quejaba. «Traen quince minutos para tastar vinos y quince minutos para la catedral, y luego ya se tienen que ir a la siguiente ciudad. Así que se impacientan. Quieren las bebidas al momento y la cuenta antes incluso de acabar de beber. Me pregunto si llegan siquiera a probar el vino.» (Un error imperdonable, porque estaba sirviendo un *Brunello*.)

Como pasa con tantas otras cosas del país propio, resulta difícil darse cuenta de lo frenético que es el ritmo de vida en Estados Unidos hasta que se deja atrás. Recuerdo mi paso por San Francisco durante mi primer viaje alrededor del mundo hace diez años. Necesitaba una botella de vino para una cena con unos amigos y me detuve en la vieja tienda del barrio, y en ese mismo momento me sentí abrumado por los cientos de opciones disponibles (me había pasado los seis meses anteriores en el este de África y en Tailandia, donde las tiendas eran ciertamente más simples). Hice finalmente mi selección y me dirigí a pagar a la caja. Pero otro cliente me vio venir y aceleró el paso para llegar antes. Puso su botella sobre el mostrador sin mediar palabra. El encargado, igual de callado, comprobó el precio, lo marcó en la máquina y se lo masculló al cliente, que ya había sacado su tarjeta de crédito. Los monosílabos que intercambiaron mientras realizaban la transacción eran en inglés, pero yo apenas podía seguirlos de lo estupefacto que estaba. Todavía estaba acostumbrado al ritmo africano. En África, un dependiente y un cliente que se comportasen de ese modo serían tomados por locos (ya ni siquiera por maleducados). Sin mirarse a los ojos en ningún momento, sin saludarse, sin charlar sobre cómo se encontraban de salud o sobre cualquier otra cosa... desde una óptica africana, ésa podría ser considerada poco menos que una conducta primitiva.

E insisto, no es que los africanos sean inherentemente más simpáticos: los americanos son muy amables cuando se dan las circunstancias adecuadas. La diferencia es que los africanos viven en unas condiciones sociales que fomentan el intercambio, que disipan las prisas y que elevan el bien común por encima del individual. En una sociedad preindustrial, el tiempo se mide por la curva que describe el sol sobre el horizonte y por el cambio de estaciones. Hay tiempo para hablar porque nadie va a ninguna parte (y, además, las prisas son una insensatez en climas cálidos y húmedos como los que caracterizan a buena parte de África). Tampoco hay que idealizar la vida africana; hay menos citas, pasatiempos y obligaciones que los que marcan la vida de la mayoría de americanos, pero también hay menos oportunidades de escapar a los límites de la tradición: todo el mundo se conoce desde siempre y hay envidias, engaños y demás flaquezas habituales en cualquier sociedad. Pero todo ello está anclado en un inquebrantable sentido de comunidad. Son personas que han salido de momentos difíciles en el pasado porque han cooperado activamente entre sí, compartiendo alimentos y cualesquiera otros productos que escasearan, a sabiendas de que sus iguales también los compartirán con ellos en los malos tiempos. La conversación, la solidaridad comunal y el ritmo relajado son una cuestión de interés propio en África. En Estados Unidos, cada hombre depende de sí mismo y más le conviene no detenerse si no quiere quedarse atrás.

«Cuando visité Estados Unidos lo encontré muy diferente de mi país», me contó en El Cairo Gina, una joven oficinista. «Los estadounidenses no son agresivos como los alemanes: son gente simpática y abierta. Pero son muy individualistas. Las tasas de divorcios son del 50 % y creo que es porque las personas anteponen sus deseos individuales. Los padres no saben muchas cosas de sus hijos y si les ordenan que no hagan algo, da igual: lo acaban haciendo de todos modos. Aquí la familia es más importante y pasamos más tiempo con los amigos. Me da la impresión de que los americanos son más solitarios, están más estresados y deprimidos, porque no tienen las redes sociales que nosotros tenemos.»

«Creo que la mayoría de los franceses admira a Estados Unidos por su dinamismo y creatividad, pero tienen también sus reservas a propósito de los americanos», decía Laurent Joffrin, director de *Le nouvel observateur*. «Por ejemplo, creen que los estadounidenses son demasiado exigentes (le dan demasiado valor al dinero y no el suficiente a otros aspectos menos materiales de la vida, como la familia y la comunidad). Si se les diera a elegir, la mayor parte de los franceses no escogería el estilo de vida americano. Puede que copien algunas costumbres estadounidenses, como la de ir a McDonald's o comprarse coches más grandes, pero, en su mayor parte, prefieren el modo francés de hacer las cosas.»

En Francia (y en la mayor parte del mundo), las comidas en familia, por ejemplo, son rituales de primer orden para el establecimiento de lazos afectivos, pero en Estados Unidos se ven desplazadas por los conflictos de horario y la conveniencia de comer deprisa y corriendo. «Mi nieta de trece años pasó unas semanas con unos amigos de la familia en Estados Unidos este verano, y se sorprendió de ver que las cuatro hijas y sus padres casi nunca compartían una comida de familia juntos», me comentaba Susan George, una destacada intelectual francesa. «Cada uno comía por separado, asaltando el frigorífico y calentándose comida precocinada en el microondas.» Bruno Rebelle, director de Greenpeace France, dice que los franceses son mucho más críticos con los alimentos genéticamente modificados que los estadounidenses sencillamente porque las dos culturas ven la comida desde perspectivas diferentes. «En Estados Unidos», bromea, «la comida es combustible. Aquí es una historia de amor».[1]

Los estadounidenses adoptan una actitud utilitaria parecida en relación a la arquitectura y los espacios públicos. Cuando regreso de un viaje por el extranjero, suele deprimirme la fealdad y la uniformidad del paisaje de Estados Unidos, tan centrado en el automóvil. Estados Unidos sigue teniendo muchos lugares hermosos, especialmente en sus espacios abiertos, pero la proliferación de los suburbios residenciales y del consumismo ha asolado buena parte de nuestro espacio público a base de hileras aparentemente interminables de megacentros comerciales, locales de comida rápida, cadenas de tiendas de descuento, gasolineras y aparcamientos. Estos monumentos a la fealdad, imposibles de distinguir los unos de los otros, han consumido todo el

1. Las palabras de Rebelle («La comida es combustible») fueron recogidas por el *Utne Reader* de noviembre-diciembre de 2001.

encanto y la singularidad anteriormente característicos de las comunidades locales. Bajo su apariencia de variedad y comodidad, homogenizan nuestra cultura e insensibilizan nuestro espíritu.

La televisión, que domina nuestras vidas en el interior de nuestros hogares, tiene un efecto muy similar. La televisión es la droga favorita de América y la consumimos más que nadie en la Tierra. La mayoría de hogares cuenta con dos o más televisores, de los cuales hay al menos uno que está encendido una media de siete horas diarias, a pesar de que haya muy poco que valga la pena ver. Como cantaba Bruce Springsteen hace unos años, «cincuenta y siete canales y no ponen nada». Pero la televisión forma parte de la familia. La amamos y la odiamos al mismo tiempo. Los padres, estresados por falta de tiempo, la utilizan de niñera gratuita. Los mayores y las personas que no pueden salir de casa recurren a ella como compañía y como vínculo con el mundo exterior. La afición por «amodorrarse» ante el televisor o por «hacer *canalsurfismo*» tras una dura jornada no conoce límites de edad entre los espectadores: es un antídoto relajante para todo ese ajetreo diario.

Sabemos que ver demasiada televisión no es bueno. Bromeamos incluso cuando decimos que la tele es la «caja tonta». Los estudios muestran que el cerebro humano está más activo durante el sueño que cuando absorbe programas de televisión. Es decir, sometemos a un juicio mucho menos crítico aquello que vemos que aquello que leemos. Se trata de una pasividad peligrosa cuando una parte tan importante de la política estadounidense se dirime en nuestras pantallas. Igual de inquietante es nuestra lealtad creciente hacia los valores de los que es portadora la televisión: la violencia, el consumismo, la codicia, el exhibicionismo, el conflicto. Un niño o una niña de doce años ha visto ya, de media, ocho mil asesinatos por televisión y hay estudios que sugieren que la visión de ese tipo de cosas se traduce en una mayor agresividad y criminalidad violenta a edades más avanzadas. Hay momentos en los que la televisión estadounidense emerge del fango para ofrecer programas divertidos e instructivos, pero son raros: el propósito central del medio es que los televidentes no se despeguen del aparato y que se vendan productos, por lo que el bombo y las patrañas suelen triunfar por encima del ingenio y la sabiduría.

Nuestra adicción a la televisión ha degradado nuestra cultura, ha embotado nuestras mentes y ha fomentado que nuestra sociedad se escinda en individualismos aislados, pero parecemos incapacitados para dejar el vicio.

Construir mejores ratoneras

Cuando Sigmund Freud regresó de una visita a Estados Unidos en 1908, se quejó tan incesantemente de la falta de gusto y de cultura del lugar que un conocido le preguntó por qué lo odiaba tanto. «¿Odiar a América?», repuso Freud. «No odio a América, ¡me arrepiento de ella! ¡Me arrepiento de que Colón la descubriera!»[2] El padre del psicoanálisis fue uno de tantos extranjeros que a lo largo de la historia han pensado que quizá los americanos sean ricos, pero que lo que está claro es que no saben disfrutar de esa riqueza. Los estadounidenses son simpáticos pero zafios, inteligentes pero superficiales, prósperos pero solitarios. Nadan en la abundancia material, pero son pobres en familia, amigos y comunidad. Tienen una extraña manera de ser moralistas: al parecer, encuentran vergonzoso el sexo pero hermosa la violencia. Y, sobre todo, viven para trabajar en vez de trabajar para vivir. Las dos semanas al año de vacaciones que rigen en Estados Unidos suenan entre los europeos a masoquismo incivilizado. «¡Reivindicamos nuestras vacaciones!», me decía Detlef Schulz, un trabajador social sueco que parecía hermano gemelo del actor inglés Alec Guinness. «La vida es demasiado corta como para pasársela trabajando todo el tiempo.»

Pues es verdad. Pero las fuerzas que convierten a los estadounidenses en los mayores adictos al trabajo del mundo (con excepción, quizá, de los japoneses) están muy arraigadas (en nuestra historia, en los valores que nos han enseñado desde niños, en las estructuras económicas y las fuerzas tecnológicas que impulsan incesantemente a nuestra civilización hacia delante —si bien no sabemos exactamente hacia dónde—). No es que a los estadounidenses nos guste necesa-

2. La cita de Freud está recogida en Stearn, *Broken Image*, pág. 214.

riamente todo esto: sencillamente, es aquello a lo que nos hemos acostumbrado. Algunos de nosotros creemos que es agotador vivir en una sociedad donde el tiempo parece estar continuamente acelerándose, donde cualquier nuevo artilugio (el correo electrónico, los teléfonos móviles, las agendas electrónicas de bolsillo) nos promete más libertad y comodidad pero, al mismo tiempo, nos separa aún más de la comunidad y de nuestro yo interior. Nos quejamos del estrés (y engullimos fármacos por un valor de 800 millones de dólares anuales para contrarrestarlo), nos molesta no tener más tiempo para nuestros hijos, podemos ponernos nostálgicos a propósito de nuestro pasado rural y su estilo de vida, más calmado. Pero, al final, somos criaturas de nuestra sociedad y ni reconocemos el daño total que se nos está haciendo ni le vemos ninguna alternativa real.

La raíz del problema queda evidenciada en el dicho estadounidense por excelencia: «El tiempo es oro». Desde su inicio, la mayor ambición de nuestra civilización ha sido la búsqueda desenfrenada de la riqueza, por lo que el tiempo disponible para otros aspectos de la vida se ha visto reducido en igual medida. Por otra parte, nuestra religión dominante, el protestantismo, ha predicado una ética del trabajo que infunde un sentimiento de culpa en todo aquel que no se esfuerce por progresar. Los resultados han sido admirables en muchos sentidos. El valor supremo atribuido al dinero y a la ambición de ganarlo han hecho que la economía estadounidense sea extraordinariamente dinámica y que haya producido inventos e innovaciones que han transformado el mundo. Pero también nos hemos empobrecido en aspectos patentes, aunque menos cuantificables.

Mucho antes de la fundación de Estados Unidos, el continente americano era ya considerado un lugar en el que buscar fortuna. El sueño de hacerse rico llevó al explorador español Coronado a convertirse en el primer visitante del «nuevo» mundo en 1540. Pasó los siguientes tres años buscando las apócrifas Siete Ciudades de Oro. Los peregrinos llegaron en 1620 en busca de libertad religiosa, pero la mayoría del resto de inmigrantes europeos vino con la esperanza de ganar dinero. La búsqueda de riqueza fue uno de los impulsos motrices de toda la colonización de Estados Unidos: los granjeros y los cazadores se fueron extendiendo progresivamente hacia el Oeste a lo largo de todo el siglo XIX. La frontera era un lugar peligroso, pero la tierra era gratuita para quien pudiera sobrevivir y ése era un poderoso reclamo. Los sueños de tesoros también encendieron la chispa de la mayor y más rápida migración de nuestra historia, la Fiebre del Oro de 1849, que atrajo a millones de personas hacia California; de igual modo, la esperanza de una vida mejor impulsó las grandes oleadas de emigración europea hacia América de finales del siglo XIX y principios del XX.

La afición por las armas de fuego que distingue hoy a Estados Unidos de otras naciones tiene también sus raíces en nuestra historia económica, puesto que el recurso a la fuerza fue un componente esencial de nuestra búsqueda de riqueza. A las personas de otros países les parece brutal y alarmante que, en Estados Unidos, a los ciudadanos normales de a pie les esté permitido llevar armas, aunque sea con licencia, y consideran que las altas tasas de delincuencia, de tiroteos en escuelas y de asesinatos que hay en el país son una consecuencia previsible de tal libertad. (Y las compras de armas de fuego han aumentado ostensiblemente desde el 11 de septiembre.)[3] Nuestro entusiasmo por la pena de muerte también causa perplejidad en mucha gente, especialmente en Europa. Pero esa cultura de pistolas y violencia arraigó desde muy temprano en Estados Unidos y nunca ha declinado. En la frontera, un hombre sólo podía quedarse con aquello que era capaz de defender y como lo normal era que estuviera echando de sus tierras a los americanos nativos, la defensa era una necesidad habitual. Los demás colonos también eran una amenaza. De la misma manera que la libertad existía ya en Estados Unidos antes de que existiera la autoridad, también las armas de fuego se hicieron omnipresentes antes de que las fuerzas del orden pudieran empezar a velar de un modo eficaz por el cumplimiento de la ley. Las disputas por los límites de las propiedades o por los derechos de riego podían acabar perfectamente en intercambios de disparos y los robos eran comunes en el Salvaje Oeste, especialmente en los alrede-

3. Del incremento en las compras de armas de fuego realizadas por los estadounidenses tras el 11 de septiembre informaba Nicholas Kristof en el *New York Times* del 8 de marzo de 2002.

dores de las poblaciones mineras, donde se amasaban fortunas a plena luz del día.

Cuando Oscar Wilde visitó Estados Unidos en la década de 1890, dio una conferencia en Leadville, Colorado, que en aquel entonces se suponía que era la ciudad más rica del mundo. Le precedió sobre el escenario un primer acto: dos hombres del lugar, acusados de asesinato, fueron juzgados y ejecutados allí mismo ante una gran multitud. Wilde, trémulo, procedió con su conferencia sobre la ética del arte, basándose en la *Vida de Benvenuto Cellini*. Más adelante, en una carta a sus amigos, escribiría que el público «parecía estar encantado, pero me reprocharon (...) que no hubiese traído [a Cellini] conmigo. Les expliqué que ya llevaba algún tiempo muerto, lo cual les incitó a preguntar: "¿Y quién le disparó?"».[4]

La ironía y la sutileza no eran muy apreciadas en la frontera. Los americanos eran gente campechana y abierta que no se avergonzaba de su ánimo de lucro. Son incontables los visitantes que han hecho referencia a la tendencia de los estadounidenses a ponderar las cosas en función de su valor monetario. «A los americanos les satisfacen las cosas si son grandes o, si no son grandes, si cuestan mucho dinero», señalaba el diplomático británico Lepel Henry Griffin en la década de 1880. «(...) Cuando me enseñaron las dos casas arquitectónicamente más bellas de Michigan Avenue en Chicago, lo que más me resaltaron fue que valían medio millón de dólares. Y lo que elogian de un caballo no son sus supuestos puntos fuertes, sino el que haya costado más o menos miles de dólares.»[5]

El hecho de que los estadounidenses se sintieran tan excesivamente orgullosos de su dinero era debido quizás a que, a menudo, lo habían ganado por su propia cuenta y riesgo. En Europa, la riqueza solía ser heredada y la movilidad social estaba extremadamente restringida: si una persona nacía dentro de una determinada clase social, moría siendo de esa clase social (y sus hijos, también). Las opciones eran limitadas incluso en las familias adineradas: la ley y la tradición

4. La historia protagonizada por Oscar Wilde aparece relatada en Stearn, *Broken Image*, pág. 147.

5. La cita de Griffin está recogida en Stearn, *Broken Image*, pág. 151.

dictaban en ciertos casos que el primogénito varón heredase todas las propiedades del padre y que los demás hijos se quedasen sin nada. Y cuando las herencias se dividían a partes iguales, los cupos individuales podían ser demasiado pequeños como para sostener a una familia. En esos casos, América suponía un reclamo, una oportunidad arriesgada, pero emocionante. Su frontera hacia el Oeste estaba abierta y su riqueza, disponible para quien tuviera las agallas de hacerse con ella gracias a su coraje y a su trabajo duro. En Estados Unidos, la búsqueda de riqueza había sido democratizada y estaba disponible para todos los recién llegados: simplemente se trataba de que ganara el mejor.

Por consiguiente, los negocios eran más respetados en Estados Unidos de lo que habían sido en Europa. La aristocracia terrateniente que dominaba las esferas de gobierno en Europa despreciaba los negocios como dedicación indigna (a fin de cuentas, implicaban una vida de trabajo en vez de ocio). En Estados Unidos, los negocios no implicaban estigma alguno: eran la puerta a la prosperidad económica. El ingenio y el espíritu emprendedor podían ser de tanta importancia como el capital inicial: si uno hallaba el modo de hacer que un producto fuera mejor o más barato que los de la competencia, podía hacerse con los clientes de ésta. O, si no, uno podía crear un producto totalmente nuevo que la gente desease tanto que estuviese dispuesta a pagar generosamente por él.

Por tanto, la habilidad para vender se convirtió en un elemento central de los negocios en Estados Unidos: si no se podía *hacer* mejor un determinado producto, se podía conseguir al menos que *pareciera* mejor. No es casualidad que Estados Unidos haya acabado convirtiéndose en el líder mundial de la publicidad, las relaciones públicas y el *marketing*; o que ocupen un lugar tan destacado en nuestro *ethos* nacional los soñadores persuasivos y los timadores con encanto: desde alguien tan condenado al fracaso como Willy Loman en *La muerte de un viajante*, de Arthur Miller, hasta los divertidísimos embaucadores de Mark Twain (empezando por Tom Sawyer, que convence a unos niños del barrio para que blanqueen una verja diciéndoles que no cree que sean capaces de hacer el trabajo), pasando por el empresario circense P. T. Barnum, quien célebremente se jactaba de que «nace un imbécil a cada minuto».

La pasión de los estadounidenses por enriquecerse también dio mucha importancia a la practicidad: si una idea no daba dinero, ¿qué tenía de bueno? El valor de cualquier saber radicaba en su aplicación, una convicción desarrollada en términos más elevados por William James en *Pragmatismo*, un libro de 1907 que se puede considerar quizá como la mayor aportación a la filosofía hecha por un estadounidense. Que se ocupen otros de las teorías más elevadas: lo que queremos los americanos es construir una mejor ratonera.

El mundo moderno siente asombro ante los logros científicos estadounidenses, pero es en la ciencia aplicada (la tecnología) donde radica nuestro auténtico genio, tal y como evidencian las numerosas invenciones originadas en Estados Unidos que han hecho época. Nuestra primera innovación importante se produjo en 1807, cuando Robert Fulton creó el primer barco de vapor comercialmente viable, lo cual abrió las vías fluviales de la nación al comercio a gran escala e impulsó la industrialización y la expansión hacia el Oeste que caracterizaron el crecimiento estadounidense hasta convertir al país en un gigante económico. La invención de la cosechadora por parte de Cyrus McCormick en 1834 revolucionó la agricultura al multiplicar por veinte la eficiencia en la recolección de trigo. Dos años después, la invención por parte de John Deere del arado de acero convirtió en cultivables los terrenos duros, lo cual puso las bases para que el Medio Oeste se convirtiera en el granero del mundo. En 1844, Samuel F. B. Morse inventó el telégrafo, que conectó las alejadas costas Este y Oeste del país. Posteriormente, los estadounidenses desarrollaron los que posiblemente fueron los avances tecnológicos más importantes de todo el siglo: Alexander Graham Bell patentó el teléfono en 1876 y Thomas Edison inventó la bombilla eléctrica en 1879.

Ya en el nuevo siglo, Wilbur y Orville Wright fueron los primeros que lograron hacer volar un avión en 1903. En 1911, Frederick Taylor revolucionó el mundo de la fabricación industrial al dividir las tareas de una fábrica en pasos separados y asignar cada paso a un trabajador específico. El taylorismo dio lugar a la cadena de montaje, perfeccionada por Henry Ford, la cual produjo aumentos fantásticos de productividad, pero redujo a los trabajadores a meras piezas, aburridas e intercambiables, del engranaje de una máquina. Con el avanzar del siglo, las empresas estadounidenses fueron financiando cada vez más la investigación científica y obtuvieron frutos de ello en forma de adelantos que crearon industrias enteras completamente nuevas: la radio, la televisión, el cine, los plásticos, los antibióticos y una impresionante cantidad de progresos médicos, así como la energía nuclear, la electrónica, los rayos X y la informática. Estos avances no sólo generaron enormes beneficios directos para las empresas que los patrocinaron, sino que estimularon la productividad en toda la economía estadounidense, aumentaron el nivel de vida, espolearon las exportaciones y transformaron la civilización moderna.

El logro culminante se produjo en 1969, cuando Estados Unidos ganó a la Unión Soviética en la carrera de ambos países por poner a un hombre en la Luna. «Ser testigos de cómo Estados Unidos llegaba a la Luna causó una tremenda impresión en los egipcios, al menos en los de mi generación», me comentaba en El Cairo el periodista y académico Abdel Monem Said Ali. «Fue una demostración impresionante del poder científico y económico estadounidense.» La carrera hacia la Luna también alentó el desarrollo de los satélites, la informática y las cibertecnologías, los avances que están dando forma al mundo del siglo XXI (y que están acelerando aún más el ya de por sí frenético ritmo de la vida diaria). «Cada día viene alguna noticia en nuestros periódicos sobre inventos y premios Nobel estadounidenses», señalaba Ali. «Algunos egipcios sospechan que Estados Unidos nos quiere explotar a través de su tecnología», añadía, «pero yo no estoy de acuerdo. Tengo el procesador de textos de Bill Gates en mi ordenador y yo me beneficio mucho de él. Sinceramente, no veo en qué me puede estar explotando».

Bill Gates es, posiblemente, el más moderno exponente del tópico del americano materialista y carente de sensibilidad artística o intelectual: un fanático de los ordenadores a quien su obsesión por el *software* informático lo ha dejado falto de habilidades sociales pero que, por otra (nada despreciable) parte, lo ha convertido en el hombre más rico del mundo. Y la ciberrevolución que eclosionó en Seattle y en Silicon Valley en los años noventa es sólo una página más de la continua preeminencia tecnológica de Estados Unidos. Los investigadores estadounidenses están a la vanguardia de la revolución de la ingeniería genética que, para bien o para mal, puede que acabe pronto por transformarlo todo, desde la agricultura hasta la reproducción humana y animal. Los estadounidenses también destacan en la investigación biomédica que podría alargar la vida humana al hacer posible que repongamos las extremidades y los órganos gastados con otros nuevos con la misma facilidad con la que cambiamos los motores y los sistemas de frenos de nuestros coches. Los americanos somos gente inteligente. No siempre sabia, porque la sabiduría implica sopesar las consecuencias de una determinada tecnología y, según cómo, decidir no seguir adelante con la misma. Pero inteligentes, sin duda.

«In God We Trust»*

Lo que resulta realmente irónico en comparación con lo anterior es lo siguiente: ¿cómo ha podido Estados Unidos convertirse en la sociedad más rica y más tecnológicamente avanzada de la historia a la vez que ha seguido siendo el país probablemente más religioso del mundo industrializado? A fin de cuentas, el Nuevo Testamento está lleno de advertencias contra la acumulación de riquezas («es más fácil que un camello pase por el ojo de una aguja que un rico entre en el Reino de los Cielos»). Y en la mayor parte de los países industrializados, el ascenso de la ciencia a lo largo de los últimos dos siglos ha comportado inexorablemente la reducción de la influencia de la Iglesia, a medida que los progresos en cosmología, geología, química y física socavaban interpretaciones literales de la Biblia, como la creencia de que la Tierra había sido creada en siete días unos cuatro mil años atrás. Pero en Estados Unidos, el dinero, la ciencia y la fe florecen unidos.

El papel de la religión en la vida de Estados Unidos suele ser habitualmente subestimado en el discurso dominante, quizá porque buena parte de la *intelligentsia* del país, incluyendo los medios de comunicación, favorece una visión secular del mundo. Pero en cuanto

* «En Dios confiamos». (*N. del t.*)

uno se aleja de la ciudad de Nueva York y de unas pocas islas más de cosmopolitismo, la omnipresente influencia de la religión en la América profunda resulta inconfundible. La religión está especialmente arraigada en el Sur y en el Medio Oeste, así como en las comunidades hispana y afroamericana. La frecuencia con la que se pueden ver pegatinas en los coches con mensajes que van desde lo alegre («Si amas a Jesús, haz sonar el claxon») hasta lo premonitorio («Se acerca la venida del Señor. ¿Estás preparado?») da una idea de las actitudes subyacentes. Un porcentaje considerable (el 94 %) de la población estadounidense cree en Dios.[6] Una gran mayoría de nosotros (el 85 %) es cristiana; de estos cristianos, la mitad se llaman a sí mismos cristianos «renacidos» (*born-again Christians*), porque se sienten como si hubieran vuelto a nacer (en sentido figurado) tras haber aceptado a Jesucristo como salvador. Jesús tiene una presencia activa en la vida de estos individuos y resulta para ellos de lo más normal preguntarse, a la hora de tomar grandes o pequeñas decisiones en la vida: «¿Qué haría Jesús en mi lugar?». Muchos de estos cristianos «renacidos» (aunque no todos, ni mucho menos) son fundamentalistas que creen que los seguidores de otras religiones están abocados a la condenación eterna. Estados Unidos es el mayor mercado de libros religiosos del mundo y unos de los que más se han vendido durante los últimos cinco años han sido los de la colección «Left Behind»: ocho novelas en las que se dramatiza la teoría del Éxtasis de la salvación. Dicha teoría (que cuenta con el beneplácito de numerosos fundamentalistas) sostiene que cuando se den las condiciones citadas en el Libro de las Revelaciones, Dios pondrá fin al mundo con una explosión de luz (el Éxtasis) y se llevará a doce mil cristianos consigo al cielo, al tiempo que condenará al resto de la humanidad al infierno.

No es de extrañar que la religión tenga tanta importancia en Estados Unidos: fue uno de los principales motivos por los que se colonizó el país en un primer momento. Y ya desde esos mismos instantes iniciales se vivieron tensiones acerca del papel que correspondía

6. Los porcentajes de estadounidenses que profesan algún tipo de credo religioso están recogidos en Cohen, *Chasing the Red, White, and Blue*, págs. 167 y 202.

a la religión en la sociedad. En un bando figuraban los puritanos, protestantes acérrimos que habían venido a América en busca de libertad religiosa, pero que, una vez aquí, intentaron inmediatamente ilegalizar el resto de religiones. En el otro bando estaban los peregrinos, igualmente protestantes, aunque menos dogmáticos: permitían que los no convertidos tomaran parte en la toma de decisiones comunitaria. Posteriormente, los fundadores de la nación acabaron asestando el golpe decisivo: su creencia en la tolerancia era tal que llegaron incluso a omitir la palabra «Dios» de nuestra Constitución. Decididos a evitar las guerras de religión y las luchas de poder que habían desangrado a Europa y a otras tierras durante siglos, los fundadores ordenaron una estricta separación entre Iglesia y Estado, y una plena libertad religiosa. En teoría, esto incluía la libertad de no tener religión alguna, aunque ésta era una perspectiva ajena a los propios fundadores, que eran en su totalidad (salvo Madison) teístas convencidos.

Ahora bien, la separación entre Iglesia y Estado en Estados Unidos no ha llegado nunca a ser tan absoluta como se desprende de nuestra retórica, y la batalla entre fundamentalismo y tolerancia sigue siendo encarnizada. Las Iglesias de todos los credos están exentas del pago de impuestos sobre la propiedad (una subvención a la religión de muchísimos miles de millones de dólares al año). Toda moneda o billete de Estados Unidos lleva el lema «In God We Trust». Y nuestros sistemas legal, político y educativo se ven periódicamente enturbiados por polémicas acerca de la teoría de la evolución, el aborto, el rezo en las escuelas y otras cuestiones relacionadas. Como sus antepasados puritanos, muchos fundamentalistas actuales creen que su versión de las enseñanzas cristianas debería verse reflejada en las leyes y las prácticas de la nación. No altera su celo la chanza con la que abordan los medios noticias como sus intentos de prohibición de las novelas de Harry Potter basándose en su supuesto contenido satánico (en 1999 se plantearon veintiséis requerimientos de ese tipo en dieciséis estados diferentes)[7] o de sustitución del evolucionismo

7. Los requerimientos solicitando la prohibición de Harry Potter fueron citados por Beverly Becker, de la American Library Association. <Véase www.education-world.com>.

por el creacionismo en el currículum de las escuelas públicas. Curiosamente, la mayoría de cristianos aceptan el evolucionismo, toleran la homosexualidad y mantienen opiniones diversas acerca del aborto, pero el poder de una minoría determinada puede ser considerable. El rezo en las escuelas, rechazado reiteradamente en los tribunales al entenderse como una violación de la separación entre Iglesia y Estado, está siendo actualmente promovido con un nuevo nombre («un momento de silencio»). En marzo de 2001, una miembro de la Junta Estatal de Educación de Ohio consiguió que se celebraran audiencias para evaluar la posibilidad de impartir las enseñanzas del llamado «diseño inteligente» (la versión actualizada del creacionismo) en las aulas del estado. La votación final fue contraria a su propuesta, pero es probable que se impulsen iniciativas similares en otras partes: para sus proponentes, se trata de un artículo de fe.

Y esa fe es compartida por políticos que ocupan puestos de mucho poder en Washington. George W. Bush, quien mencionó una vez a Jesucristo cuando se le preguntó por el nombre de su filósofo favorito, es un creyente «renacido» que, además, está políticamente en deuda con los fundamentalistas. Al inicio de la carrera electoral del año 2000, con la esperanza de conseguir una influencia decisiva en la Casa Blanca, los líderes de la derecha cristiana optaron por apoyar decididamente a Bush y no a Gary Bauer, evangélico declarado. Bush ha devuelto el favor defendiendo una iniciativa «confesional» de traspaso de competencias gubernamentales en materia de prestaciones sociales hacia las iglesias y nombrando a jueces y a cargos federales receptivos a las preocupaciones de los fundamentalistas. Aunque el poder de la derecha cristiana ha disminuido desde sus días de gloria en la década de los noventa, cuando constituyó la clave de la toma de control del Congreso por parte de la derecha y del proceso de *impeachment* del presidente Clinton, continúa siendo una fuerza significativa en los movimientos de base, especialmente en el Sur, donde son pocos los republicanos que resultan elegidos sin su ayuda. Entre sus aliados se cuentan los dos republicanos más poderosos del Capitolio —el líder de la minoría en el Senado, Trent Lott, y el líder de los republicanos en la Cámara de Representantes, Tom DeLay—, quienes actuaron como auténticas puntas de lanza del proceso de juicio político a Clinton al utilizar la indignación de millones de cristianos, que veían en la relación extramatrimonial del presidente una mácula en la virtud nacional. Pero los demócratas no hacen menos ostentación de su adscripción religiosa que los republicanos: es impensable que un candidato de cualquiera de los dos partidos que se declare ateo pueda ganar unas elecciones en Estados Unidos. Tanto Clinton como Al Gore se enorgullecían de confesarse baptistas «renacidos», y Clinton recurrió a los rituales cristianos de la confesión y el perdón en un intento de restablecer su reputación tras el «escándalo Lewinsky».

La religión es un elemento clave a la hora de entender muchas cosas sobre Estados Unidos, incluida nuestra reputación de materialistas insensibles (o *filisteos*, un término curiosamente bíblico). Los estadounidenses persiguen la riqueza con una determinación obsesiva, y aunque los extranjeros consideran esto una auténtica grosería, nosotros nos seguimos teniendo por personas de gran rectitud moral y temerosas de Dios. Como suele ocurrir cuando se sopesan las paradojas de Estados Unidos, la clave del misterio la proporcionó tiempo ha Tocqueville, quien escribiera que «nunca he sido tan consciente de la influencia de la religión en la moral y en el estado social y político de un pueblo como desde mi llegada a América». Una fuerte fe religiosa, sostenía el joven autor francés, no estaba en contradicción con la «pasión por enriquecerse» que constituía la principal prioridad de los estadounidenses en la vida. Todo lo contrario: la religión era un contrapeso esencial, puesto que purificaba las ansias de dinero y las hacía moralmente respetables. «Nunca llegará a evitar que los hombres amen la riqueza», escribió Tocqueville, «pero puede que sea capaz de inducirlos a utilizar exclusivamente métodos honrados para enriquecerse.»[8]

Tocqueville pasó por alto un elemento crucial de la ecuación: el tinte calvinista del protestantismo americano. El calvinismo dio una vuelta de tuerca adicional a la búsqueda de riqueza de los estadouni-

8. Tanto la cita de Tocqueville («nunca he sido tan consciente...») como sus reflexiones acerca de la relación entre religión y dinero en América son tratadas en Cohen, *Chasing the Red, White, and Blue*, págs. 172-177.

denses al hacer preceptivo el trabajo duro para todo el mundo y al sostener que sólo una inquebrantable fe en Dios (y no las buenas obras) era el camino a la salvación. La posesión de riqueza era una indicación de que un determinado individuo gozaba del favor de Dios, del mismo modo que la pobreza era señal de desaprobación divina (y de las perspectivas nada halagüeñas que le esperaban en el más allá).

El calvinismo es un elemento central de la moralidad estadounidense desde hace tanto tiempo que esas actitudes han sido absorbidas incluso por aquellos americanos que no son fervientemente religiosos. Las personas acomodadas creen que son ricas porque se lo merecen, y no porque (como suele ser habitual) nacieron gozando ya de ventajas tales como unos padres económicamente prósperos, buena salud, estudios universitarios garantizados, etc. Había un chiste que se solía explicar en referencia al primer presidente Bush y que se cuenta ahora aplicado a su hijo: «Nació ya en tercera base, pero él se cree que ha bateado un triple».*

La idea de que somos ricos porque somos moralmente buenos es cómoda y conveniente a la vez, y puede haber resultado psicológicamente esencial durante los primeros años del país, cuando los blancos necesitaban convencerse a sí mismos de que robar la tierra de los americanos nativos y esclavizar a los africanos no eran pecados mortales. Pero hoy en día, este supuesto cultural, profundamente asentado, se hace manifiesto en la creencia que tenemos los estadounidenses de que no podemos ser buenos a menos que trabajemos duro y progresemos. Uno de los motivos por los que muchos de nosotros somos adictos al trabajo es que dedicarle tantas horas nos convence (a nosotros y a los demás) de que somos buenas personas. Esta suposición también contribuye a explicar nuestras actitudes respecto a las personas pobres; unas actitudes que suelen inclinarse con mayor frecuencia hacia el miedo y el desprecio que hacia la compasión y la generosidad. Ser pobres, a los ojos de muchos estadounidenses, es culpa de los propios pobres.

* En béisbol, se «batea un triple» cuando el bateador consigue llegar hasta la tercera base con sólo un golpe. (*N. del t.*)

Evidentemente, la fe religiosa en Estados Unidos siempre ha ido más allá de la racionalización de las ambiciones económicas personales. Muchos creyentes individuales han acudido a la Iglesia en busca de consuelo espiritual y de comunión con sus semejantes. Diversas confesiones han desempeñado papeles más que honrosos (en ocasiones, valientes) de ayuda a los pobres y de lucha contra la injusticia social. Las iglesias negras, por ejemplo, fueron el alma del movimiento de los derechos civiles y los católicos progresistas han llevado a cabo campañas contra la pobreza. Al mismo tiempo, la tolerancia religiosa enfatizada por los fundadores de la nación continúa produciendo sus frutos hoy en día, frutos que se traducen en el que quizá sea el paisaje religioso más diverso del mundo: en Estados Unidos se practican unas treinta y siete mil variedades distintas de culto.[9] A pesar de las agrias disputas verbales y legales de todos estos años, nunca hemos llegado a sufrir la clase de derramamiento de sangre por motivos religiosos que han padecido otros países. Y en nuestro mundo actual, ése es un logro nada despreciable.

El reto que se nos presenta de cara al futuro es, una vez más, el de recordar nuestra historia. En un momento en el que el mundo parece sumirse en un conflicto religioso continuo, el ejemplo estadounidense de paz religiosa relativa ilustra los beneficios de la separación (por imperfecta que sea) entre la Iglesia y el Estado, y de la libertad y la tolerancia religiosas que se desprenden de la misma. América tiene muchos dioses: sagrados y profanos. Por cada uno de nosotros que reza a Jesús, Alá, Yahvé o Buda, hay otro que se postra ante los altares de la televisión, de las maravillas de la tecnología y del todopoderoso dólar. De hecho, muchos de nosotros no vemos contradicción alguna en escoger dioses de ambas listas. Los estadounidenses abrazamos una combinación mareante y desordenada de credos sagrados y seculares que, con frecuencia, nos empujan en direcciones opuestas y nos hacen ser, a un tiempo, vulgares y devotos, modernos

9. Las treinta y siete mil variedades de culto que se practican en Estados Unidos están documentadas en *A New Religious America: How a «Christian Country» Has Become the World's Most Religiously Diverse Nation*, de Diana L. Eck, San Francisco, Harper San Francisco, 2001.

y anticuados, llenos de pretensiones de superioridad moral y desarraigados. Este crisol espiritual, a pesar de todas sus contradicciones, se antoja muy superior a las cautivadoras certezas que propugnan los fundamentalistas de todas las tendencias. «Las coherencias tontas son la obsesión de las mentes ruines», decía Emerson, y sigue siendo verdad. El mundo se vuelve más pequeño a cada día que pasa y la era que actualmente se abre ante nosotros exige que tengamos una visión tan ágil de la realidad como nos resulte imaginable.

Capítulo 7

La tierra de las oportunidades se vuelve egoísta

No existe una historia más americana, al menos para las generaciones actuales, que *El mago de Oz*: es lo más parecido que tenemos a un cuento de hadas nacional. Prácticamente todos nosotros hemos visto *El mago de Oz* en televisión desde que teníamos cuatro o cinco años de edad. No tiene más que mencionar el camino de baldosas amarillas, la malvada Bruja del Oeste o la Ciudad Esmeralda, o canturrear las primeras notas de «Over the Rainbow» o de «We're off to See the Wizard», para que los estadounidenses de cualquier edad, raza y clase entiendan inmediatamente (y recuerden con cariño) a qué se refiere.

Los niños de hoy en día ven *El mago de Oz* en vídeo, es decir, que lo pueden ver cuando lo deseen y, a menudo, una y otra vez. Cuando yo era niño, en los sesenta, ver *El mago de Oz* era todo un acontecimiento, una especie de rito nacional. Una vez al año, por la Pascua, emitían la película por alguna de las cadenas de televisión. Mis hermanos, mis hermanas y yo, y la mayoría de nuestros amigos, esperábamos expectantes durante días a que llegara esa noche. Como muchísimas otras familias de todo el país, nos juntábamos ante el televisor, con palomitas y chocolate caliente, y nos dejábamos cautivar de nuevo por las aventuras de Dorothy, la niña granjera de Kansas cuya casa es arrancada del suelo por un terrible ciclón, transportada por el cielo en un torbellino y arrojada (¡sobre una bruja!) en el país de Oz. Nuestros padres, que esas noches nos hacían compañía (especialmente durante las partes que daban más miedo), recordaban haber visto *El mago de Oz* por vez primera en cines de verdad. Estrenada en 1939, la adaptación hollywoodiense de la novela de L. Frank Baum convirtió al momento a Judy Garland en una estrella y ganó para la película un espacio permanente en la conciencia estadounidense.

La película resulta atractiva para todas las edades porque funciona a todos los niveles y su magnetismo ha perdurado porque refleja y articula al mismo tiempo algunas de nuestras creencias nacionales básicas. El largometraje está dedicado a los «jóvenes de corazón», y los americanos somos ciertamente así: ingenuos a veces, pero arrebatadoramente optimistas y bienintencionados, y amantes de los finales felices. La intensidad de las imágenes de la película (el plateado Leñador de Hojalata oxidado bajo los manzanos o los monos alados que descienden del cielo para secuestrar a Dorothy y a su perro, Totó) y sus canciones fáciles de seguir (especialmente tal y como las cantan, con su voz chillona, los Munchkins) hacen las delicias de los espectadores más jóvenes. Los niños un poco más mayores se ven atraídos por la estructura clásica de la historia: ese ir a la búsqueda de algo, esa oportunidad que tiene una joven de aventurarse en el mundo y enfrentarse a pruebas que la ayudan a hacerse adulta. Y la historia funciona también con los adultos porque reúne humor, canciones y fantasía, con un propósito edificante. Como Oz, nuestro mundo contiene también maldad y belleza, y la orden del mago (que le traigan el palo de la escoba de la malvada Bruja del Oeste) no parece menos imponente que algunos de los retos que se nos exige superar.

Lo que muy pocos estadounidenses saben es que la película es también una parábola política. El testimonio directo sobre este respecto lo dio años después E. Y. «Yip» Harburg, quien escribiera las letras de las canciones de la película. Tanto él como su colaborador en dicha tarea, el compositor Harold Arlen, eran activistas de izquierda que apoyaban los programas del New Deal del presidente Franklin Roosevelt a favor de los estadounidenses pobres y de clase obrera, devastados por la Depresión. «¡Pues claro que la Ciudad Esmeralda era el New Deal!», confesó Harburg, refiriéndose al reluciente palacio verde que era la meta de Dorothy durante toda la película.[1] (Cuando

1. La cita de Yip Harburg aparecía recogida en «E. Y. Harburg and the Wonderful Wizard of Oz», de Francis MacDonell, *Journal of American Culture*, volumen 13, número 4, 1990, págs. 71-76.

por fin llega allí, una canción de bienvenida describe un auténtico paraíso para cualquier trabajador, en el que «nos levantamos al mediodía y empezamos a trabajar no más tarde de la una, descansamos una hora para el almuerzo y, luego, a las dos ya hemos terminado».)

Ni los autores de las canciones ni el guión llegan nunca a ser demasiado obvios, pero los signos están ahí para quien quiera molestarse en interpretarlos. Dorothy y sus compañeros forman una especie de amalgama del estadounidense medio: Dorothy representa el espíritu inocente pero optimista de la nación; el Espantapájaros representa a los granjeros, que aún constituían la mitad de la población en 1939; el Leñador de Hojalata representa a los obreros (el hombre industrial que había surgido durante el viraje que había tomado el país hacia la producción manufacturera a comienzos del siglo XX). El León Cobarde tiene una interpretación más complicada: puede que represente a los soldados de servicio a su país o que sea simplemente una figura cómica. Pero no hay confusión posible respecto a la mala de la película: en Kansas, está personificada en una capitalista desalmada que amenaza a la familia de Dorothy con un pleito «que les quitará toda su granja» si no sacrifican a Totó; y caracterizada como la malvada Bruja del Oeste, personifica la codicia y amenaza a Dorothy como si de un casero impaciente se tratase: «No veo la hora de hacerme con esas zapatillas rojas».

Aun dejando a un lado todo simbolismo, el mensaje de *El mago de Oz* es claro: cree en ti mismo, apoya a tus amigos, lucha por lo que es justo y las cosas mejorarán. Dorothy y sus compañeros se pasan la mayor parte de la película cifrando todas sus esperanzas en el mago: ella cree que necesita su ayuda para volver a su casa en Kansas, el Espantapájaros quiere un cerebro, el Leñador de Hojalata, un corazón, el León, algo de valor. Al final, los cuatro aprenden que sólo ellos pueden proporcionarse a sí mismos todas esas cosas (de hecho, ya las poseen: simplemente no habían creído lo suficiente en sí mismos como para verlo). Aunque puede que originalmente tuviera la intención de animar a los estadounidenses de la época de la Depresión a exigir la mejor vida que por derecho les correspondía, *El mago de Oz* continúa vigente en la actualidad porque toca algo profundo y duradero en el alma estadounidense: la fe de vivir en un país donde, como canta la propia Dorothy, «los sueños que te atreves a soñar se hacen realidad de verdad».

Probar la manzana dorada

También para los extranjeros, América es ese lugar casi mágico donde todo es posible. Me viene enseguida a la mente un comentario que escuché del dueño de un bar en Sicilia: «Todo el mundo piensa en América». El hombre acompañó su sentencia de un espléndido encogimiento de hombros, como si quisiera recalcar lo inevitable del reclamo estadounidense. Era de constitución fuerte y cabello encanecido, peinado hacia atrás sobre su cabeza, que dibujaba una forma aproximadamente cuadrada. Vivía en Agrigento, una ciudad de la costa sur de Sicilia que presume de contar con unas de las mejores ruinas griegas de todo el Mediterráneo, por lo que el negocio turístico era constante. Pero para que le salieran las cuentas, aquel hombre tenía que trabajar seis días a la semana e iba a seguir haciéndolo, probablemente, durante el resto de su vida. «En América las cosas no son así, ¿verdad?», preguntó. «En América trabajas un día aquí y al día siguiente decides trabajar en otro sitio. Si no te gusta ese empleo, vas y encuentras otro. Aquí las cosas no son así, cuesta encontrar trabajo.» Cruzar el océano y empezar una nueva vida en Estados Unidos resultaba tentador, añadió, pero poco realista. No hablaba inglés y ya no era joven. Además, ¿quién iba a ocuparse de su bar? Pero lo había pensado, sí que lo había pensado. Todo el mundo piensa en América.

Puede que este señor haya idealizado las condiciones de vida en Estados Unidos, pero conocía sobradamente la realidad de su propio país. Dos días después, al entrar en la catedral de Monreale, a las afueras de Palermo, no podía dar crédito a mis ojos. ¿Qué hacía allí Roberto Benigni saludando a los visitantes? Cuando lo vi más de cerca, me di cuenta de que era un hombre que simplemente tenía un parecido asombroso con el gran cómico italiano. De voz suave, pero vestido con una americana de un rojo estridente, ofrecía visitas guiadas a la catedral comentadas en italiano o en dialecto siciliano. Brillantes mosaicos de docenas de colores cubrían cada pulgada del interior y por la forma en la que aquel hombre explicaba las escenas en ellos representadas (pensadas para enseñar la Biblia a los campesinos analfabetos), era evidente que se lo sabía al dedillo. Llevaba viniendo a la catedral toda su vida, según explicó, pero había empezado a ofrecer visitas guiadas desde hacía sólo dos años. Con anterioridad, había sido mampostero (de ahí su pasión por los mosaicos) hasta que una distensión en la espalda lo inhabilitó para el trabajo. «Las pagas por invalidez son muy bajas en Sicilia, así que tuve que buscarme una alternativa», dijo. Y bien humilde que se la había buscado. Tenía prohibido competir con los guías oficiales, así que no podía cobrar una tarifa fija: sólo aceptaba donativos. Cuando supo que yo venía de San Francisco, me sorprendió con sus conocimientos del pasado y del presente de la ciudad. «Ah, San Francisco», dijo con una ligera sonrisa. «La ciudad del oro y de Internet.»

Esos dos hombres distaban mucho de ser las personas más pobres con las que yo me haya encontrado en mis viajes. Pero precisamente por pertenecer a la relativamente próspera clase obrera de Europa, sus puntos de vista ilustraban una aparente contradicción en las críticas a Estados Unidos: si América es tan imperfecta como dicen sus detractores (si no es más que un camorrista egocéntrico y glotón, de pasado racista e interior frío e impersonal), ¿por qué se cuentan por millones las personas en todo el mundo dispuestas a hacer casi cualquier cosa por emigrar hacia aquí? ¿Por qué se arriesgan los *campesinos** a morir de calor y de sed cruzando los desiertos del norte de México para entrar en Estados Unidos? ¿Por qué invierten los trabajadores asiáticos los ahorros de toda una vida en sobornos y se introducen en pestilentes compartimentos de carga para emprender peligrosos viajes transoceánicos hacia América? ¿Por qué hay aspirantes a entrar en el país que, documentos en mano, esperan de pie, en medio del frío gélido del exterior de la embajada de los Estados Unidos en Moscú, sólo para pedir una cita que les permita presentar una solicitud de visado que acabará siendo probablemente denegada? La respuesta es obvia: las condiciones reinantes en Estados Unidos

* En español en el original. (*N. del t.*)

les resultan muy preferibles a las circunstancias a las que se han de enfrentar cada día en sus patrias de origen. El hecho de que las personas de otros países critiquen a América no significa que no quieran probar la manzana dorada por sí mismas.

Estados Unidos, claro está, siempre ha sido una nación de inmigrantes. Y aunque nuestra reputación como patria de la libertad está justificada, la realidad es que la mayoría de inmigrantes han venido aquí para mejorar económicamente. América ha sido (y todavía es) la tierra de las oportunidades, el lugar en el que cualquier persona dispuesta a trabajar duro puede prosperar porque las recompensas dependen del mérito de uno y no de lo bien relacionado que esté. Puede que hagan falta una o dos generaciones, pero tu familia también puede acabar uniéndose a la clase media estadounidense y vivir feliz por siempre jamás.

Millones y millones de inmigrantes han reproducido exactamente esa misma secuencia: se sacrifican, ahorran, invierten en la educación de los hijos y ven cómo consiguen una vida mejor. (Evidentemente, otros muchos han trabajado igual de duro pero nunca han llegado a prosperar: en América no hay garantías.) Ricardo Morales, por ejemplo, trabaja en la construcción en Chicago. Los 100 dólares semanales que envía a su familia son parte de los 9.300 millones de dólares en remesas salariales que los inmigrantes mexicanos en Estados Unidos envían anualmente a su país para que sus familias compren alimentos y otros bienes de primera necesidad y para que sus comunidades construyan carreteras y sistemas de traída de agua. Entre las privaciones materiales que Morales acepta a cambio de todo eso está el hecho de tener que compartir un piso de una habitación con otros cuatro hombres. «Nosotros nos hacemos a la idea», según le explicaba a *The New York Times*, «de que hacemos sacrificios ahora para que nuestras familias puedan vivir mejor y para que nosotros podamos vivir mejor el día que volvamos a casa».[2]

Desde la distancia, la economía estadounidense se ve saludable. En comparación con los niveles habituales en todo el mundo, nues-

2. De la historia de Ricardo Morales informaba el *New York Times* del 25 de marzo de 2002.

tra tasa de crecimiento es elevada y nuestro desempleo es reducido. Aquí resulta relativamente fácil encontrar trabajo, como bien se figuraba el dueño del bar de Agrigento. De lo que ni las personas de fuera ni los estadounidenses ricos llegan siempre a darse cuenta es de lo mal pagados que están muchos de esos empleos en comparación con lo que cuestan las cosas en Estados Unidos. Morales es uno de los que han tenido suerte: los techadores como él ganan 12,50 dólares por hora (más del doble del salario mínimo, establecido por mandato federal, de 5,15 dólares por hora) y esos dólares que envía a México compran mucho más allí de lo que comprarían en Estados Unidos. Pero, como recoge Barbara Ehrenreich en *Nickel and Dimed* —un magnífico relato de su propia experiencia de incógnito en empleos de baja cualificación, como los de empleada de la limpieza o camarera—, el 30 % de la mano de obra estadounidense no ganaba más de 8 dólares a la hora en 1998.[3] Para estas personas, los pisos atestados y deprimentes, la comida envasada de mala calidad y la imposibilidad de costearse una asistencia sanitaria son realidades ineludibles.

Los años noventa fueron retratados en los medios informativos estadounidenses como una época de gloriosa prosperidad en la que el auge de Internet y de otras tecnologías de la información sacudía los cimientos de todas las suposiciones económicas tradicionales y alimentaba un «boom» del mercado bursátil capaz de hacer ricos a todos los americanos, incluidos los obreros industriales. Pero se trataba de un cruel engaño. La bolsa vivió un «boom» en los noventa y muchas personas se hicieron millonarias, pero la abrumadora mayoría de los beneficios fue a parar a la capa superior de nuestra población. Es verdad que la mitad de los estadounidenses tenían inversiones en bolsa —generalmente en planes de pensiones sobre los que tenían muy poco control—, pero eran participantes de poca importancia. La gran mayoría de las acciones (el 89 %) eran propiedad del 10 % de los hogares más ricos de Estados Unidos, y éstos se beneficiaron proporcionalmente. En 1999, Bill Gates poseía por sí solo

3. El libro de Barbara Ehrenreich es *Nickel and Dimed: On (Not) Getting by in America*, Nueva York, Metropolitan Books, 2001.

tanta riqueza como el 40 % de los americanos más pobres en su conjunto. El alza de los mercados bursátiles no democratizó la riqueza: la concentró.[4]

Los datos sobre ingresos vienen a indicar lo mismo: la de los noventa fue una década especialmente gratificante para el 20 % de los americanos con mayor renta (y, especialmente, para el 5 % superior), porque se hicieron con la mayor parte de los ingresos generados por el «boom» bursátil. Los ingresos de otros grupos de renta también aumentaron, pero en mucha menor medida. El 80 % restante (la mayoría pobre, obrera y de clase media de Estados Unidos) no llegó ni siquiera a recuperar el terreno económico que habían perdido durante las dos décadas anteriores. A finales de los noventa, los trabajadores estadounidenses aún ganaban menos en términos reales que cuando Richard Nixon dejó la Casa Blanca en 1973, a pesar de que su productividad se había incrementado en una tercera parte desde entonces.[5]

El Sueño Americano ofrece la promesa de que si trabajas duro, serás recompensado con una vida mejor (o, al menos, lo serán tus hijos). Actualmente, cada vez son más los estadounidenses que tienen jornadas laborales más largas que nunca, pero que no por ello están necesariamente prosperando.[6] La clase media americana se está contrayendo, tanto en términos absolutos como en poder adquisitivo, y las clases superiores e inferiores se están expandiendo. Cada vez más, Estados Unidos se está dividiendo entre una pequeña élite fabulosa-

4. El análisis de la propiedad bursátil en Estados Unidos está basado en el brillante libro de Thomas Frank *One Market Under God: Extreme Capitalism, Market Populism, and the End of Economic Democracy*, Nueva York, Anchot Books, 2000, especialmente, en las págs. 12 y 96-97, así como en *If the Gods Had Meant Us to Vote They Would Have Given Us Candidates*, de Jim Hightower, Nueva York, HarperCollins, 2001, especialmente, en las págs. 217 y 225.

5. El análisis de la cuestión de la renta se basa en los dos libros citados en la nota anterior, así como en Cohen, *Chasing the Red, White, and Blue*, en «Spreading the Wealth», de Doug Henwood, publicado en *The Nation* el 8-15 de enero de 2002, y en los datos de la Oficina del Censo tal y como aparecen en Internet: <www.census.gov/hhes/www/income.html>.

6. La ampliación de la jornada laboral está documentada en *The Overworked American*, de Juliet Schor, Nueva York, Basic Books, 1991 (trad. cast.: *La excesiva jornada laboral en Estados Unidos: La inesperada disminución del tiempo de ocio*, Madrid, Ministerio de Trabajo y Seguridad Social, 1994).

mente rica y una mayoría creciente de personas que pasan apuros y que deben trabajar duro con el único ánimo de no quedarse atrás.

A pesar de esto, la reputación de Estados Unidos como tierra de las oportunidades se mantiene intacta en el extranjero (y no sólo entre el público profano menos informado). El periodista británico David Cohen, que ha sido reportero para publicaciones como el *Financial Times* o *The Independent*, escribe en su gran libro *Chasing the Red, White, and Blue* lo mucho que le impactó la contrastada desigualdad que descubrió en Estados Unidos, por no hablar de la pobreza: el 40 % de los niños del país viven por debajo o en las inmediaciones del umbral de pobreza. (Y la definición oficial de pobreza —unos ingresos anuales de 16.400 dólares para una familia de cuatro miembros— es ya mísera de por sí.) En 1999 y 2000, Cohen pasó meses resiguiendo partes del viaje que hiciera Tocqueville en 1831 por todo Estados Unidos, comparando el antes y el ahora. Lo que convierte a su libro en audaz es que se atreve a contradecir al autor francés. A pesar de lo mucho que estaba en lo cierto Tocqueville acerca de tantas cosas, a juicio de Cohen, se ha demostrado que su afirmación de que en América «la igualdad es algo preestablecido (...) universal y permanente» no era cierta. A partir de sus entrevistas con personas de todas las profesiones y condiciones sociales, y de sus amplias investigaciones, Cohen sostiene que la desigualdad en Estados Unidos es pronunciada y no deja de empeorar, pero que ni los dirigentes del país ni sus ciudadanos se preocupan lo suficiente por combatirla. El auge económico de los noventa generó superávit presupuestarios sin precedentes en los niveles de gobierno estatal y federal, señala, lo cual da a entender que «los estadounidenses disponen de medios económicos necesarios para ayudar a los miembros menos favorecidos de su sociedad, pero no de la voluntad para hacerlo».

Ronald Reagan y el triunfo de la riqueza

Aunque los estadounidenses no solemos hablar de ello, la fuente de nuestra creciente desigualdad no es ningún misterio. Nuestro gobierno ha estado dominado durante los últimos veinte años por personas y políticas que favorecen a los sectores pudientes más que a los demás. Bajo el liderazgo de los republicanos, pero con los demócratas siguiendo sus pasos muy de cerca, los legisladores de Estados Unidos han aprobado un aluvión de recortes fiscales para los más ricos al mismo tiempo, incluso, que aprobaban recortes en el gasto destinado a los más pobres; se han resistido a aprobar incrementos significativos del salario mínimo, pero, al mismo tiempo, han acumulado billones de dólares en contratos militares con compañías privadas, algunas de las cuales han sido repetidamente sorprendidas presupuestando precios ridículamente inflados (como, por ejemplo, un importe de 409 dólares por un lavabo de 39);[7] han contribuido a impulsar a la baja los salarios de la clase media y de la clase obrera promoviendo tratados denominados de libre comercio que se llevan puestos de trabajo a otros países; han fomentado «megafusiones» empresariales que comportan despidos y aumentos de precios, y han relajado o eliminado regulaciones destinadas a proteger al público de la clase de fraude y codicia empresarial evidenciada por el escándalo de Enron.

Enron, cuya quiebra en 2001 fue la mayor de la historia mundial, ha sido un ejemplo de cómo los sistemas económico y político de Estados Unidos favorecen tendenciosamente a los ricos en detrimento de los pobres. Cuando Enron se desplomó, se estima que tanto sus trabajadores como el accionista medio perdieron entre 25.000 y 50.000 millones de dólares en la cotización de sus fondos de pensiones y de sus acciones porque ni la compañía ni sus auditores, la firma Arthur Andersen, dijeron la verdad acerca de la peligrosa situación de la compañía. Los ejecutivos de la empresa, sin embargo, cobraron sus beneficios por adelantado y huyeron con cientos de millones de dólares. Enron robó otros 50.000 millones de dólares manipulando el mercado de energía eléctrica en California: provocó una escasez artificial de electricidad e hizo subir los precios. También estafó a los contribuyentes de todo el país: como la desregulación de la era Clin-

7. Los precios inflados que cobran los contratistas militares están documentados en «Pick Pocketing the Taxpayer: The Insidious Effects of Acquisition Reform», un informe del Project on Government Oversight, un grupo de interés público de Washington, D. C.; el informe se basa en estudios de la Oficina General de Cuentas del gobierno federal y del inspector general del Pentágono y fue publicado en marzo de 2002.

ton hizo posible la transferencia de fondos a paraísos fiscales en el extranjero, Enron no pagó ningún impuesto federal sobre la renta en cuatro de los cinco años previos a su bancarrota; los demás tuvimos que compensar la diferencia. Y Enron no es un caso aislado. Sólo en 1995, fueron miles las compañías (de entre las mayores de Estados Unidos) que no pagaron impuesto sobre la renta, según *The Cheating of America*, un devastador testimonio de Charles Lewis, Bill Allison y el Center for Public Integrity, que estima que las empresas y las personas adineradas evaden 195.000 millones de dólares al año en impuestos.

El triunfo de la riqueza sobre la sabiduría y de los mercados sobre la moralidad se remonta a la elección de Ronald Reagan como presidente en 1980. El incremento de la desigualdad está en estrecha correlación con su ascensión al poder. En los trece años anteriores a la presidencia de Reagan, según los datos de la Oficina Federal del Censo, la quinta parte más pobre de los hogares del país aumentó su participación en la renta nacional en un 6,5 %, mientras que la quinta parte más rica la disminuyó en casi el 10 %. Esta tendencia reflejaba, en parte, los efectos de las políticas de la Gran Sociedad aprobadas bajo la presidencia de Lyndon Johnson en los años sesenta, que habían incrementado el acceso de las personas pobres a los programas de alimentación, sanidad e igualdad de oportunidades. En los ochenta, sin embargo, el péndulo osciló nuevamente hacia la desigualdad: la cuota de la renta nacional que fue a parar a la quinta parte más pobre de estadounidenses cayó un 11,6 %, mientras que la quinta parte más rica se rehizo en casi un 20 %.[8] Esta inversión de tendencias no fue causada por la política de Reagan exclusivamente. La mayor integración de la economía mundial hizo que la industria manufacturera estadounidense fuese vulnerable a la competencia en bajos salarios del exterior, algo que, a su vez, otorgó una mayor capacidad de influencia a las empresas americanas para impulsar los salarios a la baja en el propio país mediante amenazas de traslado de la producción al extranjero. Pero Reagan no hizo nada por contrarrestar esas tendencias ni por mitigar sus consecuencias. Todo lo contrario: declaró

8. Los datos sobre la inversión de la tendencia en las rentas proceden de Cohen, *op. cit.*

que toda intervención del Estado en las fuerzas del mercado era equivocada y contraproducente.

Inspirándose en las raíces calvinistas del país, Reagan mostró especial menosprecio por la asistencia federal a los pobres, considerándola una derrochadora y destructiva forma de socialismo que fomentaba conductas inmorales. Uno de los cuentos que le encantaba repetir trataba de una presunta «reina del subsidio», una mujer que supuestamente iba en Cadillac hasta la tienda de comestibles, utilizaba los cupones de comida federales para comprar naranjas y una botella de vodka, y se marchaba luego felizmente en su coche a emborracharse. Cuando los periodistas preguntaban, ni Reagan ni sus asesores eran capaces de facilitar el nombre de esa mujer ni ningún otro tipo de pruebas. Pero Reagan nunca dejaba que los hechos se interpusieran en el camino de una buena historia, especialmente si ésta venía bien a sus intereses políticos. Tenía la inquebrantable capacidad de creerse aquello que quería creer: que el gobierno del *apartheid* había eliminado la segregación en Sudáfrica, que en la lengua rusa no existe ningún término para la palabra «libertad», que él mismo nunca había intercambiado armas por rehenes en el escándalo Irán-Contra...

Los dos mandatos de Reagan como presidente acabaron en 1989. A mediados de los noventa, se sumió en el inescrutable infierno de la enfermedad de Alzheimer. Mientras escribo, en julio de 2002, se rumorea que el señor Reagan está tan próximo a su muerte que puede que ya haya fallecido para cuando se publiquen estas líneas. Pero, vivo o muerto, continúa siendo el político más influyente en la actualidad en Estados Unidos: el hombre cuya ideología antiEstado y proempresa privada sigue modelando los supuestos y las políticas que imperan en el Washington oficial. De hecho, es como si Reagan todavía fuera presidente, a la vista de lo poco que el país se ha desviado de su forma de ver las cosas desde que abandonó el cargo, especialmente en política interior. En 2001, la primera gran iniciativa de George W. Bush como presidente copió directamente la pieza central de la estrategia económica de Reagan: un amplio recorte fiscal cuyos beneficios iban a parar casi sin excepción a los ciudadanos más ricos de la nación. Aún más revelador resulta cómo Bill Clinton, a pesar de ser nominalmente demócrata, se dedicó durante sus dos mandatos como presidente a limitar el gasto social, desregular empresas, tomar medidas drásticas contra las prestaciones sociales y gobernar, en líneas generales, como un republicano (algo admitido, con envidia, por los mismos republicanos). Aparte de su propio oportunismo, el motivo de que Clinton apostatara de los principios tradicionales de su partido es que, como se explica a continuación, el legado de Reagan no le dejó otra opción.

Reagan ha sido sin duda el presidente más importante de los últimos treinta años y, posiblemente, el más importante desde Franklin Roosevelt. Si Roosevelt había inaugurado en los años treinta una nueva era en la historia estadounidense con las políticas del New Deal, que habían establecido un Estado del bienestar limitado, Reagan clausuró esa era atacando al Estado del bienestar y entregando las riendas nuevamente al mercado. Empezó por inutilizar programas específicos a base de recortes en el gasto, pero su mayor logro fue ideológico: desacreditó la idea misma de que el gobierno debe intervenir en la economía para ayudar a los pobres y a los desfavorecidos, regular el comportamiento empresarial o, en cualquier caso, velar por una concepción del interés público diferente de lo que sería la iniciativa privada incontrolada. Reagan se erigió en adalid de una versión del capitalismo en la que el papel que se reservaba el Estado a la hora de limar las asperezas del mercado (proporcionando cupones de comida, protegiendo el derecho de los trabajadores a organizarse para conseguir un mejor trato, impidiendo que las empresas engañaran a sus clientes y a sus inversores o que contaminaran el medio ambiente) se veía drásticamente reducido. Él insistía en que el Estado es la causa de los males de la sociedad, y los mercados, la solución: si dejamos en paz a los mercados, todos acabaremos mejorando nuestra situación. Aunque esa perspectiva ha empezado a verse nuevamente cuestionada gracias al escándalo de Enron, no ha cesado de dominar en los debates públicos y en la formulación de políticas en Estados Unidos. Puede que él ya se haya ido, pero seguimos viviendo en la era Reagan.

Las victorias que cimentaron el dominio de Reagan sobre la política americana se produjeron durante sus primeros seis meses en el cargo. Invocando el principio de «menos Estado», efectuó recortes en prácticamente todas las modalidades del gasto destinado a los estadounidenses pobres y de la clase trabajadora (incluidos los subsidios de desempleo, la formación ocupacional, los cupones de comida, la nutrición infantil y la vivienda subvencionada). Aumentó considerablemente el gasto militar (el principio de Estado limitado dejaba de ser válido frente a la amenaza soviética, según él mismo explicaba) a base de incrementos que, en cuatro años, duplicaron la financiación del Pentágono hasta alcanzar cerca de 300.000 millones de dólares anuales. Por último, redujo los impuestos un 10 % para todos los niveles de renta. Caracterizando estos recortes como «generales» se conseguía que parecieran justos, pero, en realidad, reportaban enormes ganancias caídas del cielo para los ricos, cuyas mayores rentas recibían así mayores reducciones fiscales. Al mismo tiempo, la tasa efectiva del impuesto de sociedades descendió desde el 33 hasta el 16 % y se establecieron normas sobre depreciación tan generosas que muchas compañías, incluida la anterior empresa del propio Reagan, General Electric, acabaron por no pagar ningún impuesto sobre sus rentas (algunas incluso recibieron reembolsos).

Los recortes fiscales fueron un golpe de genio involuntario de parte de Reagan, ya que blindaron para los años siguientes sus prioridades en política interior. ¿Por qué? Porque vaciaron la hacienda estadounidense de tal manera que incapacitaron a los sucesores de Reagan para restablecer el gasto social (aunque quisieran). Creer que el propio Reagan pretendía ese resultado (algo de lo que le han acusado algunos de sus críticos) sería atribuirle demasiada astucia maquiavélica; es más probable que él creyera realmente que sus recortes fiscales «por el lado de la oferta» desatarían un torrente de nuevas inversiones por parte de los ricos y de las empresas. Éstos, sin embargo, se gastaron el dinero en las especulaciones financieras y el consumo ostentoso tan característicos de los extravagantes años ochenta (una década en la que hubo el cuádruplo de fusiones empresariales que durante los setenta),[9] al tiempo que los ingresos perdidos se tra-

9. De la cuadruplicación de las fusiones empresariales en Estados Unidos en los años ochenta informa Holt en *The Reluctant Superpower*, págs. 222-223.

dujeron en los mayores déficit presupuestarios federales de la historia estadounidense. Con un Estado tan profundamente endeudado, cualquier esfuerzo por restablecer el gasto social se enfrentaba a una batalla imposible. Durante el resto de la presidencia de Reagan, los congresistas demócratas se limitaron fundamentalmente a bloquear posibles recortes adicionales. Obviamente, los demócratas habrían podido obtener fondos si se hubiera dado marcha atrás en el gasto militar y en los recortes fiscales, pero Reagan no quería ni oír hablar de ello y, dada la popularidad de la que gozaba, los demócratas tenían miedo de proponerlo.

Cuando Reagan dejó el cargo, en 1989, el déficit había crecido tanto que los mercados de bonos, dominados por republicanos, exigían algún tipo de medida. De ahí que George Bush se viera obligado a romper una promesa electoral para aumentar los impuestos, algo que liquidó sus posibilidades de reelección en 1992. Bill Clinton tomó el relevo en la batalla por la reducción del déficit (en privado, se quejaba de lo mucho que esto hacía que se pareciera a Herbert Hoover, el presidente republicano cuyas duras políticas fiscales habían contribuido a precipitar la Gran Depresión). La propuesta social más ambiciosa de Clinton fue la de implantar un sistema sanitario nacional en Estados Unidos, una iniciativa que se vio fatalmente comprometida (entre otras cosas) por su temor a desafiar el dogma de la era Reagan sobre la inviolabilidad de la iniciativa privada: las aseguradoras (no el Estado) eran las que se iban a hacer cargo del sistema sanitario de Clinton. Aparte de esto, en su primer mandato Clinton no promulgó ninguno de los programas sobre empleo, educación u otros contenidos sociales, que serían de esperar de un demócrata: sólo un aumento de las deducciones fiscales por rendimientos del trabajo, que implicó una disminución en los impuestos de las familias pobres y trabajadoras con hijos de una media de 540 dólares al año.[10]

En 1995, Clinton hizo oficial su adopción del legado ideológico de Reagan al declarar que «la era de las grandes administraciones

10. Los efectos del aumento de las deducciones fiscales por rendimientos del trabajo ordenado por Clinton fueron descritos por Robert McIntyre, de Citizens for Tax Justice [«Ciudadanos en defensa de la justicia fiscal»], de Washington, D. C., en una entrevista con el autor.

estatales se ha terminado». Algo después, ese mismo año, mostró un mínimo arresto de valor desafiando a los republicanos de Gingrich, que insistían en mantener cerrada la administración en plena batalla por el presupuesto federal. Pero cuando tuvo que afrontar la reelección en 1996, refrendó implícitamente la mala opinión que le merecían a Reagan las personas pobres (a las que consideraba unos parásitos indignos) firmando un proyecto de ley de «reforma» del sistema de prestaciones sociales que obligaría a millones de madres a buscar un puesto de trabajo, aunque no pudiesen permitirse una guardería para sus hijos. En su segundo mandato, siguió haciendo suyas las prioridades de Reagan por medio tanto de recortes fiscales sesgados a favor de los ricos como de una agresiva desregulación empresarial. Su vigilancia de las leyes antimonopolio fue aún más laxa que la de Reagan. Se mantuvo al margen mientras un número cada vez mayor de sectores económicos caía bajo el control de cada vez menos empresas. La educación fue la única área en la que sí que cumplió Clinton con los votantes de clase trabajadora, al aprobar deducciones fiscales que ayudaron a que unos diez millones de estadounidenses pudieran ir a la universidad. No obstante, al mismo tiempo que se enorgullecía del número de empleos que se estaban creando en Estados Unidos, hacía caso omiso del hecho de que la cuarta parte de los mismos recibía sueldos inferiores al umbral de pobreza. Rechazó todas las sugerencias que se le hicieron en el sentido de que luchara por un aumento significativo del salario mínimo interprofesional.

Al igual que Reagan en los ochenta, Clinton presidió una época, la de los noventa, que fue celebrada por su bonanza económica. Cierto es que, con Clinton, la economía creció: el «boom» de la alta tecnología fue real, la eficiencia que ésta hizo extensiva a toda la economía incrementó la productividad y generó riqueza, y parte de esa riqueza logró llegar hasta el nivel del trabajador medio. Pero la mayor parte fue capturada por las clases acomodadas: las brillantes cifras de crecimiento agregado ocultaron el ensanchamiento de la distancia entre ricos y pobres. «Los noventa han testimoniado una mayor polarización de la rentas en Estados Unidos que en ningún otro momento desde el final de la Segunda Guerra Mundial», escribía

Business Week.[11] Era el mercado bursátil el que impulsaba la economía en lugar de ser al revés, con lo cual las compañías se veían empujadas a «reajustarse», desprendiéndose de trabajadores y recortando costes para impresionar a los analistas de Wall Street. Incluso los trabajadores que tenían la fortuna de mantener sus puestos de trabajo veían como éstos eran convertidos en empleos a tiempo parcial que no daban derecho a ningún seguro médico ni pensión. Para millones de trabajadores pobres, disponer de un salario fijo no les garantizaba una vida aceptable. El hambre acechaba a los ciudadanos más pobres de la primera nación del mundo en producción de alimentos. En 2001 eran ya unos 31 millones de estadounidenses (casi uno de cada nueve ciudadanos) los que no estaban seguros de dónde iban a conseguir su siguiente comida.[12]

Por desgracia, la desigualdad tiene todos los visos de hacerse más profunda en los años venideros, porque la administración Bush y el Congreso continúan favoreciendo a los más ricos en sus políticas fiscal y de gasto, y porque la economía de Estados Unidos ya no genera suficientes empleos bien pagados como para sostener a una clase media estable. Cerca de la mitad de las reducciones fiscales ordenadas por Washington a principios de 2001 irán a parar al 4 % de mayores perceptores de renta; sólo el 14,7 % de los recortes beneficiarán al 60 % de los americanos con menores rentas. Mientras tanto, la delincuencia empresarial (el uso de información privilegiada, el engaño y el robo practicados por Enron y por quién sabe cuántas grandes empresas más) ha reducido a nada las reservas económicas y los ahorros que guardaban millones de americanos para su jubilación.

En cuanto a los pobres que quieran luchar por dejar de serlo, les deseo suerte, porque la van a necesitar. Citando datos de la oficina federal de estadísticas laborales [la United States Bureau of Labor Statistics], David Cohen informa de que el 46 % de empleos con una mayor proyección de crecimiento hasta 2005 en Estados Unidos (tra-

11. La cita del *Business Week* procede de una noticia de David Leonhardt, publicada el 17 de marzo de 1997.

12. Las estadísticas sobre el hambre aparecían en el *San Francisco Chronicle* del 14 de noviembre de 2001.

bajos como los de conserje, dependiente y camarero o camarera) están retribuidos con salarios por debajo del umbral de pobreza.[13] Muchos trabajadores optarán por tener un segundo o un tercer empleo para mantener a sus familias (una estrategia cada vez más común entre aquellos estadounidenses que tratan de retener sus sueños o identidades de clase media, pero una estrategia que, a la vez, deja aún menos tiempo a los miembros de las familias para estar juntos). Todo apunta a que la mayor pobreza y la mayor desigualdad irán acompañadas de un mayor estrés y aislamiento.

La invisibilidad del concepto de clase

Estados Unidos es hoy más desigual económicamente que nunca desde la Gran Depresión de 1929, y uno de los aspectos más intranquilizadores de ese problema es que, como sociedad, apenas nos damos cuenta de ello y, aún menos, hablamos de cómo ponerle remedio. En Europa y en Japón, hasta los incrementos de desigualdad de menor importancia atraen una amplia cobertura mediática y provocan debates entre los políticos, el clero y otros líderes de opinión, porque esas élites son conscientes de los peligros que esa desigualdad conlleva. Por el contrario, las élites que dominan los sistemas político, económico y mediático de América siguen adelante, en líneas generales, como si todo estuviera perfectamente (que sí que lo está en su caso concreto, pero me atrevería a decir que sólo a corto plazo).

Con todo lo alarmante que es una pobreza tan extendida en medio de una abundancia tan absoluta, la merma de la clase media es el aspecto que peores presagios augura de la desigualdad creciente en Estados Unidos. A lo largo de la historia mundial contemporánea, ha sido la existencia de una clase media segura (y la creencia entre las clases más bajas de que podían ascender e incorporarse a esa clase media) la que ha mantenido la estabilidad política y la paz social de las naciones. Las fuerzas empresariales y de la derecha que se hallan

13. La información de David Cohen acerca de los empleos del futuro se encuentra en *Chasing the Red, White, and Blue*, págs. 103-104.

detrás de esta creciente desigualdad en Estados Unidos están, pues, jugando con fuego. Pero viven cegadas por su propia ideología: el «fundamentalismo del mercado» —por utilizar el término del financiero George Soros—, una ideología tan rígida y tan integrista como el fundamentalismo islámico que condenan tan a menudo.

Los estadounidenses no lograremos hacer frente a nuestros problemas económicos hasta que podamos hablar honestamente sobre el sistema económico en el que vivimos. Desgraciadamente, hace mucho que a los americanos nos resulta imposible referirnos al capitalismo en otro tono que no sea de extrema adulación. De no hacerlo así, corremos el riesgo de ser tildados de radicales y de vernos expulsados de los debates mayoritarios. Véase el caso, por ejemplo, del análisis crítico de la globalización empresarial hecho por la periodista Naomi Klein en *No Logo*,* un éxito arrollador de ventas en Gran Bretaña y Canadá para el que no llegó a incluirse reseña alguna en los principales periódicos y revistas de Estados Unidos.

También la clase social es una realidad ampliamente tratada en Gran Bretaña y otros países capitalistas avanzados, pero tabú para los americanos. Es una cuestión que desagrada a nuestras élites por motivos evidentes; los demás hemos sido socializados para creer que, sencillamente, no existe. La expresión «conflicto de clases» sólo aparece en nuestros medios de comunicación cuando se la invoca para criticar las propuestas de aumento de impuestos a las empresas y a los ricos. El recorte de gastos en prestaciones sociales, la ampliación de las desgravaciones fiscales para las rentas más altas, el despido de millares de trabajadores... por lo que sea, estos ataques contra la mayoría no acomodada de Estados Unidos nunca llegan a ser calificados de «conflicto de clases».

«América es un lugar muy segregado y no sólo por las cuestiones raciales, sino también por las cuestiones de clase», decía Andy Kolker, codirector del documental *People Like Us*, en el programa de televisión *The Coffee House*, que se emite en el área de Washington, D. C. «En este país no hablamos de ello porque creemos que somos todos más o menos de clase media, que todos somos americanos.» Nues-

* Trad. cast.: *No logo: El poder de las marcas*, Barcelona, Paidós, 2001. (*N. del t.*)

tras raíces igualitarias contribuyen a esta miopía. Debido a que durante nuestro pasado nuestras relaciones de clase se producían en un mayor plano de igualdad, queremos seguir creyendo que la clase es irrelevante. La realidad, como bien saben muchas personas en todo el mundo, es que la clase social de un individuo determina de manera decisiva su vida y, en especial, sus perspectivas económicas.

«El factor más determinante de éxito (o de ausencia del mismo) de la gran mayoría de estadounidenses es la condición social en la que nacen y las oportunidades que la misma les brinda», le comentaba Jack Litzenberg (director del programa Pathways Out of Poverty de la Mott Foundation en Detroit) a David Cohen. «Lo de la igualdad es un mito. Lo de la movilidad social lo es cada vez más. Lo del Sueño Americano es un mito. Pero seguimos aferrándonos a esos mitos y ellos siguen definiendo quiénes somos.»[14]

La Guerra Fría terminó en 1989. ¿Estamos los estadounidenses preparados por fin para reconocer tanto los pros como los contras del capitalismo, en vez de regodearnos en la hagiografía que ha caracterizado la mayor parte de nuestro discurso sobre la iniciativa privada? El capitalismo tiene mucho de recomendable: no tiene igual a la hora de producir bienes, espolear la innovación y generar riqueza, como bien muestra la propia historia de Estados Unidos. No obstante, la codicia y la competencia que hacen funcionar el sistema tienden a incrementar las desigualdades sociales, y la incapacidad del mercado para valorar activos sociales como son la limpieza del aire y del agua suele traducirse en degradación medioambiental. Este tipo de consecuencias negativas explican por qué hasta los economistas más incondicionales del capitalismo han defendido históricamente algún tipo de papel intermediario para el Estado: sólo el Estado tiene poder suficiente para equilibrar los puntos fuertes y débiles del mercado, y para garantizar un terreno de juego igualado para todos los miembros de la sociedad, proveyéndola de un marco legal, de regulaciones a las empresas, de una política fiscal, de programas de prestaciones sociales, etc.

14. La cita de Litzenberg está extraída de Cohen, *Chasing the Red, White, and Blue*, pág. 79.

Las naciones pueden elegir dónde fijar el punto de equilibrio entre eficiencia económica y felicidad social. Uno de los motivos por los que el Estado del bienestar es tan limitado en Estados Unidos es la fuerte veta de ultraliberalismo que siempre ha caracterizado nuestro enfoque del capitalismo. Los americanos queremos disponer de libertad para hacernos con tanto dinero como podamos y no nos molesta que otros disfruten de esa misma oportunidad. Pero impera el principio del «sálvese quien pueda» y eso convierte a las demás personas en competidores, así que si se quedan atrás, es problema suyo. Por el contrario, casi todas las naciones capitalistas de Europa y Asia han optado por que el Estado tenga un papel más pronunciado a la hora de canalizar las energías del capitalismo y moderar sus excesos. Sólo Estados Unidos, por ejemplo, carece de un sistema sanitario nacional. La menor amplitud del Estado del bienestar estadounidense también ayuda a explicar por qué las calles de casi todas nuestras principales ciudades se ven atestadas de personas sin hogar, un panorama que desaparece en gran medida cuando se viaja a la Europa continental o a Japón. Como las naciones capitalistas de Europa y Asia gastan más en sanidad pública, educación y programas de empleo, la movilidad social de sus clases pobres y trabajadoras es actualmente mayor que la de las estadounidenses. Puede que esos países sacrifiquen algo de crecimiento económico a cambio de su mayor igualdad, y puede también que sus tasas de desempleo sean mayores, pero los niveles de pobreza son más bajos y la cohesión social, mayor.

La desigualdad que se apoderó de Estados Unidos en los años ochenta y noventa fue consecuencia directa de unas políticas públicas que dieron prioridad a las fuerzas del mercado por encima de todos los demás valores sociales. Por tanto, dicha desigualdad podría reducirse si se reorientara el papel del Estado en el capitalismo americano. A algunos estadounidenses esto puede sonarles a empresa quijotesca: hace años que nuestra cultura está saturada de fundamentalismo de mercado. Pero cuando nos referimos a cuestiones específicas, nos encontramos con que la mayoría de los americanos está a favor de aumentar el salario mínimo, quiere que se mantenga la Seguridad Social y aprueba la intervención estatal contra los reajustes y otras tácticas empresariales que ponen los beneficios de unos pocos adinerados por encima del bien de la comunidad general.[15]

Si los estadounidenses queremos que el Sueño Americano vuelva a hacerse realidad, tendremos que desafiar el fundamentalismo de mercado imperante actualmente en todas los rincones de nuestro país, empezando por nuestros representantes electos en Washington. Apartar a nuestros legisladores de una ideología que les ha reportado poder y financiación electoral no será fácil, pero es el momento oportuno para cambiar. Los recientes escándalos financieros evidencian los riesgos del capitalismo desregulado, y las abundantes pruebas de que George W. Bush, Dick Cheney y otros altos cargos de la administración han obtenido beneficios fabulosos mediante las mismas prácticas empresariales turbias que ahora denuncian hacen que les resulte más difícil bloquear una reforma auténtica. Lograr la justicia económica en Estados Unidos es un reto imponente, pero no más imponente que la orden dada por el mago de Oz a Dorothy y a sus compañeros para que le trajeran el palo de la escoba de la malvada Bruja del Oeste. Si somos capaces de recordar las lecciones de nuestro cuento de hadas nacional (cree en ti mismo, no abandones a tus amigos y lucha por lo que es justo), puede que ganemos el más americano de todos los premios: un final feliz.

15. Los sondeos que muestran el apoyo de los estadounidenses a los programas estatales de protección social aparecen citados en Hightower, *If the Gods Had Meant Us to Vote They Would Have Given Us Candidates*, pág. 416, y en *Lost in Washington: Finding the Way Back to Democracy in America*, de Barry M. Casper, Amherst, University of Massachusetts Press, 2000.

Capítulo 8

La tragedia de la democracia estadounidense

Aquel viejo alemán le estaba dando una clase de idiomas a Arturo cuando me acerqué para preguntarles dónde podía alquilar una bicicleta. Estaban sentados a la sombra, cerca de la entrada de un hotel en el campo, a una hora más o menos de La Habana. El anciano alemán escuchaba paciente, como alentando a su alumno, mientras Arturo se esforzaba por expresarse en la lengua de Goethe. El acento de Arturo era espantoso, pero su base gramatical era sólida, hasta el punto de que había logrado dominar la regla de colocar el verbo al final de la oración. Nada despreciable para alguien que estaba aprendiendo alemán solo y sin otro medio que un libro.

«Er spricht ja gut», intervine yo. Arturo se ruborizó al oírme elogiar sus esfuerzos. El viejo alemán coincidió conmigo, pero al empezar a charlar se dio cuenta por mi acento de que yo tampoco era alemán. Me preguntó de dónde era y cuando respondí, me repuso al instante: «Bueno, ¿y tienen ya un nuevo presidente?».

Era el 12 de noviembre de 2000. Las elecciones presidenciales estadounidenses se habían celebrado cinco días antes y seguía sin estar claro quién sería el vencedor, George W. Bush o Al Gore. Yo no había podido encontrar ningún diario occidental en Cuba, pero seguía obsesivamente la CNN en los hoteles donde disponían de la señal. A cada día que pasaba, parecía alejarse más la posibilidad de un resultado definitivo.

«Aún no lo saben», respondí. «Depende de quién gane en Florida y la votación allí está hecha un lío.»

Al ver que Arturo estaba teniendo problemas para seguir la conversación en alemán, el viejo cambió al inglés. «¡Pero es que es increíble!», exclamó. «Estados Unidos tiene tecnología moderna. ¿Cómo no lo pueden saber?» En su voz se dejó sentir cierto tono de recriminación cuando añadió: «Nosotros también queremos saber quién será el presidente; también tendremos que vivir con sus decisiones».

«¿Es cierto que el hermano de Bush dirige el gobierno en Florida?», interpuso Arturo.

«Sí, es el gobernador.»

«O sea que Bush ganará en Florida, ¿no?»

«Bueno, se supone que no funciona así la cosa», dije. «Pero puede ser.»

«Pues claro que ganará Bush», dijo Arturo. «Su hermano no le puede dejar perder. He oído en las noticias que Al Gore consiguió más votos en el conjunto del país, pero que si pierde Florida, Bush se convierte en presidente. ¿Es verdad eso?»

«Sí», dije. «Es algo complicado.» Suspiré al pensar en cómo podía explicar las complejidades del funcionamiento del Colegio Electoral. Una sonrisa pícara brilló en el rostro de Arturo.

«Parece que ustedes, en Estados Unidos, están teniendo problemas con su democracia», dijo. «Igual Cuba debería enviarles observadores electorales la próxima vez.»

Ya había leído ese chiste un par de días antes en *La prensa*, el diario del Partido Comunista de Cuba, pero Arturo lo había explicado con gracia y yo sonreí, un tanto avergonzado. Al viejo alemán la ocurrencia le había parecido increíblemente divertida. «Sí, buena idea», dijo entre carcajadas, agitando la barriga al reírse. «Cuba debe ayudar a Estados Unidos en materia de democracia. Observadores electorales. Qué gran idea.»

Las elecciones presidenciales estadounidenses son siempre una gran noticia en el resto de países, pero ningunas habían captado tanto la atención del mundo como estas últimas. La contienda de 2000 (o, mejor dicho, su indigna secuela en Florida) no sólo proporcionó a los extranjeros la oportunidad de reírse a costa de Estados Unidos, sino que dio pie a una especie de drama cuyos vericuetos diarios resultaban tan apasionantes como los de cualquier telenovela.

«Lo seguí muy de cerca», me comentó más tarde en Amsterdam Michiel Lingeman, un ejecutivo de la industria automovilística, de

36 años, que se sonreía al recordarlo. «Me lo pasé realmente bien. Leía los periódicos todos los días, veía las noticias, miraba por Internet las últimas novedades. Nunca sabías qué iba a pasar a continuación. ¿Quién va ganando hoy? ¿Quién recurre a los tribunales? ¿Qué dirán los jueces esta vez? En mi empresa, yo diría que estos comicios suyos fueron el tema de conversación de todo el mundo a la hora del almuerzo durante, al menos, dos semanas.»

En otros países gozaban de cierta ventaja a la hora de interpretar las elecciones. Su distancia de los acontecimientos hacía más fácil que los árboles no les impidieran ver el bosque. Sus pasiones partidistas eran menos comprometidas y no era su orgullo nacional el que estaba en juego. Se sentían libres de reírse de todo aquel absurdo. Cuando los sudamericanos y los europeos se enteraron de que Al Gore había recibido aproximadamente 500.000 votos más que George Bush en todo el país, se preguntaron qué clase de democracia era aquella que hacía caso omiso del principio mayoritario. Cuando los periodistas extranjeros informaron de que el gobernador de Florida era el hermano de Bush y de que la máxima autoridad electoral del estado había codirigido allí la campaña del candidato republicano, no se sintieron obligados a adoptar un tono neutral como el que era característico de las informaciones en Estados Unidos: sospecharon desde un principio que aquello iba a estar amañado. Y la sospecha creció cuando el Tribunal Supremo de Estados Unidos, dominado por los republicanos, votó por 5 a 4 a favor de paralizar el recuento de votos en Florida y garantizó así la victoria de Bush. «Una mancha de ilegitimidad pende sobre la investidura de Bush», opinaba el *Hindustan Times* de la India.

El espectáculo de ver cómo la democracia más orgullosa del mundo metía la pata de esa manera en su ritual político más fundamental produjo una tremenda impresión en otros países; tremenda, pero no del todo desagradable. Durante años, los aires de superioridad moral de Estados Unidos habían chirriado en los oídos de los no estadounidenses. La insistencia norteamericana en que sólo este país podía ser el árbitro que decidiese en cualquier parte del mundo cuáles eran los procedimientos democráticos correctos y cuáles no, había obligado desde hacía tiempo a otras naciones a obedecer las órdenes de

Washington (y a callar acerca de su doble rasero) a fin de mantenerse en el bando de los que para el imperio eran los «buenos». La humillación de Florida estaba ahora dándole su merecido al «bravucón fanfarrón». El *Mail & Guardian* de Sudáfrica editorializaba con ironía: «Dice muy poco de nuestro continente el no haber estado al lado de nuestros hermanos y hermanas americanos cuando más lo necesitaban, para ayudarles y darles consejo en lo que pudiéramos, del mismo modo que ellos lo hacen cuando se acercan nuestras elecciones. (...) Con anterioridad al inicio de los comicios propiamente dichos, deberíamos haber celebrado seminarios en los principales centros rurales, donde habríamos explicado los diversos modelos de democracia, incluyendo el pequeño detalle de que es "el pueblo" el que se supone que ha de gobernar, y no "el Colegio Electoral"».[1]

Así pues, las elecciones de 2000 evidenciaron otro dato bochornoso acerca de Estados Unidos del que los americanos no hablamos, pero que las personas de otros países conocen de sobra: el hombre que ocupa actualmente el Despacho Oval no fue elegido presidente. George W. Bush fue nombrado presidente, cierto, pero sólo tras una tragicomedia de errores que convirtieron a Estados Unidos en el hazmerreír del mundo y que despojaron el resultado de toda respetabilidad. Pero ni siquiera los extranjeros llegan a menudo a darse cuenta de lo corrupta que fue aquella elección: el escándalo no se redujo a unas papeletas confusas ni a la manía —muy estadounidense— de reducir cuestiones de principio a tecnicismos legales. En aquel momento, los hechos se sucedían con tal rapidez y desorientación que ni el mejor periodismo pudo adquirir la perspectiva necesaria para transmitir la historia en su integridad. Ahora las aguas se han calmado y ha ido apareciendo información desconocida o ignorada durante la propia crisis. Sólo por poner un ejemplo: Patrick Buchanan, el candidato derechista, ha admitido (ante la más absoluta indiferencia de los medios informativos estadounidenses) que un recuento honesto de los votos que se le concedieron a él en Florida habría asignado esos votos (y, por tanto, la presidencia) a Al Gore.

1. Los comentarios del *Hindustan Times* y del *Mail & Guardian* están reimpresos en *Jews for Buchanan*, de John Nichols, Nueva York, New Press, 2001, pág. 24.

¿Las elecciones de 2000 fueron sólo de chiste o pudieron ser, además, constitutivas de delito? Algunos de los fallos que dieron al traste con la integridad de las elecciones fueron de tipo mecánico (máquinas de votar de mala calidad), otros fueron de procedimiento (las prisas de los medios de comunicación por designar un vencedor antes de que todos los votos se hubieran contado), pero los mayores fallos fueron de tipo legal y moral. Las pruebas no son definitivas, pero hay abundante constancia de que, en efecto, el equipo electoral de Bush robó la votación en Florida. Igual de alarmante es el *modo* en el que parece que fue robada: mediante medidas oficiales destinadas a privar a los ciudadanos negros de su derecho a voto. No hace ni cuarenta años que los negros estadounidenses eran golpeados salvajemente por manifestarse pacíficamente reclamando su derecho a votar. Si sus derechos fueron realmente vulnerados por funcionarios del estado de Florida, confabulados con el equipo electoral de Bush, tenemos ante nosotros un signo vergonzoso de que Estados Unidos no ha superado todavía el legado de racismo que se remonta a la fundación de nuestra nación.

Es comprensible que los estadounidenses tratemos de eludir un análisis directo de las elecciones de 2000. Lo hecho, hecho está; George W. Bush es el presidente y, en época de guerra, es esencial mantener la unidad en torno al comandante en jefe. Pero es peligroso ignorar la verdad acerca de algo tan importante como unas elecciones presidenciales, especialmente porque las lecciones que se extraen de las últimas ilustran una crisis más profunda en nuestro sistema político. La historia completa de las elecciones de 2000 revela lo restringida que tienen los votantes estadounidenses su libertad de elección, el mal servicio que nos proporcionan los medios de comunicación dominantes, lo parcial que es nuestro terreno de juego ideológico (tenemos una derecha acérrima, dos partidos centristas y ninguna izquierda real), lo controlado que está el proceso por parte de una clase gobernante consolidada de políticos que se aferran a sus cargos y de financieros acaudalados... En resumen, revela lo peligrosa e incoherente que resulta a menudo nuestra práctica democrática. Parafraseando a Shakespeare, las elecciones de 2000 sugieren que algo huele a podrido no sólo en el estado de Florida, sino en el conjunto de nuestra amada república. Y para poder arreglar el problema, antes hay que afrontarlo.

Los judíos, con Buchanan

A los estadounidenses nos resulta difícil captar lo que realmente ocurrió durante las elecciones de 2000 porque los medios que supuestamente deben informarnos formaron parte sustancial del problema. Sus errores fueron un buen ejemplo de lo que puede suceder cuando las empresas propietarias elevan el negocio y el conformismo político por encima de la responsabilidad cívica y los criterios profesionales. La noche de las elecciones, las cadenas de televisión se humillaron a sí mismas al proclamar primero a Gore, luego a nadie y más tarde a Bush, ganadores en Florida. Sólo se pusieron de acuerdo en proclamar a Bush cuando la cadena Fox News lo declaró presidente electo a las 2:16 de la madrugada siguiente. Fox, una cadena que hacía gala de un derechismo estridente y cuya unidad electoral estaba encabezada por John Ellis, primo de Bush, basaba su apreciación en un análisis de sondeos a pie de urna que resultaron ser poco fiables. Pero las otras cadenas televisivas no fueron capaces de corroborar ese análisis por su cuenta, porque tras años de recorte en el gasto se habían quedado sin suficientes reporteros sobre el terreno en Florida, así que secundaron con entusiasmo el anuncio de la Fox.

La trascendencia política del apresuramiento de las cadenas por pronunciarse fue enorme, ya que provocó la impresión —a la postre, crucial— de que Bush había ganado las elecciones y Gore era el mal perdedor que pedía un recuento.[2] Durante los demás treinta y seis días de aquella crisis, el equipo electoral de Bush explotó esa impresión afirmando que el recuento era un modo de hacer trampa. Ese

2. El análisis sobre la actuación de los medios de comunicación está basado en Nichols, *Jews for Buchanan*, así como en artículos aparecidos en el *Brill's Content* de febrero de 2001, la *Columbia Journalism Review* de enero-febrero de 2001, y las audiencias ante el Comité de Energía y Comercio de la Cámara de Representantes de los Estados Unidos a propósito de la «Cobertura dispensada por las cadenas a la noche electoral de 2000», celebradas el 14 de febrero de 2000.

esfuerzo recibió la inconmensurable ayuda de Katherine Harris, codirectora de la campaña de Bush en Florida, quien, en su calidad de secretaria de Estado, se negó repetidamente a autorizar un recuento completo (o a inhibirse reconociendo el evidente conflicto de intereses que la afectaba). Lejos de arremeter contra el posicionamiento antidemocrático del equipo electoral de Bush, los medios informativos lo reforzaron, reproduciendo el absurdo argumento de que un recuento manual de los votos acabaría arrojando resultados inexactos e instando a Gore a admitir su derrota si no quería poner en peligro la estabilidad nacional.

La cuestión del recuento de votos saltó a la palestra el día después de las elecciones, cuando los judíos jubilados que conforman la mayoría de residentes del condado de Palm Beach se enteraron de que su circunscripción de demócratas liberales había concedido al derechista Pat Buchanan el mayor porcentaje de votos en todo el estado. Se quejaron de que la llamada papeleta «mariposa» los había confundido. Meses después, en una entrevista para *Jews for Buchanan*, un libro de John Nichols indispensable para entender la debacle de Florida, Buchanan coincidía con ellos. Estaba claro, dijo, que «los votantes de Gore que acudieron a las urnas el 7 de noviembre en Florida fueron más que los votantes de Bush. Si los resultados hubieran reflejado el sentir real de las personas que votaron, Al Gore habría ganado en Florida, lo cual significa que habría contado con la mayoría en el Colegio Electoral y que sería presidente en la actualidad».[3]

Si en su momento Buchanan hubiese defendido esa posición con mayor vehemencia, la historia política estadounidense podría haber sido diferente: puede que los medios hubieran asumido la idea de que Al Gore era el engañado y no el tramposo, y que se hubieran adoptado las medidas necesarias para rectificar el recuento erróneo en el condado de Palm Beach. El número de votos en cuestión era de aproximadamente 8.000 (muy por encima del margen de victoria de Bush: 537). Y, a decir verdad, Buchanan intentó una vez poner las cosas en su sitio. Dos días después de las elecciones, apareció en una

3. Las citas de Buchanan se encuentran en Nichols, *Jews for Buchanan*, págs. 79-90, sobre todo, la pág. 90.

televisión nacional y tuvo la honradez suficiente de reconocer que la mayoría de los votos del condado de Palm Beach no le pertenecían. Pero sus compañeros republicanos lanzaron un feroz ataque en su contra, acusándolo de supuesta deslealtad, ante lo cual, él optó por callarse.

Y había también una cuestión racial. Los negros chocaron en Florida contra una discriminación que redujo drásticamente su cantidad total de votos. Según Allan J. Lichtman, profesor en la American University de Washington, D. C., que analizó la votación en Florida para la Comisión Federal de Derechos Civiles, «aproximadamente uno de cada siete u ocho afroamericanos de todo el estado de Florida que acudieron a votar en las elecciones presidenciales vieron sus votos invalidados». Esta tasa de rechazo, señala Lichtman, fue un 10 % más elevada que entre los blancos, aun después de tener en cuenta las diferencias en nivel educativo, en renta o en proporción de personas que votaban por primera vez. Si las dos razas hubiesen recibido un trato igualitario, añade, «en las elecciones se habrían contado más de 60.000 votos adicionales emitidos por votantes negros».[4] Como el 93 % del voto negro registrado en Florida fue para Al Gore, lo lógico es que Gore hubiera recibido unos 54.000 votos más, lo cual le habría concedido una victoria clara sobre Bush.

Es cierto que, en parte, se contaron menos votos de votantes negros porque las circunscripciones con mayoría de población negra (o pobre) solían tener máquinas de votar anticuadas que fallaban más a menudo. Pero hay otro problema más alarmante: al parecer, los funcionarios de Florida eliminaron selectivamente a votantes negros de las listas electorales estatales antes de que se celebraran las elecciones. Según reveló el periodista británico Gregory Palast, la administración de Jeb Bush, gobernador de Florida, emprendió una depuración agresiva del censo electoral del estado en 1999 y 2000. En teoría, se trataba de una operación legal para eliminar los nombres de aquellos votantes que ya habían fallecido, que aparecían repetidos o que estaban condenados por delitos graves. En la práctica, privó a

4. Los comentarios de Lichtman aparecieron en un artículo que publicó en el *Baltimore Sun* del 5 de marzo de 2002.

miles de negros de su derecho al voto sin que, *a priori*, existiera ningún impedimento legal para que pudieran ejercer tal derecho. (Vale la pena apuntar que Palast desveló su información en el diario *The Observer* y en la cadena de televisión BBC durante la crisis del recuento, pero no logró que se la publicaran en Estados Unidos hasta ocho meses más tarde.)[5]

Y se produjeron más formas de discriminación racial. Muchos negros testificaron más tarde que los funcionarios no les permitieron votar porque les dijeron que sus nombres no aparecían en las listas. Stacy Powers, periodista radiofónica en Tampa que se pasó la jornada electoral observando diversas mesas electorales, estimaba que habían sido «millares» los votantes rechazados. También se informó de casos de intimidación física y de policías que habían instalado controles de carretera y habían acosado a los negros que iban camino de los colegios electorales.

Esa clase de mano dura había sido habitual en todo el Sur estadounidense antes de la era de los derechos civiles. Por ejemplo, en 1964, un agresivo abogado blanco estuvo intimidando a numerosos ciudadanos no blancos que intentaban votar en Phoenix, Arizona, según testigos entrevistados años después por el *Pittsburgh Post-Gazette*. Uno de los testigos, Lito Pena, quien posteriormente llegó a ser miembro del legislativo de Arizona durante treinta años, explicaba cómo aquel abogado blanco había exigido a los ciudadanos no blancos que respondieran a múltiples preguntas personales y que demostraran su dominio del inglés interpretando un pasaje de la Constitución de los Estados Unidos antes de permitirles votar. El abogado blanco en cuestión se llamaba William Rehnquist.[6]

Treinta y seis años después, Rehnquist fue el presidente del Tribunal Supremo de los Estados Unidos que decidió con su voto (el quinto frente a la minoría de cuatro) prohibir el recuento de votos en Florida. No era el único que enfocaba el caso desde una óptica

5. Lo dicho acerca de la purga de las listas electorales y del acoso sufrido por los negros el día de las elecciones se basa en Nichols, *Jews for Buchanan*, págs. 27-58, y en el libro de Palast, *The Best Democracy Money Can Buy*, Londres, Pluto Press, 2002.

6. La noticia del *Pittsburgh Post-Gazette* apareció el 2 de diciembre de 2000.

tendenciosa. Los jueces Clarence Thomas y Antonin Scalia tenían conflictos de intereses directos. La esposa de Thomas era asesora de la campaña de Bush; dos hijos de Scalia trabajaban en bufetes de abogados que representaban a Bush en la batalla legal de Florida.[7] Sin embargo, ninguno de estos jueces se inhibió del caso. Al contrario, se unieron a la precaria mayoría que dictó un fallo condenado casi universalmente por su intervencionismo partidista y mezquino en el proceso político. Del tono del dictamen da buena muestra el modo en el que Scalia explicaba por qué el recuento era inaceptable: un recuento podría «arrojar un halo de sospecha sobre la legitimidad que [Bush] reclama para su elección», como si el mero hecho de que Bush afirmara merecer la presidencia fuese ya suficiente para dirimir la cuestión.

Pero bien está lo que bien acaba. Al menos ésa fue la conclusión final de los medios estadounidenses a propósito de las elecciones de 2000. Un año después de lo ocurrido, un consorcio de grandes diarios y estadísticos profesionales que había analizado todos los votos no recontados en Florida hizo públicas sus conclusiones. La noticia mereció titulares de portada en todo el país, en los que se decía que el Tribunal Supremo, por citar el *New York Times*, «no había emitido el voto decisivo» después de todo: si el Tribunal no hubiese frenado el recuento, Bush también habría ganado las elecciones por un estrecho margen.[8] Sólo quienes se tomaron la molestia de leer la noticia al completo llegaron a apreciar que la conclusión recogida en el titular interpretaba las pruebas de manera injusta. El recuento del que hablaba el *Times* habría incluido sólo 60.000 de los 175.010 votos no recontados en Florida. Habría excluido las papeletas con más de una opción marcada (incluidas las cerca de 8.000 papeletas «mariposa» que Gore perdió a favor de Buchanan en el condado de Palm Beach, así como otros 7.000 votos similarmente erróneos en el condado de Duval) sobre la base de que las papeletas que contenían dos votos no podían ser atribuidas a ningún candidato. Se recogía (en ar-

7. Los conflictos de intereses de los jueces Thomas y Scalia están expuestos con detalle en Nichols, *Jews for Buchanan*, págs. 205-209.

8. La noticia del *New York Times* apareció el 12 de noviembre de 2001.

tículos perdidos en las páginas interiores de los periódicos) el desproporcionado rechazo de votos negros, pero no las prácticas discriminatorias que lo habían provocado. El mensaje general de esas informaciones, que aparecieron dos meses después de los ataques del 11 de septiembre, era que, después de todo, el hombre que había acabado ocupando la Casa Blanca era el hombre correcto.

«¿Se diferencian ustedes en *algo*?»

En medio de toda la parafernalia sobre quién había ganado en Florida se había perdido de vista el hecho de que la mayoría de estadounidenses no querían ni a Bush ni a Gore como presidente. Sólo el 51 % de los electores con derecho a voto en el país se molestaron en votar en 2000, y dado que Buchanan y Ralph Nader consiguieron el 3 % de los votos entre los dos, Bush y Gore se quedaron con el apoyo de sólo una cuarta parte del electorado cada uno. Esto se ha vuelto un hecho ya habitual en el Estados Unidos contemporáneo. Bill Clinton consiguió la reelección en 1996 gracias a la fuerza de los votos de sólo el 24 % del electorado. Reagan logró sólo el 27 % en 1980, aunque, eso sí, los medios afirmaron que había obtenido una «victoria aplastante» y un «claro mandato» de los electores simplemente porque infligió un serio varapalo a Carter en el Colegio Electoral. Pero ¿se pueden aplicar términos como «aplastante» o «mandato claro», que implican un apoyo popular masivo, cuando la mitad del electorado renuncia a votar?

¿En qué lugar deja a la democracia estadounidense el hecho de que tantos de nuestros ciudadanos opten sistemáticamente por no participar en la selección de los dirigentes de la nación? Nuestros niveles de participación electoral son reiteradamente más bajos que los de la mayoría de democracias capitalistas avanzadas. Si medimos todas las elecciones entre 1945 y 1998, Estados Unidos ocupa el puesto número 114 del mundo en participación electoral: sólo el 48,3 % de nuestro electorado acude a las urnas. Italia ocupa el primer lugar con el 92,5 %. Bélgica, Holanda, Suecia, Nueva Zelanda, Australia y Alemania están todas por encima del 80 %, mientras que

España tiene una media del 77 %, la del Reino Unido es del 74,9 %, la de Japón, del 69 %, la de Francia, del 67 %, y la de la India, del 61 %.[9]

Lo fácil (y correcto) es decir que todo el mundo debería votar: en una democracia, la ciudadanía conlleva tanto responsabilidades como derechos. Pero tampoco cuesta mucho darse cuenta de por qué hay tantos estadounidenses que no lo hacen: las opciones reales que les ofrecen los candidatos son mínimas y el proceso político (un sórdido aunque aburrido espectáculo dirigido por y para la élite política de Washington, los chacales mediáticos que informan sobre la misma y los adinerados intereses que lo financian) parece irremisiblemente alejado de sus propias vidas.

Jim Hightower, el populista tejano, satirizaba acerca del estado de la democracia estadounidense en el título de su reciente libro, *If the Gods Had Meant Us to Vote They Would Have Given Us Candidates* [*Si los dioses hubieran querido que votáramos, nos habrían dado candidatos*]. Lo cierto es que en Estados Unidos es difícil distinguir a la mayoría de candidatos entre sí. Tanto si son demócratas como republicanos, suelen diferir muy poco acerca de cada tema en concreto y compensan habitualmente esa similitud en el plano retórico, ya sea manifestando su apoyo a las «familias trabajadoras» o abogando por conceptos con gancho, como el «conservadurismo compasivo» o cualquier otro que les recomienden sus asesores. Al mismo tiempo, los medios de comunicación, que son la fuente de información acerca de los candidatos para la mayoría de votantes, están obsesionados con los procesos y las personalidades (¿quién va por delante?, ¿cómo es *de verdad* el candidato?), y asumen que las cuestiones sustantivas son aburridas y poco rentables. Las televisiones locales han dejado por entero de cubrir las campañas electorales, como no sea para emitir anuncios de medio minuto: auténticos insultos a la verdad en los que los candidatos se atacan unos a otros, pero que reportan grandes sumas de dinero a los canales emisores (500 millones de dólares duran-

9. Los datos sobre participación electoral provienen del informe «Voter Turnout Since 1945 – A Global Report», del Instituto Internacional para la Democracia y la Asistencia Electoral de Estocolmo; véase <www.idea.int/vt/survey/voter_turnout2.cfm>.

te las elecciones al Congreso de 1998).[10] El precio astronómico de los anuncios es el motivo principal por el que cuestan tanto las campañas, algo que, a su vez, explica por qué los candidatos dedican la mayor parte de su tiempo a pedir dinero a patrocinadores ricos en vez de hablar con los votantes reales. Teniendo en cuenta el modo en el que los votantes son ignorados, tratados con condescendencia, manipulados y engañados durante las elecciones, asombra que la mitad del electorado estadounidense se moleste aún en acudir a votar.

Antes de que la debacle de Florida le inyectase algo de dramatismo, la elección entre Al Gore y George W. Bush había sido ampliamente ridiculizada por ser la menos estimulante en años. Ralph Nader exageraba cuando afirmaba que no existía diferencia alguna entre Bush y Gore: divergían significativamente en cuestiones como el aborto, el control de armas y el medio ambiente. Pero tenía razón en lo básico, especialmente en las cuestiones económicas. Los propios candidatos lo demostraron durante el segundo debate de la campaña de 2000. Respuesta tras respuesta, Bush y Gore sonaron tan parecidos que llegó un momento en el que el entrevistador, el habitualmente afable periodista de la televisión pública Jim Lehrer, preguntó exasperado: «¿Se diferencian ustedes *en algo*?». Obviamente, Bush y Gore estaban intentando atraerse aquella noche a los llamados votantes indecisos y de ahí que se estuvieran ciñendo al centro más que nunca. Pero tampoco difirieron especialmente durante el resto de la campaña y uno de los motivos para ello era que dependían de la misma élite adinerada para la financiación de la misma. (Bush había recaudado 191 millones de dólares para la campaña de 2000, más que ningún otro candidato en la historia. Gore se conformó con «sólo» 133 millones.)[11]

La capacidad de recaudación de fondos es actualmente la cualificación más importante que puede tener un aspirante a la elección para un alto cargo en Estados Unidos. Mucho antes de que los vo-

10. La cifra de 500 millones de dólares se basa en estimaciones del sector y está recogida en McChesney, *Rich Media, Poor Democracy*, pág. 263.

11. Las cifras de la financiación de las campañas de 2000 de Bush y Gore están disponibles en el Center for Responsive Politics, <www.opensecrets.org>.

tantes reales puedan tener la oportunidad de optar por un candidato en las elecciones primarias, los aspirantes deben pasar una especie de «primarias económicas»: una competición en la que han de demostrar la habilidad recaudadora de cada uno de ellos. Si un candidato no demuestra tener capacidad de influencia para recolectar dinero, los medios no se toman en serio sus posibilidades y, consiguientemente, le retiran la cobertura informativa que necesita para darse a conocer entre sus votantes. Obviamente, para hacerse con fondos, el candidato debe convencer a los potenciales donantes de que es merecedor o merecedora de su apoyo. Esto otorga un enorme poder político a los individuos más ricos del país. El 4 % más rico de la población proporciona casi el cien por cien de todas las contribuciones personales a las campañas. No se trata de personas que mantengan puntos de vista monolíticos, pero tienden a respaldar aquellas políticas que preservan sus propios privilegios, como pueden ser las reducciones fiscales para los tramos de renta más altos o un trato favorable a las empresas en las regulaciones estatales. Las contribuciones no personales provienen de sindicatos y empresas. Dado que las contribuciones empresariales superan a las sindicales en una proporción de siete a uno, parece evidente que los sectores más pudientes mantienen una ventaja aplastante.[12]

En esas condiciones, ¿se sorprende alguien de que la mayoría de candidatos se abstenga de adoptar posturas que puedan desagradar a la clase donante? Al igual que los republicanos y los demócratas en general, las perspectivas de Bush y de Gore en cuestiones económicas evidenciaban mayores simpatías por las grandes compañías y las clases acomodadas que por el 80 % restante (el más pobre) de la población. Ninguno de los candidatos criticó los subsidios estatales a las grandes corporaciones empresariales —una sangría de miles de millones de dólares anuales para la hacienda federal— que se conceden, sobre todo, a través de presupuestos militares desproporciona-

12. Que el 4 % de estadounidenses más ricos proporcionan casi todas las contribuciones personales a la campaña y que las empresas superan a los sindicatos por siete a uno son datos de los que se informa en un libro indispensable: *The Buying of the President 2000*, de Charles Lewis y el Center for Public Integrity, Nueva York, Avon Books, 2000, págs. 11 y 28.

damente inflados. (Los empleados del Pentágono, por ejemplo, han pagado con ellos a prostitutas para su servicio personal o aumentos de pecho para sus novias.)[13] Los dos daban su apoyo a la Organización Mundial del Comercio y a otros mecanismos del denominado libre comercio que aumentan los beneficios para las compañías globales, pero comportan desempleo y salarios más bajos para los trabajadores. Y a juzgar por su silencio al respecto, a ambos candidatos se les hacía tan inimaginable la idea de aumentar el salario mínimo interprofesional como la de hacer que las grandes empresas y los ricos paguen los impuestos que en justicia les corresponden.

La corrupción del sistema actual infecta tanto el Congreso como la Casa Blanca, y a demócratas y republicanos por igual. Bill Clinton era el rey de la recaudación de «dinero blando», así llamado porque, a diferencia del «dinero duro», era desgravable. Como todo el mundo sabía (salvo, aparentemente, su propia fiscal general), Clinton, con la ayuda de Gore, incumplió reiteradamente la ley al celebrar meriendas en la Casa Blanca y alquilar el Dormitorio Lincoln a ciertas personas con el fin de recaudar fondos electorales. Pero son los republicanos los que se han resistido con mayor firmeza a la reforma de la financiación electoral, quizá porque recaudan casi el doble de dinero que los demócratas con el sistema actualmente en vigor. La prueba de lo extendida que está la mancha vino inmediatamente después de la caída de la compañía energética Enron, la mayor contribuyente individual a la carrera política de George W. Bush. Programar las sesiones de investigación sobre la quiebra de la compañía en el Congreso resultó especialmente delicado, puesto que no tardó en descubrirse que casi todos los congresistas que eran miembros de los comités competentes en la materia habían recibido anteriormente donativos de la empresa.

Las grandes sumas de dinero también distorsionan la democracia estadounidense de otro modo: fortalecen el dominio electoral de los

13. Las compras por parte de empleados del Pentágono de servicios de prostitución y aumento de pechos fueron desveladas en un informe de la Oficina General de Cuentas publicado el 17 de julio de 2002, procedente de audiencias celebradas ante el Subcomité de Eficiencia, Gestión Financiera y Relaciones Intergubernamentales de la Cámara de Representantes.

políticos que se presentan a la reelección. Los donantes prefieren dar su dinero a políticos actualmente en el cargo porque suponen una inversión más segura: disponen ya de la capacidad de decisión necesaria para votar favorablemente a sus intereses, redactar leyes, instar a que la burocracia actúe, etc. Los congresistas en ejercicio recaudan diez veces más dinero que los aspirantes, algo que les confiere una ventaja casi infranqueable en época de elecciones. Micah Sifry informa en *Spoiling for a Fight: Third-Party Politics in America* que en 2000, el 98 % de los miembros en ejercicio de la Cámara de Representantes consiguió la reelección (en 1998, la había conseguido el 99 %). «En años recientes, se ha vuelto más probable que un miembro en ejercicio de la Cámara muera en el cargo que no que sea derrotado por un aspirante de su propio partido», añade Sifry. Y las probabilidades son aún más injustas a nivel estatal. La mayoría de los estadounidenses viven en circunscripciones que, en la práctica, constituyen feudos monopartidistas.

Los políticos en el cargo y los grandes partidos son los que (cerrando el círculo de la corrupción) redactan las normas de competición política que impiden que los aspirantes puedan derrotarlos en igualdad de condiciones. La práctica del «*gerrymandering*» (consistente en confeccionar distritos con electorados a medida para ayudar a la reelección del actual ocupante del cargo) garantiza que demócratas y republicanos se aseguren escaños por igual siguiendo más o menos el mismo mecanismo por el que las grandes empresas que pactan precios se reparten el mercado para disparar los beneficios. No menos interesada fue la exclusión de Nader y de Buchanan de los debates presidenciales de 2000 por parte de los demócratas y los republicanos. Esos debates televisados a toda la nación fueron el único contacto prolongado y sin filtros que tuvieron la mayoría de ciudadanos con los candidatos. Los sondeos evidenciaron que la mayoría de estadounidenses quería que los candidatos de los pequeños partidos fueran incluidos, quizá con la esperanza de forzar un mínimo de brío y de diversidad en el debate.[14] Pero triunfaron los manejos de demó-

14. Entre los sondeos que mostraban el respaldo público a la inclusión de Buchanan y Nader en los debates presidenciales de 2000 se encuentra el de James Zogby, publicado el 11 de abril de 2000.

cratas y republicanos. La exclusión de Nader y Buchanan no llegó siquiera a ser motivo de polémica porque los medios de comunicación coincidieron en que ninguno de los dos tenía por qué estar allí, y ahí se acabó todo.

Por qué Estados Unidos no tiene una izquierda política

No tiene nada de malo que Estados Unidos tenga un partido político que defienda enérgicamente los intereses de la gente adinerada, pero ¿realmente necesitamos dos? Si el debate se ampliara, no sólo las políticas resultantes serían más inteligentes (ya que cada bando se vería obligado a afrontar los puntos débiles de su propio posicionamiento que le plantearan los demás), sino que también se fomentaría una mayor participación popular en el proceso político. En la situación actual, los votantes se ven abocados a escoger entre dos partidos con nombres distintos, pero con una filosofía cada vez más parecida en política económica y exterior. Este sistema infrarrepresenta a los sectores menos adinerados y, probablemente, desalienta la afluencia a las urnas.

¿Por qué Estados Unidos es prácticamente la única democracia capitalista rica que cuenta sólo con dos grandes partidos? Parte de la explicación se remonta a los fundadores de la nación, que renunciaron a un sistema político de corte parlamentario y designaron elecciones por sistema mayoritario. En aquel entonces, no había partidos políticos en América, pero el efecto en última instancia de esas decisiones fue un sesgo estructural contra los terceros partidos. Como sólo quien obtiene más votos en cualquier elección accede al cargo, los votantes que optan por candidatos de terceros partidos se arriesgan a desperdiciar sus votos. Es cierto que los republicanos fueron inicialmente un tercer partido y que, con Lincoln, consiguieron, gracias a la cuestión de la esclavitud, hacerse con un estatus mayoritario, pero todas las demás intentonas de terceros partidos han fracasado (aunque no sin antes obligar a los grandes partidos a centrar su atención en nuevos temas). En el período histórico más contemporáneo, los demócratas y los republicanos han arreglado a su gusto de forma rutinaria las normas que regulan el acceso a los comicios, a los medios y a la financiación (véase el ejemplo de los debates anteriormente citado), a fin de impedir el surgimiento de terceros partidos.

Todo ello ayuda también a explicar lo que, en función de lo que es habitual en el resto del mundo, resulta un rasgo sorprendentemente extraño de la política estadounidense: la ausencia de un partido de izquierda.

Michiel Lingeman, el ejecutivo de empresa automovilística de Amsterdam, me dijo que él votaba al más conservador de los cinco grandes partidos políticos de Holanda, el VVD —Partido del Pueblo por la Libertad y la Democracia—, «porque es el que más defiende la empresa privada». Pero simpatizaba con Al Gore en las elecciones estadounidenses. «Creo que todos los holandeses iban con él», dijo. «Somos un país extranjero y Bush dejó claro que no le importaban los países extranjeros.» Yo le señalé que es el republicano (y no el demócrata) el partido que, en Estados Unidos, está considerado como el de los intereses empresariales. «Bueno», dijo Michiel, «eso es algo que se me hace muy curioso de Estados Unidos. Sus dos partidos son más conservadores que los partidos de derecha de aquí. Créame, mi partido es el defensor más acérrimo de la empresa privada en Holanda, pero está a la izquierda de los demócratas en lo que se refiere a su respaldo a la regulación del mercado, a un Estado del bienestar razonable y a ese tipo de cosas».

La ausencia de un partido de izquierda en Estados Unidos tiene raíces históricas profundas. La organización de los trabajadores siempre resultó difícil en un país cuya gran abundancia los incitaba a marcharse de las ciudades en busca de fortuna en la frontera; un país donde las barreras lingüísticas entre inmigrantes y las divisiones raciales entre negros y blancos complicaban la solidaridad obrera; donde los desfavorecidos se han visto muchas veces incapacitados para ejercer su derecho al voto, y donde la identidad nacional —marcada por la libertad y el individualismo— rechazaba todo aquello que evocara, ni que fuera de lejos, el autoritarismo del comunismo. En los años sesenta, la Nueva Izquierda abjuró explícitamente del comunismo y consiguió reunir la suficiente influencia para contribuir a poner fin a la Guerra de Vietnam. Pero en los setenta, los componentes de un potencial movimiento de izquierda (los colectivos antimilitaristas, proderechos civiles, de mujeres, etc.), en lugar de unirse, se fracturaron en grupos «ensimismados» y propulsores de una política identitaria. Al mismo tiempo, Richard Nixon se aprestó a sacar partido del distanciamiento entre esa contracultura y una parte de la clase obrera blanca reubicando al partido republicano hasta convertirlo en el defensor de los valores estadounidenses tradicionales: Dios, bandera y patria. En los ochenta, Reagan perfeccionó esa estrategia y consolidó el dominio del partido en los estados del Sur, del Medio Oeste y de las Montañas Rocosas. Aunque Reagan no fue nunca tan popular como su maquinaria de relaciones públicas lo hizo parecer, los demócratas, intimidados, asumieron que tenían que virar a la derecha para contrarrestar ese atractivo. La última vez que el partido designó como candidato a un liberal norteño (el infortunado Michael Dukakis) fue en 1988; en 1992, el ala proempresarial derrotó definitivamente a la izquierda y se aseguró la candidatura de Bill Clinton, un moderado del Sur.

En vez de izquierda, Estados Unidos tiene una derecha que ha demostrado un enorme poder de arrastre sobre los dos grandes partidos a lo largo de los últimos veinte años. A pesar de que Bill Clinton gobernó como un republicano en muchos sentidos, los fundamentalistas cristianos no dejaron de injuriarlo: lo acusaban de haber hecho trampas para librarse del servicio militar y de ser un defensor del aborto, un fumador de marihuana, un homosexual y un socialista. Estaban decididos a hacerle caer y contaban para ello con una maquinaria política bien financiada. Además de su fuerza de base, especialmente en el Sur, la derecha tenía su propio diario en la capital política, el *Washington Times*, otro en la capital financiera, el *New York Post*, y controlaba la página editorial y de opinión del mayor diario del país, el *Wall Street Journal*. Es dueña tanto de cadenas de televisión (cristianas y —como en el caso de la Fox— comerciales) como de cientos de emisoras de radio. Bien coordinada, esa maquinaria puede lograr incitar la indignación popular y dirigirla hacia Washington. Y eso fue lo que hicieron desde el principio mismo de la presidencia de Clinton, vertiendo sobre él todo tipo de acusaciones, desde la de ser culpable de corrupción financiera (por el caso Whitewater de negocios inmobiliarios) hasta la de ser responsable del asesinato de su consejero, Vince Foster, pasando por la de ser padre de un hijo habido fuera de su matrimonio.

El mejor ejemplo de la influencia de la derecha en la política americana fue un episodio que, en los demás países, provocó más chanza y perplejidad aún que las elecciones de 2000: el proceso de *impeachment* abierto contra Clinton. Fui a Europa poco después de que saltara la noticia de que la relación del presidente con Monica Lewinsky, una becaria de prácticas en la Casa Blanca, había motivado peticiones públicas de destitución. En París, la reacción de Jean-Francis Held, veterano periodista y director fundador del semanario *L'evenement de Jeudi*, fue muy característica. A Held le encantaban las noticias de alcance y el periodismo de investigación, pero ¿a qué venía tanto escándalo porque un político tuviera una amante? «Dígame que el presidente movió hilos para ayudar a uno de sus contribuyentes financieros y le prestaré toda mi atención. Pero ¿me dice que tuvo una relación con una de sus compañeras jóvenes de trabajo? Lo siento, no me interesa.» Los extranjeros, como Held, echaron la culpa del escándalo Lewinsky a la visión puritana que Estados Unidos tiene del sexo (y no les faltaba razón). Pero el escándalo no habría crecido hasta convertirse en una crisis constitucional grave si la derecha no hubiera gozado de una influencia tan poderosa en el Congreso, y no sólo entre los republicanos religiosos, sino también entre los demócratas que temían la cólera de la derecha cuando llegaran las elecciones. El hecho de que el proceso de *impeachment* llegara hasta un estadio tan avanzado que Clinton estuvo a sólo una votación de ser apartado definitivamente del cargo fue, desde un punto de vista puramente táctico, un logro impresionante, sobre todo si tenemos en cuenta que el público estadounidense nunca llegó a compartir la indignación de la derecha ni su convicción de que el presidente debía marcharse. Muchas personas consideraban que la conducta de Clinton había sido repugnante, que los detalles de su relación habían sido desagradables y sus mentiras descaradas al respecto, indignantes. Pero, aun así, separaban todas esas cuestiones de lo que era la valoración de su actuación en el cargo, la cual seguía siendo igual de elevada. Clinton sobrevivió al proceso de destitución porque el Senado votó en contra de su condena, pero su reputación había quedado irremisiblemente empañada. La derecha, mientras tanto, no cejó en su empeño hasta que por fin pudo secuestrar la Casa Blanca en las siguientes elecciones.

¿Del pueblo, por el pueblo y para el pueblo?

La ausencia de alternativa real con la que se encuentran los votantes estadounidenses no es tan total como la que han de afrontar los ciudadanos de Cuba o de China, pero está muy alejada de lo que los fundadores de la nación americana tenían en mente. Es difícil calcular cuánto durará el dominio de los republicanos sobre la política estadounidense. En nuestra Constitución nunca se llegan a mencionar los partidos políticos, y mucho menos los demócratas o los republicanos, y el apoyo popular de ambos partidos ha ido disminuyendo en la misma medida en la que han ido aproximando sus posiciones y se han alejado de las del ciudadano medio. En 1999, un sondeo de Gallup reveló que el 38 % de los estadounidenses se considera independiente de demócratas y republicanos.[15] Y en cada una de las tres últimas elecciones presidenciales ha habido terceros partidos que han planteado desafíos significativos, a pesar de los imponentes obstáculos a la aparición de los mismos en el sistema estadounidense. Por el momento, los grandes partidos se aferran al poder gracias al considerable respaldo económico con que cuentan, a sus maniobras solapadas y a la más pura inercia histórica. Sin embargo, sus mecenas de la élite adinerada parecen estar sumamente confiados. Cuando el presidente Bush, en un intento de distanciarse de Enron, declaró ante un grupo de donantes republicanos (en febrero de 2002) que deseaba fomentar la responsabilidad empresarial, sus oyentes asumieron que debía estar bromeando y se rieron literalmente en su cara.[16]

15. El sondeo de Gallup de 1999 fue citado por Jeff Cohen en «Nader Has the Numbers but Buchanan Has the Limelight», *Baltimore Sun*, 16 de abril de 2000.

16. De la aparición del presidente Bush ante donantes republicanos en febrero de 2002 informó la Associated Press en una noticia que apareció en el *Baltimore Sun* del 17 de febrero de 2002.

Pero ¿y el pueblo americano? ¿Nos dejaremos llevar por el asco y nos desentenderemos aún más de la política? ¿O lucharemos por restablecer la justicia y el carácter de nuestra democracia?

Aflojar el férreo control que ejercen las grandes fortunas es una necesidad evidente y la aprobación de la ley McCain-Feingold de financiación electoral a comienzos de 2002 fue una señal esperanzadora. Pero incluso la ley McCain-Feingold no es más que un pequeño paso adelante. Prohíbe el «dinero blando», pero duplica la cantidad de «dinero duro» que puede contribuir una sola persona, lo cual eleva el peso de los donantes más ricos del país. Esa medida compensatoria, según sus propugnadores, fue el precio a pagar para conseguir que el proyecto de ley fuese aprobado por el Congreso (prueba evidente de que la resistencia a la reforma sigue siendo acusada entre los cargos políticos en ejercicio de uno y otro partido). Una solución de más profundas consecuencias sería la puesta en marcha de un sistema público de financiación electoral. Maine y Arizona han aprobado leyes de financiación pública (Arizona tuvo incluso el valor de financiar su ley por medio de un impuesto sobre los miembros de los *lobbies*) y los resultados han sido alentadores: mayor diversidad de candidatos, mayor participación electoral, menor control sobre el proceso por parte de la minoría adinerada.[17] Además, las elecciones costarían menos si los estadounidenses recordásemos que el espectro de ondas radiofónicas y televisivas nos pertenece e insistiéramos en que las emisoras de radio y televisión proporcionaran amplia información sobre los candidatos y los debates, en vez de arrancar 500 millones de dólares anuales en tasas publicitarias. Por último, un sistema de elecciones con resolución inmediata,* como el recientemente adoptado en San Francisco, minaría el duopolio partidista al hacer posible que los votantes indicaran en sus papeletas tanto su primera como su segun-

17. Los efectos positivos de las leyes de financiación pública —mayor participación electoral, apertura del sistema a candidatos no adinerados, exposición de los políticos en el cargo a desafíos serios por parte de los candidatos aspirantes— aparecen descritos en Hightower, *If the Gods Had Meant Us to Vote They Would Have Given Us Candidates*, págs. 190-194.

* En inglés, «instant runoff voting». Se trata, en concreto, de una variante del sistema de «voto preferencial». (*N. del t.*)

da opción, con lo cual quedarían reflejadas sus auténticas preferencias sin correr el riesgo de acabar eligiendo al candidato menos preferido.

Las elecciones de 2000 dejaron amplia constancia de lo mucho que Estados Unidos se ha alejado de aquella gran imagen de un gobierno del pueblo, por el pueblo y para el pueblo propugnada por Lincoln. Pero los fundadores de la nación tuvieron la precaución de incorporar a nuestro sistema una extraordinaria facultad de autocorrección: a fin de cuentas, los estadounidenses podemos echar a los sinvergüenzas con nuestros votos, reformar las leyes que no nos gusten y expulsar a los mercaderes del templo de la democracia. Si el pueblo común despierta y saca provecho de este potencial, quién sabe los milagros que pueden llegar a ocurrir.

Capítulo 9

Cuidado, mundo, que aquí venimos nosotros

Beldrich Moldan estaba más en lo cierto de lo que se imaginaba cuando me dijo: «Como europeo, puede que te guste o no te guste Estados Unidos, pero sabes que es el futuro». Ex ministro de medio ambiente de la República Checa, Moldan hizo esa afirmación durante una entrevista en 1994. En 2001 volví a su ciudad natal, Praga. Un McDonald's había pasado a ocupar una de las esquinas de la plaza de San Wenceslao, a sólo unos pasos del antiguo edificio del parlamento. Más abajo, en la misma manzana, había un Starbucks. Y varias docenas más de relucientes tiendas estaban también instaladas en uno de los frentes de la plaza. Los cajeros automáticos se repartían por toda la Ciudad Vieja y el menú (en inglés) y la atmósfera premeditadamente «enrollada» de un cibercafé en el que almorcé no habrían desentonado lo más mínimo en Seattle o San Francisco.

A veces pienso que me gustaría que Moldan me hubiese acompañado durante el resto del viaje que emprendí con motivo de este libro; habría comprobado que la americanización del mundo es aún más pronunciada cuando se sale de Europa. Un síntoma del alcance global de Estados Unidos es la omnipresencia del inglés como lengua internacional de los negocios, del turismo y de la comunicación. Otros indicios son la proliferación de la comida rápida, el auge de la «televisión basura» y la creciente adopción de los hábitos de consumo americanos en general, factores todos ellos que alimentan el individualismo, aceleran el ritmo de la vida diaria y fomentan en las personas de otros países la misma tendencia a la grosería que tanto critican en los estadounidenses. Todo esto se sustenta en una forma menos visible de influencia: un número cada vez mayor de naciones ha ido adoptando la ideología proempresarial, de libre mercado, que ha dominado las decisiones políticas en Estados Unidos durante el último cuarto de siglo. Así pues, lo que los medios llaman «globalización» resulta ser, en última instancia y en líneas generales, una «americanización», aun cuando algunas de las empresas que la impulsan no tengan ningún vínculo específico con Estados Unidos.

La primera parada en el viaje que haría con Moldan sería Mpande, un pequeño poblado de Sudáfrica, donde le presentaría a Basiswe y a Basiswa, dos hermanas gemelas de quince años de edad a las que conocí una mañana que caminaba por el sendero polvoriento que conducía al pueblo vecino. Las gemelas, unas chicas altas y delgadas, iban en la dirección contraria, pero se mostraron encantadas de parar un momento para indicarme el camino (cuando lograban, eso sí, contener la agitación y las risas que les producía la novedad de hablar con un viajero blanco). La mayoría de niños de la zona no sabía nada de inglés: la escuela estaba demasiado lejos y era excesivamente cara para ellos. Pero estas chicas lo hablaban con soltura, gracias, en parte, a las clases que les había dado su hermano mayor, un maestro de Port Elizabeth, una ciudad industrial a cientos de kilómetros de distancia.

En cuanto se enteraron de que yo era de Estados Unidos, las gemelas se miraron y chillaron entusiasmadas: «¡R. Kelly!». Al parecer, habían visto al joven cantante americano por televisión y suspiraban por él como sólo las adolescentes pueden hacerlo. La más vociferante de las dos, Basiswa, anunció: «Me voy a casar con R. Kelly». Me preguntó si lo conocía. A fin de cuentas, ella conocía a todos los que vivían en su poblado y R. Kelly y yo vivíamos en América.

Cuando mencioné que uno de mis hermanos era actor, Basiswa preguntó: «¿Como Jackie Chan?». Mi respuesta les volvió a decepcionar (mi hermano hace teatro, no películas de policías karatekas). A Basiswa le encantaban las películas de Jackie Chan. «Cuando sea mayor», decía, «quiero ser productora de cine y hacer películas como las de Jackie Chan. Entonces seré rica». A su hermana se le escapó una risotada. «¿Y entonces te casarás con R. Kelly?»

Lo realmente chocante de esta conversación era que éstas no eran chicas de ciudad. Si uno va a Ciudad del Cabo o a Johannesburgo, puede encontrar casi las mismas comodidades disponibles en una ciudad europea o norteamericana (televisión por satélite, tiendas de discos, cines), de ahí que no resulte sorprendente que la juventud urbana de Sudáfrica esté tan familiarizada con la cultura pop estadounidense. (¿Se acuerdan del Malcolm Adams del principio de este libro?) Pero Basiswa y Basiswe vivían en un poblado remoto y humilde, en el que la mayoría de sus habitantes no tenía electricidad (cuanto más televisión). Aun así, eran *fans* de la MTV.

Mpande está situado en el extremo sur de Transkei, una región sudafricana históricamente subdesarrollada en la que nació Nelson Mandela. Como buena parte del resto del país, Transkei es una tierra de una belleza natural pasmosa: montañas escarpadas, inmensas vistas, colinas onduladas salpicadas de ganado, ríos de aguas revueltas abriéndose camino entre profundos valles verdes. Para llegar a Mpande hay que tomar la salida de una moderna autopista en Umtata, la capital de la región, y conducir en dirección sur unos cien kilómetros. Cuanto más camino se recorre, peor se vuelve la carretera, hasta que, al final, no es más que un camino de dos surcos labrados por las roderas de los vehículos por el que el camión bota arriba y abajo como un caballo en plena sacudida. El propio poblado —unas cuantas chozas cónicas de paja desperdigadas— está como colgado sobre un conjunto de colinas desde donde se divisa una magnífica franja de la costa del Océano Índico.

El día después de mi llegada disfruté de la hospitalidad de una reunión familiar. Me encontré con un grupo de hombres jóvenes —risueños y tambaleantes por efecto de la bebida— que venían de una celebración al aire libre que se había organizado muy cerca de allí y uno de ellos se dirigió a mí en un inglés bastante rudimentario e insistió en que me uniera a la fiesta. Nada más llegar, me invadió el suculento aroma de una vaca asándose al fuego y, al momento, me sentí agasajado por las sonrisas y los saludos de bienvenida en lengua xosa de los allí congregados.

Me condujeron a un edificio cuadrangular sin ventanas y que sólo tenía una portezuela, por lo que dentro había más sombra que luz. A la izquierda había tres filas de mujeres, sentadas en el suelo con las piernas estiradas hacia delante y con pañuelos de colores amarillo, rojo escarlata y azul celeste en sus cabezas. A la derecha estaban los hombres, sentados en taburetes bajos o en cajas de plástico puestas boca abajo. En medio había un pasillo estrecho al que las unas o los otros salían de vez en cuando a cantar o bailar. Delante de mí, justo al frente, había una mujer que golpeaba una tina de plástico con un palo y llevaba la voz cantante. Los presentes se iban pasando baldes metálicos llenos de cerveza de maíz tibia y todos bebían del mismo recipiente. El ambiente era festivo y jovial hasta que un hombre se levantó, esperó a que se hiciera silencio, y pronunció un discurso breve y sombrío. El grupo escuchó con la cabeza respetuosamente inclinada y se dejaron oír murmullos de asentimiento; luego entonaron una especie de cántico realmente hermoso. El hombre que tenía a mi lado y que hablaba muy poco inglés dijo que el discurso y la canción iban dedicados a uno de los ancianos de la familia, ya fallecido.

Era la hora central de la tarde. La única luz que había en la choza procedía de los escasos rayos de sol que podían atravesar la puerta, así que la iluminación era mínima. Más tarde se encendió una hoguera para proporcionar luz y calor, pero la madera era un bien demasiado precioso como para desperdiciarlo, así que, mientras no llegó ese momento, todo el mundo permaneció sencillamente sentado en medio de aquella penumbra, cada vez más a oscuras, cantando, dando palmadas y pasándose la cerveza de mano en mano. Resultaba agradable que le recordasen a uno que la electricidad no es esencial para la felicidad humana; de hecho, las personas hemos vivido siempre sin ella exceptuando los últimos cien años, más o menos. Y si bien los seres humanos contemporáneos hemos ganado mucho con la electricidad, también hemos perdido algo: la sensación de arraigo mundano que se deriva de dormir o mantenerse despiertos en función del ritmo solar y de contemplar el fuego de una hoguera en vez de las pantallas de televisión.

Mpande resultaba fascinante porque allí se hacía muy visible cómo la modernidad había invadido la sociedad tradicional. Adolescentes como Basiswe y Basiswa —fascinadas por las canciones de amor de alta tecnología que cantan efímeras estrellas pop de la otra punta del mundo— vivían en el mismo poblado que unos adultos que todavía hacían música con sus propias manos y bocas mientras bebían cerveza (fabricada por ellos mismos) en una choza de paja carente de iluminación.

Los críticos de la globalización (tal y como se está practicando actualmente) lamentan la destrucción de culturas tradicionales que ésta comporta, así como el modo en el que el individualismo materialista que fomenta desplaza valores como los de la comunidad y la sostenibilidad. No hay duda de que esto ocurre, pero la cuestión es globalmente más compleja. En mis viajes se me ha hecho evidente que muchas personas de las culturas tradicionales acogen esa invasión de la modernidad con los brazos abiertos y por motivos perfectamente comprensibles. Yo había pasado meses en el África rural (en Kenia, Uganda y Sudán) antes de este viaje, pero hasta que estuve en Mpande no tuve ocasión de observar una de las tareas domésticas más habituales: la aplicación de excrementos frescos de vaca en el suelo de una choza. Igual que los estadounidenses pueden encerar sus suelos de parquet cada dos semanas, las amas de casa rurales africanas (mujeres, sin excepción) repavimentan sus suelos con excrementos que, una vez secos, reducen la cantidad de polvo y tierra en el interior de las casas. La mujer que yo vi se puso de rodillas con un cubo de excrementos y un cuenco de agua (traída de un río lejano, naturalmente). Mezcló con sus manos los excrementos y el agua hasta que adquirieron la consistencia de una sopa espesa y luego extendió esa sustancia por todo el suelo con la palma de su mano, trazando arcos largos y lisos. Se pueden imaginar el olor, pero para ella era tan habitual como para un estadounidense pueda serlo poner platos en un lavavajillas. Habitual pero, me imagino, nada agradable. ¿Quién puede culpar a esta mujer por querer más modernidad en su vida?

El problema es que los miembros de las sociedades tradicionales no suelen ser conscientes de la carga inesperada que arrastran consigo la tecnología y las comodidades modernas: cuando quieran darse cuenta, las costumbres y los valores que tienen en tanta estima habrán desaparecido sin dejar rastro. El proceso no es nuevo. El escritor nigeriano Chinua Achebe analizó de forma minuciosa y brillante los efectos transformadores de la modernización en el África rural en su novela de 1958 *Things Fall Apart.** Pero la velocidad y el alcance del avance de la modernidad durante los últimos diez años no tienen precedentes. Como bien muestra Mpande, ya ha penetrado en los rincones más empobrecidos del continente más empobrecido del planeta. Y, para lo bueno y para lo malo, nada define mejor el concepto de modernidad que Estados Unidos.

La americanización de Japón

Mi siguiente parada con Moldan sería en el lado opuesto de la línea divisoria entre ricos y pobres en Japón. De los treinta países que he visitado, ninguno copia de manera más entusiasta a Estados Unidos que Japón. «Siempre imitamos a América», me dijo riéndose Haruko, historiadora del arte y madre de unos 45 años, en la antigua ciudad de Nara. «Puede que sea envidia mezclada con admiración. A los japoneses nos encanta hacer *rankings* y todo el mundo sitúa a Estados Unidos en primera posición. Así que los japoneses pensamos: "¡Sería genial que fuéramos el número dos!".»

Me sorprendió lo mucho que Japón me recordaba a Estados Unidos. En un país con una de las cocinas más delicadas de la Tierra, la comida rápida estaba por todas partes. (Posteriormente averigüé que los dos restaurantes de mayor volumen de ventas eran McDonald's y Kentucky Fried Chicken.)[1] Había la misma expansión suburbana que en Estados Unidos (o peor), el mismo «sobreempaquetado» en los productos de consumo (cada fruta iba envuelta individualmente), la misma mentalidad «de usar y tirar» (comida para llevar envasada en plástico, palillos para comer desechables tras un solo uso). La simplicidad meditativa propugnada por el budismo desentonaba con el «boom» de las tiendas de conveniencia de 24 horas al estilo americano, del mismo modo que la reputación medioambiental de Japón

* Trad. cast.: *Todo se derrumba*, Madrid, Alfaguara, 1986. (*N. del t.*)

1. El *ranking* de McDonald's y Kentucky Fried Chicken aparece en *Jihad vs. McWorld: Terrorism's Challenge to Democracy*, de Benjamin R. Barber, Nueva York, Ballantine Books, 2001, pág. 18.

era puesta en entredicho por su fascinación por la publicidad, su glorificación del consumo y su devoción por los automóviles.

En algunos momentos, la emulación nipona de Estados Unidos podía resultar hasta graciosa, especialmente en lo tocante al uso de la lengua inglesa. Los japoneses estudian seis años de inglés en la escuela, pero como rara vez lo practican en conversación, la mayoría acaban viéndose incapaces de hablarlo. Una noche, en Kioto, estaba paseando por la avenida principal y se me ocurrió entrar en una especie de gigantesco salón recreativo: siete pisos repletos de algarabía, juegos de ordenador y cultura pop. Allí estaban, sobradamente representados, diversos iconos de Hollywood. Había incluso una bolera, el no va más de la moda «retro» en Estados Unidos. En un esfuerzo por demostrar cómo eran de «geniales» los bolos, los dueños habían decorado las paredes con alegres consignas (escritas «casi» en inglés) que animaban a los clientes a jugar: «You can do it! Do you like bowling? Let's play bowling. Breaking down the pins and get hot communication».*

La fascinación de Japón por todo lo americano no dejaba de resultar extraña, porque, en ciertos aspectos fundamentales, se trata de dos culturas que difícilmente podrían ser más distintas. Estados Unidos representa el individualismo ambicioso por excelencia. En Japón, como refleja un dicho popular del país, «al clavo que sobresale se le hace bajar a martillazos»: es el grupo el que tiene preferencia. Por supuesto, los opuestos pueden atraerse: la libertad personal que los estadounidenses dan por asumida resulta indudablemente tentadora en una cultura de la uniformidad, y la creatividad que nace de tal libertad puede explicar el amor que siente Japón por la cultura pop americana.

Pero ¿y la historia? Estados Unidos lanzó dos bombas atómicas sobre Japón. ¿No han dejado ningún resto de rencor? Al parecer, no mucho. Los jóvenes a quienes pregunté sobre ese respecto consideraban que las bombas eran hechos del pasado, irrelevantes hoy en día. Las personas de más edad no les restaban tanta importancia,

* «¡Puedes hacerlo! ¿Te gustan los bolos? Juguemos a bolos. Derribar [*sic*] los bolos y consiga comunicación caliente.» (*N. del t.*)

pero tampoco conservaban ningún tipo de ira. «La gente estaba expectante cuando acabó la guerra. Teníamos hambre y estábamos cansados», me confesó un profesor de literatura jubilado, Takama, mientras compartíamos un banco que hacía las veces de puesto de observación en el Monte Hiei, la montaña sagrada del budismo japonés. Más aún, explicaba Masao Kase, un ejecutivo de una empresa editorial y textil de Tokio, «la mayoría de los japoneses en aquel entonces no sabían lo que había sucedido en Hiroshima y Nagasaki. La censura era total. Luego, durante los seis años de ocupación estadounidense en Japón, el general MacArthur utilizó hábilmente la propaganda para desviar toda la rabia que la guerra hubiera podido motivar en los japoneses hacia el ejército nipón, al que se culpó de haber iniciado el conflicto».

Lo cierto, añadía Kase, es que «a los japoneses nos encanta lo extranjero en general, pero Estados Unidos es el más imitado porque es el más visible y el más fácil de copiar. La cocina francesa o el arte italiano son cosas mucho más difíciles de copiar que la televisión, la moda o la manera de comprar americanas». De hecho, el ascenso japonés hasta convertirse en una superpotencia económica tras la Segunda Guerra Mundial estuvo basado en la imitación de los modelos de producción estadounidenses; es decir, en la fabricación de productos electrónicos igual de buenos que los de Estados Unidos, pero que, gracias a una mano de obra más barata, podían venderse a precios más bajos en el mercado mundial.

La americanización de Japón adopta actualmente múltiples formas; los jóvenes, por poner un caso, han ido perdiendo paulatinamente la costumbre de descalzarse antes de entrar en casa. «Mi vivienda actual es un buen ejemplo», decía Haruko, la historiadora del arte. «Sólo tiene una estancia japonesa tradicional, con esteras de tatami en el suelo. Las demás habitaciones tienen sillas y sofás de estilo occidental. Yo me puedo sentar al estilo japonés tradicional [con las piernas dobladas hacia atrás y los pies bajo las nalgas] durante una hora como mucho, porque a partir de entonces el dolor se me hace insoportable. Mi madre se puede sentar así durante todo el tiempo que quiera.»

Lo que a Haruko (al igual que a la mayoría de japoneses que conocí) le gustaba más de América eran las creaciones de Hollywood. Podía hablar largo y tendido del arte y los templos del Japón antiguo, pero se sentía completamente poseída por las películas de Hollywood. La saga de *Superman* era una de sus favoritas y la de *La guerra de las galaxias* parecía contar con una significación casi religiosa para ella. Había visto las películas un sinfín de veces, había comprado objetos de recuerdo, había seguido de cerca las páginas *web* relacionadas, había debatido sobre los argumentos con otros *fans*. Parecía estar impaciente de verdad por saber qué iba a ocurrir en el *Episodio Dos: El ataque de los clones*, y me preguntó, preocupada, si ya se había estrenado en Estados Unidos. «Tengo un ansia tremenda de que esta película llegue a Japón», dijo. «No me lo quiero perder... ¿cómo puede ese niñito rubio tan encantador llegar a convertirse en Darth Vader.»

La NBA llega a China y a Sicilia

El imperio americano contemporáneo coloniza mentes, no territorios. Y lo consigue, sobre todo, gracias a su dominio sobre las que, posiblemente, han sido las tecnologías más importantes de los últimos cincuenta años: las relacionadas con la pantalla en sus diversas aplicaciones. Hubo un tiempo en que el mundo exterior conocía cosas de Estados Unidos fundamentalmente a través de las pantallas de cine; era la versión hollywoodiense de la vida en América. Posteriormente, las películas fueron complementadas por la televisión y, más tarde, por el vídeo, medios ambos que llegan a más lugares (y más remotos) y que funcionan las veinticuatro horas del día. Esas dos mismas ventajas son también predicables de Internet, que conecta pantallas de ordenador de todo el mundo. Todas estas tecnologías están dirigidas, sobre todo, a los jóvenes. Todas reflejan y amplían el dominio global del inglés. Pueden transmitir impulsos distintos e incluso contradictorios, pero las une el hecho de que se deben, por encima de todo, al comercio. Pronto habrá una única caja electrónica de comunicación, consumismo y control potencial, que las incorpore a todas.

Los estadounidenses somos los mejores comerciales del mundo y la pantalla es nuestro instrumento más poderoso. A través de la pantalla convencemos a otros para que deseen aquello en cuya producción estamos especializados: la felicidad que dibuja el consumismo. La MTV, que, individualmente considerada, es probablemente la principal responsable de la homogeneización de los gustos juveniles y del auge del consumo entre los jóvenes de todo el mundo, fue un invento estadounidense. Inició sus emisiones en 1980 y en 1998 aseguraba llegar ya a 273,5 millones de hogares en ochenta y tres países diferentes (aunque es habitual que tales cifras estén exageradas —más *marketing*—). El éxito de la cadena ha sido una cuestión de pura demografía. Los índices de mortalidad infantil cayeron en el Tercer Mundo en los años sesenta y setenta, al tiempo que ascendieron las tasas de natalidad. El resultado ha sido un «boom» juvenil: hoy en día, hay seis mil millones de personas en el mundo, y de ellas, mil millones son adolescentes. Un estudio de mercado de 1996 sobre adolescentes de cuarenta y cinco países, realizado por Coca-Cola, Burger King y otras grandes compañías y citado en el libro *No logo*, de Naomi Klein, descubrió que el 85 % de los adolescentes de clase media veían la MTV a diario. El surgimiento de esta «juventud de un nuevo mundo», según decía un ejecutivo publicitario que había participado en el estudio, es «una de las mayores oportunidades de mercado de todos los tiempos».

«No rebosan angustia existencial: se trata simplemente de consumismo desenfrenado», declaró el presidente ejecutivo de la MTV, Tom Freston, refiriéndose a los contenidos de MTV India.[2] Ese consumismo va mucho más allá de la música y se extiende a la moda, el deporte, los *snacks*, las bebidas refrescantes y a todos los accesorios del estilo de vida americano necesarios para estar «en la onda». A principios de los noventa, veía habitualmente en mis viajes imágenes de Michael Jackson y Madonna pegadas en las paredes de los

2. El estudio de mercado y las citas a propósito de la «juventud de un nuevo mundo» y la «angustia existencial» están extraídos de *No Logo: Taking Aim at the Brand Bullies*, de Naomi Klein, Nueva York, Picador, 1999, págs. 118-120 y 129 (trad. cast.: *No logo. El poder de las marcas*, Barcelona, Paidós, 2001).

autobuses y de las escuelas del Tercer Mundo. En 1997, Michael Jordan había ocupado su lugar. Una de mis fuentes en cuestiones medioambientales en Pekín, un profesor universitario con una hija de dieciséis años, decía que ésta y sus amigas estaban tan encaprichadas de Jordan «como de una estrella de cine» y que ahora pedían cazadoras de los Chicago Bulls como regalo de cumpleaños. En 2001, en Agrigento (Sicilia), un joven de Madagascar me dio todo un análisis de experto sobre la actuación de Los Ángeles Lakers en el segundo partido de la final de la NBA celebrado la noche anterior.

¿Cómo ha conseguido la NBA parecerle tan «genial» a la juventud de todo el mundo? El dominio estadounidense de los mercados mediáticos extranjeros ha crecido astronómicamente durante los últimos treinta años y la década de los noventa ha sido su momento de máximo incremento. Al finalizar los noventa, según escribe Robert W. McChesney en *Rich Media, Poor Democracy*, los ingresos de las industrias cinematográfica, musical y televisiva dependían en una proporción de entre un 50 y un 70 % de las ventas fuera de Estados Unidos.[3] Benjamin Barber comenta en *Jihad vs. McWorld* que, en 1998, las películas americanas dominaban en todo el continente europeo las listas *top ten* de los largometrajes de mayor recaudación, y suponían el 60 % del taquillaje en Francia y el 95 % en el Reino Unido.[4] Las ventas de música y programas televisivos estadounidenses se mostraban igual de vigorosas, no sólo en Europa, sino también en los llamados mercados emergentes de Asia, África y Sudamérica.

Los defensores de la industria estadounidense del espectáculo sostienen que lo único que ocurre es que disponen de un producto superior: los extranjeros pagan por aquello que prefieren y lo que prefieren es lo que Hollywood les ofrece. Ahora bien, ¿le dan al público lo que le gusta o es que simplemente le gusta lo que le dan? Es la industria mediática de un país, y no sus ciudadanos, la que decide qué películas, programas televisivos y números musicales están a la venta. Y, en la actualidad, las industrias mediáticas de Europa y de otras

3. Los datos del libro de McChesney, *Rich Media, Poor Democracy*, se encuentran en las págs. 76-80 y 86.

4. Los datos del libro de Barber, *Jihad vs. McWorld*, son de las págs. 92-93.

partes del mundo están dominadas por el mismo grupo reducido de compañías transnacionales que también domina el mercado americano: Disney, AOL Time Warner, Viacom, Sony, News Corporation, Bertelsmann, AT&T. Aunque es obvio que estas compañías compiten a veces entre sí, también colaboran para crear un clima empresarial en el que todas puedan hacer negocio. Una oportunidad para demostrarlo surgió en 1997, cuando la Unión Europea intentó acotar la invasión estadounidense de la cultura europea de masas. La UE propuso una legislación en la que se requería que al menos el 50 % de los programas de televisión emitidos en Europa fueran producidos en el viejo continente. La propuesta fue rechazada debido a la fortísima presión ejercida por las propias compañías mediáticas europeas, que querían comprar más programas (y no menos) a sus hermanas estadounidenses.[5]

«Lo que los americanos han industrializado como "entretenimiento" es lo que en Europa llamamos "cultura".» Eso decía Luciana Castellina, una parlamentaria europea que hablaba en un congreso sobre «La sociedad europea y el *American Way*» al que asistí en Italia en mayo de 2001. (Sólo el escenario del congreso daba ya fe de la distancia entre las sensibilidades estadounidense y europea, ya que se celebró en un convento de piedra, en la Toscana, fundado en el año 980. Por detrás de Castellina había una pared cubierta en su totalidad por un fresco de la Última Cena, asombrosamente bien conservado, que databa del siglo XV.) Para Castellina lo alarmante no era sólo el comercialismo americano, sino el desplazamiento de la cultura europea autóctona que provocaba. «Los europeos estamos más familiarizados con las imágenes y las caras de Estados Unidos que con las de Europa», se quejaba. «Reconocemos enseguida Nueva York o Los Ángeles, pero no Berlín o Madrid.»

5. Las grandes compañías que dominan las industrias mediáticas globales están descritas y documentadas en McChesney, *Rich Media, Poor Democracy*, págs. 86-100. La batalla por la propuesta legislativa de la UE para regular el 50 % del contenido audiovisual está explicada con detalle en la pág. 83.

Reagan y el triunfo de la riqueza, segunda parte

El de la americanización de la cultura global es un guión complejo en el que aparecen muchos figurantes, pero que tiene una de sus estrellas más evidentes en la persona de Ronald Reagan (no en vano fue actor de cine en Hollywood). Los efectos de la desregulación de la radiotelevisión estadounidense decretada por Reagan se dejaron sentir en todo el mundo. Al permitir que las compañías pudieran ser dueñas de no sólo siete, sino de hasta doce canales emisores de televisión, doce de radio en FM y doce de radio en onda media, Reagan concedió ingresos adicionales a las compañías mediáticas cifrados en muchos millones de dólares. Esta infusión financiera ayudó a dichas empresas a ampliar su presencia en los mercados internacionales. Pero lo que, con el paso del tiempo, resultó aún más decisivo fue el modo en el que cundió el ejemplo estadounidense. Las gigantescas sumas de dinero que la desregulación de la televisión empezó a reportar a las compañías americanas espolearon a sus homónimas en el extranjero a redoblar sus esfuerzos para arrancar ventajas similares en sus países de origen, en los que la radiodifusión y la televisión estaban normalmente dominadas por entes públicos, como la BBC. La historia es compleja y varía según el país, pero, en general, dichos esfuerzos se vieron recompensados: la televisión comercial experimentó un enorme crecimiento a nivel mundial en los años noventa.

El resultado ha sido la proliferación de la «televisión basura» más inmunda. A finales de los noventa, una media de mil millones de personas veían diariamente *Los vigilantes de la playa*, esa estúpida serie de Hollywood en la que aparecen socorristas ataviadas con bañadores ínfimos. En Egipto, la tercera parte de los programas que se emiten por la televisión estatal son telefilmes policíacos estadounidenses, hasta tal punto que Steven Seagal y Chuck Norris son nombres de sobra conocidos entre el público infantil.[6] En toda Europa, el

6. De la prominencia de los programas y las estrellas estadounidenses en la televisión egipcia dan fe entrevistas con Abdel Monem Said Aly, director del Al-Ahram Center for Political and Strategic Studies de El Cairo, y con otros egipcios, así como la experiencia directa del autor como espectador de la televisión de aquel país.

triunfo de las prioridades comerciales es tal que incluso baluartes de la radiotelevisión pública como la BBC y sus homónimas holandesa y sueca han creado divisiones comerciales y han empezado a emitir anuncios.[7] Lo que se ofrece en las pantallas de televisión de cualquier rincón del mundo se parece cada vez más a lo que se ofrece en Estados Unidos. También parecen estarse difundiendo los hábitos televisivos estadounidenses. Los niños franceses de edades comprendidas entre los cuatro y los once años veían una media de casi dos horas de televisión al día en 1997, un 10 % más que el año anterior.

En el sector de los medios de comunicación se constata, a modo de microcosmos, el mayor logro de Reagan: al transformar la economía de Estados Unidos, consiguió cambiar la manera de funcionar del capitalismo en todo el mundo. Con la ayuda de su alma gemela ideológica, la primera ministra británica Margaret Thatcher, Reagan desafió los supuestos imperantes por aquel entonces en los principales países capitalistas acerca del Estado del bienestar y la regulación del capital. Según él, si se liberaba a las empresas del peso del Estado y si éste dejaba de dedicarse a la beneficencia, todo el mundo saldría ganando. Ese enfoque produjo, tanto en Gran Bretaña como en Estados Unidos, una explosión de crecimiento económico, un aumento de la distancia entre ricos y pobres y un desgaste en servicios públicos como los del transporte y la sanidad, entre otros. Pero lo verdaderamente crucial (quizá sin que Reagan fuera consciente de ello) fue la presión a la que se vieron sometidos otros países; una presión que les obligó a adoptar políticas liberales similares, aunque sólo fuera para mantener su competitividad en el mercado mundial.

¿De qué modo se vieron presionados? Al rebajar los impuestos y las regulaciones, Reagan logró reducir de manera efectiva los costes de explotación de las grandes compañías estadounidenses. Esto, naturalmente, ayudó a que éstas se expandieran hacia mercados extranjeros, pero también proporcionó argumentos a los aliados ideológi-

7. La comercialización de los entes públicos británico, holandés y sueco de radiotelevisión y los hábitos televisivos de los niños franceses están recogidos en McChesney, *Rich Media, Poor Democracy*, págs. 252-254 y 81, y confirmados en conversaciones del autor con colegas de la radio y la televisión y por otras fuentes en esos países.

cos de Reagan en el exterior. El empresariado y las fuerzas de la derecha en otros países podían justificar así el reajuste de sus propios Estados del bienestar, los recortes fiscales y la desregulación empresarial, como medidas necesarias para no perder competitividad con los estadounidenses. Además, Reagan propugnaba simultáneamente la desregulación del comercio internacional (la llamada agenda del libre comercio, consistente en abrir las naciones extranjeras a la inversión de las grandes compañías y en eliminar la clase de barreras que la Unión Europea intentaría erigir más tarde contra la programación televisiva estadounidense). La tremenda influencia de Estados Unidos en la Organización Mundial del Comercio, en el Fondo Monetario Internacional y en el Banco Mundial contribuyó a garantizar la preponderancia del proyecto liberal, especialmente en economías más débiles de Asia, África y Latinoamérica. Del mismo modo que, en buena medida, la globalización ha consistido fundamentalmente en una americanización, la versión reaganiana del capitalismo de libre mercado ha adquirido rango de norma global.

En ningún otro sitio se ha producido un cúmulo más ostensivo de todas estas tendencias que en Italia, donde el multimillonario Silvio Berlusconi ha hecho de la copia del reaganismo su cruzada personal. Berlusconi, que había iniciado su carrera como magnate en el mundo de los negocios inmobiliarios en Milán, había logrado acumular a mediados de los noventa un formidable imperio mediático que incluía tres cadenas privadas de televisión y la primera empresa editora de diarios, revistas y libros de Italia. Fue entonces cuando se propuso adquirir un poder político directo, aprovechándose de la apertura propiciada por los escándalos de corrupción que habían desacreditado a los partidos tradicionales en Italia y postulándose a sí mismo como candidato reformista en las elecciones de 1994. Gracias a las amplias y elogiosas informaciones de sus propios medios de comunicación, su candidatura gozó inmediatamente de una gran credibilidad. Acabó siendo designado primer ministro tras alcanzar un acuerdo de gobierno con la Alianza Nacional neofascista y con la independentista Liga Lombarda, pero la coalición se deshizo siete meses después. Volvió a presentarse en 2001, en un gesto que causó gran preocupación en toda Europa. *The Economist* lo declaraba no apto para gobernar dado que, como primer ministro, no sólo controlaría las tres mayores cadenas privadas de televisión de Italia, sino también las tres cadenas públicas. A pesar de ello, la misma semana que yo llegué a Italia en el primero de los viajes que emprendí con motivo de este libro, él logró la elección por amplia mayoría.

«No hay duda de que el control de Berlusconi sobre la televisión le ha ayudado a ganar estas elecciones, pero no porque sus empresas hayan recurrido a una propaganda directa del tipo "vóteme"», decía Paula Biagini, una profesora de instituto de Florencia que estaba sentada a mi lado en el congreso sobre «La sociedad europea y el *American Way*». «Le ha ayudado más el efecto indirecto de sus programas de televisión, en los que se exalta el estilo de vida y el modelo económico americanos y se pretende evitar todo pensamiento crítico. Muchos de nuestros jóvenes votaron a Berlusconi. Sé que mis estudiantes creen en el modelo americano que ven por la tele. Cada vez hay menos jóvenes que van a la universidad (tenemos una grave escasez de ingenieros en la actualidad), porque, en vez de eso, se van a trabajar a las fábricas de zapatos y de gafas del norte para ganar dinero. No les preocupa el futuro. Creen que podrán cambiar de trabajo y comprarse un coche nuevo cada seis meses, como en América.»

La juventud no es el único objetivo de la colonización mental de Estados Unidos, como tampoco son las pantallas los únicos medios de transmisión. Pero sea cual sea el grupo de edad o el modo en el que se transmite el mensaje, el resultado es la difusión de un monocultivo de gustos, valores y conductas. Son cada vez más las personas en todo el mundo que visten las mismas marcas de ropa, consumen la misma comida y la misma bebida, ven las mismas películas, escuchan la misma música, y que, al hacerlo, siguen los ejemplos que les proporcionan empresas comerciales mayoritariamente estadounidenses. En Suecia, por ejemplo, quien se dirige hacia el oeste por la carretera que va desde Estocolmo hasta la frontera noruega se encuentra con un McDonald's recién construido cada cuarenta kilómetros. Jan Leuwenhagen, redactor del principal diario de Suecia, el *Dagens Nyheter*, recuerda que, en los setenta, a quien bebía Coca-Cola se le criticaba por fomentar el influjo estadounidense en Suecia, pero eso ha dejado de ser así. «Tengo tres hijos», me dijo, «no recuerdo exactamente cuándo ocurrió, pero en un momento dado empezamos a comprar Coca-Cola para los sábados por la noche, como algo especial. Ahora, si mis hijos no se hubieran ido ya de casa, la Coca-Cola estaría compitiendo con la leche hasta en los días laborables.»

El día que me fui de Agrigento, *La Reppublica* incluía una cita del escritor italiano Umberto Eco: «Hoy en día, cuando un viajero vuelve a casa, no tiene nada que explicar a sus amigos. Porque vaya adonde vaya, la gente se viste y se comporta igual que en su país».[8] Y también hablan igual. Jóvenes de todas partes aprenden inglés y dejan a un lado idiomas que no tienen la misma difusión en el mundo globalizado. Recuerdo (haciéndome eco de un comentario que oí bastantes veces en Sicilia) que el encargado de un restaurante en Agrigento me dijo que ya no hablaba casi nunca en siciliano; hasta con sus padres hablaba en italiano. «No sé muy bien por qué», me dijo. «Simplemente, parece más sofisticado, más moderno.» Reconocía que eso iba a suponer la muerte de esa lengua, algo que le parecía «una lástima», pero no veía ninguna posibilidad de cambio. En la escuela, a los más jóvenes se les enseña inglés, pero no siciliano, y aprenden aún más inglés jugando con sus ordenadores. «Cuando éramos niños», recordaba, «el fútbol era nuestra vida. Nos pasábamos horas y horas jugando y volvíamos sudando a casa. Ahora a los chavales les da por los ordenadores».

Incluso los más críticos con el estilo de vida americano se sienten cautivos del mismo. Hany, el ingeniero cairota que criticaba a los estadounidenses por tener demasiadas marcas de dentífrico, admitía que los egipcios encontraban cada vez menos tiempo para sus seres queridos. «Ustedes inventaron la globalización, su cultura está presente en todo el mundo y aquí no somos ninguna excepción», decía mientras, sin ironía alguna, encendía otro Marlboro. «Los hijos de una cierta edad tienen menos en común con sus padres hoy en día. En los funerales hay la mitad de asistentes que antes: la gente está ocupada con sus vidas, ganando dinero. Nos importamos menos los unos a los otros, pero nos importan más nuestros salarios, nues-

8. La cita de Umberto Eco apareció en *La Repubblica* el 7 de junio de 2001.

tros teléfonos móviles y nuestros televisores. No puedo decir que me guste, pero nos estamos volviendo cada vez más como ustedes.»

¿Necesita el mundo más McDonald's?

Así pues, hay muchas pruebas que demuestran que Beldrich Moldan tenía razón cuando decía que América era el futuro. La globalización es uno de los rasgos definitorios del mundo actual y han sido las empresas, las políticas y los valores estadounidenses los que han impulsado ese proceso. Pero la continuidad de esta globalización americanizada no tiene nada de inevitable, especialmente si tenemos en cuenta que los ataques del 11 de septiembre han sacudido la fe de algunos de sus más destacados partidarios.

La resistencia aumenta no sólo entre los manifestantes de Seattle, Praga, Porto Alegre y otros lugares, cuyas protestas han provocado que los burócratas del Banco Mundial y del FMI tengan que estar a la defensiva. La oposición también procede de corrientes mayoritarias de la sociedad civil y está siendo expresada a través de procedimientos políticos convencionales. Escribo estas líneas la semana en que Italia ha vivido su primera huelga general en veinte años: millones de sindicalistas y simpatizantes ocuparon las calles para oponerse al intento del gobierno de Berlusconi de desregular el mercado de trabajo nacional en nombre de la competitividad global. Y el gobierno laborista británico acaba de anunciar planes para el restablecimiento de servicios públicos como la sanidad, el transporte y otros, devastados tras más de veinte años de recortes presupuestarios; planes que, según propone, se sustentarían en una subida de impuestos, una medida de gran riesgo político.[9]

No se trata de establecer una disyuntiva entre globalización o no globalización; a fin de cuentas, las tendencias tecnológicas y de todo tipo hacen inevitable e imparable la integración global. Se trata, más bien, de determinar el tipo de globalización que queremos seguir.

9. De los planes del gobierno laborista informó el *New York Times* del 18 de abril de 2001.

«Los medios de comunicación siempre intentan ponernos la etiqueta de "antiglobalización"», me comentaba en París Susan George, una de las fundadoras del grupo francés ATTAC (Asociación para una Tasa Tobin de Ayuda a los Ciudadanos). «Pero nosotros nos negamos a eso. No somos antiglobalización; somos projusticia social y prosolidaridad humana. Insistimos en que otro mundo es posible.»

En esencia, los críticos ponen en cuestión el hecho de que la actual variedad de globalización haya castigado a la mayoría —pobre y de clase trabajadora— de la población mundial al tiempo que ha reportado recompensas astronómicas a la élite rica y empresarial. Además, como el modelo del libre mercado valora el crecimiento económico por encima de cualquier otra consideración, tiende a dañar el medio ambiente, desproveer los servicios públicos de la financiación que necesitan y amenazar los derechos humanos y de los trabajadores.

Los críticos acusan a las grandes compañías que impulsan la globalización de provocar una «carrera hacia el fondo»: por una parte, desplazan la producción hacia países que hacen la vista gorda ante las emisiones tóxicas y los talleres de mano de obra semiesclava; por otra parte, fuerzan a los trabajadores de las naciones más ricas a elegir entre salarios más bajos o el desempleo. El llamado «libre comercio», añaden esos críticos, es de todo menos libre. La Organización Mundial del Comercio, según el argumento del economista Martin Khor, «defiende el libre comercio *y* el proteccionismo al mismo tiempo. Defiende un doble rasero por el que se continúa protegiendo a los países ricos de los productos que los países pobres pueden exportar más ventajosamente». Según el Banco Mundial, los países pobres dejan de ingresar 100.000 millones de dólares anuales en exportaciones por culpa de las barreras comerciales de los países ricos.[10]

10. El resumen de las argumentaciones de los críticos contra la globalización se basa en las entrevistas del autor con Susan George, de ATTAC, y con John Cavanagh y Martin Khor, del International Forum on Globalization [Foro Internacional sobre la Globalización], así como en los informes de recomendaciones de dichos grupos, como, por ejemplo, «Does Globalization Help the Poor?», publicado por el IFG en agosto de 2001, o «A Better World Is Possible!», publicado en febrero de 2002 y disponible en la página *web* de dicho grupo, <www.ifg.org>. Véase también *The Case Against the Global Economy: And for a Turn Toward the Local*, recopilado por Jerry Mander y Edward Goldsmith,

Los críticos culpan a los programas de ajuste estructural impuestos por el FMI del empobrecimiento de la clase media rusa en los años noventa (una década en la que el país sufrió un «tratamiento de choque» en su transición a los mercados libres que costó su empleo a millones de personas) y de la miseria generalizada que siguió a la debacle financiera en Asia en 1997. En Indonesia, por ejemplo, la orden de cierre bancario del FMI —en un país que no cuenta con ningún fondo de garantía de depósitos— provocó serios disturbios. El desempleo allí aumentó hasta el 20 % y en un muy breve período de tiempo había ya 100 millones de personas (la mitad del país) viviendo con unos ingresos diarios inferiores a un dólar.

En resumen, según los críticos, el modelo estadounidense de mercado libre ha arrojado los mismos resultados en otros países que en Estados Unidos: riqueza desmesurada para una pequeña élite y estancamiento o una situación peor para casi todos los demás. El propio Banco Mundial ha reconocido que «la globalización parece incrementar la pobreza y la desigualdad». El Informe sobre Desarrollo Humano de las Naciones Unidas de 1999 destacaba que «la diferencia de renta entre el quintil de la población mundial que vive en los países más ricos y el quintil que vive en los países más pobres se duplicó entre 1960 y 1990, y pasó de una proporción de 30 a 1 a una de 60 a 1. En 1998 había vuelto a dispararse, y el hueco se había ampliado hasta la increíble proporción de 78 a 1». Entretanto, los gigantes empresariales controlan una parte cada vez mayor de la economía mundial. El Institute for Policy Studies, un grupo de investigación de centro-izquierda de Washington, D. C., recogía en su estudio «Top 200», del año 2000, que «de las 100 mayores economías del

---

San Francisco, Sierra Club Books, 1996, y *Global Backlash: Citizen Initiatives for a Just World Economy*, recopilado por Robin Broad, Lanham, Maryland, Rowman & Littlefield, 2002. La cita de Khor acerca de un «doble rasero» procede del artículo de Marc Cooper, «From Protest to Politics», en *The Nation*, del 11 de marzo de 2002. El precio de 100.000 millones en el que está valorado el proteccionismo de los países ricos está basado en un estudio del Banco Mundial citado en el número de *Time* del 31 de diciembre de 2001.

mundo, 52 son actualmente corporaciones empresariales; sólo 48 son países».[11] Ese control empresarial no hace más que presagiar mayores desigualdades, ya que dichas corporaciones crecen adquiriendo competidoras y reduciendo plantillas. Así, aunque las doscientas mayores empresas acumulan el 30 % de la actividad económica global, emplean a menos del 1 % de la fuerza de trabajo mundial.

Hizo falta la tragedia del 11 de septiembre para que los proponentes de la globalización comenzaran a admitir que no se trataba quizá de la panacea que habían prometido. De pronto, empezó a crecer la conciencia de que la pobreza, aunque no fuera responsable directa del terrorismo, podía, cuando menos, alimentar la desesperación y la frustración que dan origen a la violencia. Kofi Annan, secretario general de las Naciones Unidas, advirtió a las empresas y a la élite política presentes en el Foro Económico Mundial de Nueva York, en febrero de 2002, de que «muchos comparten la percepción de que [la pobreza extrema y la desigualdad son] culpa de la globalización y que la globalización está siendo impulsada por una élite global (...) representada por las personas que asisten a esta convención». Bill Gates declaró: «Necesitamos debatir si el mundo rico está revirtiendo lo que debería en el mundo en vías de desarrollo».[12] Un mes más tarde, el *New York Times*, adalid habitual de la globalización, informaba de una conferencia de dirigentes mundiales en Monterrey, México, que tenía por fin hablar de formas de lucha contra la pobreza. Los dirigentes reconocían ahora que, según las palabras del *Times*, «la gran mayoría de las personas que viven en África, Latinoamérica, Asia Central y Oriente Medio no están mejor hoy en día de lo que estaban en 1989, cuando la caída del Muro de Berlín hizo posible que el capitalismo se extendiera por todo el mundo a gran velocidad».

Todos éstos han sido sensacionales cambios de opinión, pero está aún por ver qué modificaciones pueden acabar introduciendo en el modelo estadounidense de globalización. Una de las propuestas que

11. El informe del Institute for Policy Studies puede encontrarse en la página *web* de dicho grupo, <www.ips-dc.org>.

12. Las citas de Annan y Gates son del *New York Times* del 5 de febrero de 2002. El reportaje del *Times* sobre la conferencia de Monterrey apareció el 23 de marzo de 2002.

se ha ganado el apoyo no sólo de críticos como ATTAC, sino de dirigentes mundiales como el primer ministro británico, Tony Blair, es la de lanzar un Plan Marshall global que siga el modelo de la iniciativa organizada por Estados Unidos tras la Segunda Guerra Mundial para revitalizar las maltrechas economías de Europa a través de ayudas, inversiones, medidas para paliar la deuda y tratados comerciales y tecnológicos preferenciales. Los jefes de Estado africanos habían postulado una idea parecida con anterioridad a los ataques del 11 de septiembre. Aquel programa proponía que las naciones africanas pusieran orden en su propia casa —deteniendo las guerras y la corrupción, defendiendo los derechos humanos, garantizando la transparencia de las decisiones gubernamentales— a cambio de un considerable incremento en la ayuda procedente de los países ricos para paliar necesidades básicas de desarrollo: sanidad, educación, empleo. Lo que hace falta ahora es llevar esas ideas a la práctica.[13]

Del debate sobre la globalización saldrá el modelo de economía mundial (y, por tanto, de lucha contra la pobreza, las enfermedades, la degradación ecológica y el terrorismo) de los años venideros. Ni que decir tiene que el papel estadounidense será crítico. Como ya ocurre en materia de política medioambiental, Estados Unidos ejerce lo que se puede considerar un poder de veto sobre la política de globalización. Será difícil lanzar un Plan Marshall significativo e invertir la actual «carrera hacia el fondo» si Estados Unidos continúa insistiendo en seguir su propio camino. Así pues, los estadounidenses tenemos que reflexionar acerca del tipo de globalización que deseamos defender. ¿Realmente necesita el planeta más McDonald's o es posible otro mundo?

13. Del plan de desarrollo africano y del apoyo de ATTAC y de Blair a ese «casi» Plan Marshall hubo explicaciones en las ediciones europeas de *Newsweek* del 25 de junio y 30 de julio de 2001, y de *Time* del 13 de agosto de 2001, en el *International Herald Tribune* del 7 de agosto de 2001, y en el discurso de Blair, de septiembre de 2001, ante el congreso del Partido Laborista, del que informaba el *Tribune* del 5 de octubre de 2001.

Capítulo 10

América, la bella

Hay dos recuerdos del viaje que realicé con motivo de este libro que siempre llevaré conmigo. Los dos tienen que ver con volcanes y los dos revelan algo importante sobre Estados Unidos, o al menos eso pienso yo.

En el año 79 de nuestra era, el Imperio romano era la potencia más poderosa de la Tierra. Sus ejércitos no conocían la derrota, su tecnología no tenía parangón y su riqueza sobrepasaba toda medida. Entre sus muchas posesiones estaba la ciudad de Pompeya, un puerto de la costa occidental de Italia a pocas millas de la actual Nápoles. La estratégica ubicación de Pompeya le confería grandes ventajas militares y comerciales, y sus diez mil habitantes disfrutaban de un elevado nivel de vida. El foro de la ciudad estaba inspirado en el de la propia Roma y contenía una espléndida basílica, templos con elevadas columnas jónicas en sus fachadas, estatuas de mármol maravillosamente esculpidas y vistas magníficas del monte Vesubio, cuyo perfil descollaba sobre el horizonte al norte de la ciudad. Las casas de la zona más acomodada disponían de agua corriente, jardines con sombras y fuentes recubiertas de mosaicos de gran riqueza cromática. La calle principal de Pompeya era la via dell'Abbondanza (la calle de la Abundancia).

Pero, de pronto, un día empezó a brotar fuego de la montaña. Primero llegó el sonido: un rugido terrorífico acompañado de potentes explosiones que sacudían la tierra. Luego llegó el río de llamas. Las entrañas del Vesubio escupían rocas volcánicas que, dada la temperatura a la que ardían, se licuaban formando una corriente que se abalanzaba sobre la ciudad, ladera abajo, cubriendo todo lo que hallaba a su paso. La avalancha llegó tan rápido a Pompeya que los lugareños no tuvieron tiempo de escapar. Cuando el volcán se apagó por fin, la ciudad había dejado de existir, sepultada bajo una capa de seis metros de lava y ceniza.

El hecho de que la lava lo cubriera todo de un modo tan completo explica por qué Pompeya es hoy una de las ciudades mejor conservadas de la Antigüedad. Cuando estuve allí de visita, pasear por sus ruinas se me hizo una experiencia agotadora, pero emocionante; un viaje hacia atrás en el tiempo, hacia un pasado que había quedado captado en el instante preciso de la muerte. Todo parecía tan vivo que casi podía ver los espíritus de quienes perecieron aquel día. (De hecho, las figuras de escayola mostraban las posturas en las que murieron algunas de las víctimas, muchas de las cuales, al parecer, dormían.) Lo más llamativo eran los vestigios de la vida diaria; por ejemplo, el *thermopilum*, una especie de pequeña «cafetería» que, como evidenciaban las hendiduras en forma de cuenco en la tabla del mostrador que daba a la via dell'Abbondanza, se especializaba en bebidas calientes. En la misma calle había un lavadero; al doblar la esquina, un burdel de paredes recubiertas de frescos chillones, y al otro lado de la ciudad, un estadio y un espacio para los desfiles de las tropas imperiales romanas. ¡Qué gran parecido entre las costumbres humanas de entonces y las de ahora! Y todo desapareció en un instante.

Tres meses después de mi visita a Pompeya, el imperio americano recibió la descarga de su propio río de fuego particular en la ciudad de Nueva York. Esta vez, la muerte y la destrucción llegaron llevadas de las alas del odio y no de los caprichos de la naturaleza. Las víctimas fueron enterradas vivas bajo ceniza y cascotes no por una casualidad geológica, sino fruto de la intención humana, como consecuencia de un ataque cuidadosamente orquestado y ejecutado a la perfección que pretendía mostrar, en palabras de su cerebro, Osama Bin Laden, que «América es más débil de lo que parece».[1] Murieron miles de personas y millones más fueron presa del terror. Una vez más, se hizo patente la vulnerabilidad de incluso la civilización más rica y

1. De la cita de Osama Bin Laden informaba el *International Herald Tribune* del 13 de septiembre de 2001.

más poderosa, y los supervivientes se vieron inmersos en el dolor, el miedo y el desconcierto.

Todavía es pronto, poco más de un año después, para comprender en su plenitud la trascendencia de los ataques del 11 de septiembre; es imposible saber la importancia que les atribuiremos dentro de veinte años (y aún menos, dentro de dos mil). ¿Han sido un hecho aislado o el primer golpe de una guerra prolongada? ¿Se traducirán en una remodelación de las relaciones de poder internacionales o reforzarán el dominio estadounidense? ¿Estimularán la cooperación contra la pobreza, la enfermedad, la tiranía y otras plagas sociales que, independientemente de sus posibles vinculaciones causales con el terrorismo, son de por sí abominables? ¿O se los invocará como justificación de un mayor militarismo y de mayores restricciones por motivos de seguridad? Todo ello dependerá, en gran parte, de las lecciones que extraigamos de la tragedia, tanto los estadounidenses como las personas de otros países.

Pronto se convirtió en un tópico decir que el 11 de septiembre lo había cambiado todo: se decía que el mundo se había convertido en un lugar diferente a partir de aquel momento. Sin embargo, cuanto más tiempo pasa, menos cierta se antoja esa afirmación. Es el mismo mundo de antes, pero nuestra comprensión del mismo no parece haber mejorado lo más mínimo.

A juzgar por los sondeos, las actitudes del estadounidense medio no han cambiado gran cosa desde los ataques del 11 de septiembre. Los americanos prestamos más atención ahora a las noticias del exterior (lo cual es positivo), pero nuestra opinión sobre lo que ocurre (tanto en nuestro país como fuera de él) no parece haber variado ni un ápice. Las amplias encuestas presentadas en la reunión anual de la American Association for Public Opinion Research, en mayo de 2002, indican que las opiniones de los estadounidenses en temas de religión, política, libertades civiles y otros similares se han mantenido bastante estables desde el 11 de septiembre. Los elevados índices de aprobación de la labor del presidente Bush, por ejemplo, eran consecuencia del respaldo con el que contaba la institución presidencial en momentos de crisis nacional y no del apoyo que despertaban las medidas de este presidente en concreto.

Las opiniones sobre Estados Unidos de las personas de otros países han retornado también a la pauta anterior. «En este momento, todos somos estadounidenses», habían declarado muchos tras el 11 de septiembre. Pero esa solidaridad se disipó rápidamente en cuanto Washington se mostró como el imperio de siempre que todos conocían y por el que no sentían gran aprecio: el imperio que no permite que se cuestionen sus propios intereses, al que no le preocupa lo más mínimo el doble rasero con el que mide a unos y a otros, que siempre está dispuesto a disparar pero nunca a escuchar. Aunque las molestias que se tomó inicialmente la administración Bush para formar una coalición para atacar a Afganistán sonaron tranquilizadoras en otros países, no resultaron ser más que ilusiones: Washington dejó claro que procedería en solitario si hacía falta. Bush denominó «cruzada» a su guerra contra el terrorismo, un término que pronto abandonó ante el temor de que pudiese avivar entre los musulmanes el resentimiento por la dominación cristiana en la era medieval. No obstante, con el paso de los meses y con declaraciones como las del secretario de Defensa, Donald Rumsfeld («si tenemos que ir a diez o a quince países más [a eliminar el terrorismo], debemos hacerlo»),[2] la palabra «cruzada» pareció convertirse en la que describía la respuesta estadounidense con mayor exactitud. Bush lo confirmó de manera contundente con su conocido discurso sobre el «eje del mal» de enero de 2002, en el que dejó claro que Estados Unidos estaba dispuesto a expandir unilateralmente la guerra contra el terrorismo a países como Irak, Irán y Corea del Norte.

«Sorprende lo breve que fue el período de solidaridad y simpatía generalizada con Estados Unidos inmediatamente posterior al 11 de septiembre», publicaba uno de los principales diarios belgas, *De Standaard*, unos días más tarde. Sonaron más alarmas en marzo, cuando se hicieron públicos planes del Pentágono que preveían el uso con fines ofensivos de armas nucleares contra esos tres países, además de Libia y Siria (algo que constituía un rechazo más que rotundo del consenso que había reinado durante tanto tiempo sobre el exclusivo uso

2. Rumsfeld hizo su comentario sobre esos «diez o quince países más» en una rueda de prensa retransmitida por la CNN el 16 de enero de 2002.

disuasorio para el que se suponía que estaban reservadas las armas nucleares). La arrogante unilateralidad de Estados Unidos le mereció incluso la reprimenda de simpatizantes tradicionales, como Anatole Kaletsky, un columnista del *Times* de Londres, habitual proamericano entusiasta. «El mayor peligro para la posición dominante de la que goza Estados Unidos hoy en día no proviene del fundamentalismo islámico», escribió Kaletsky. «El mayor peligro lo constituye la arrogancia del poder estadounidense.»[3]

Pero Washington no había hecho más que empezar. En abril, la administración Bush forzó la destitución del científico que dirigía el Panel Intergubernamental sobre Cambio Climático (había contrariado a Exxon Mobil), así como la del director de la Organización para la Prohibición de Armas Químicas (suponía un obstáculo para los planes americanos en Irak). Se negó a ratificar el Tribunal Penal Internacional: en una medida sin precedentes, llegó incluso a revocar la firma del tratado que hiciera el presidente Clinton.[4] Más espectacular fue el modo en el que la administración desoyó repetidas veces los llamamientos internacionales a intervenir de manera disuasoria en la horrible escalada de violencia en Oriente Medio; en su lugar, insistió en llevar adelante sus planes para atacar a Irak, unos planes que despertaban antipatías en todo el mundo. Cuando el incremento de las cifras de muertos obligó por fin a fijar la atención en Cisjordania, Washington volvió a quedarse solo en su apoyo a la invasión israelí de ciudades palestinas como represalia por los reiterados atentados suicidas. Las opiniones pública y oficial de prácticamente todos los países del mundo consideraban que Israel estaba yendo demasiado lejos, pero Bush parecía más preocupado por evitar que los republicanos derechistas lo criticaran por escatimar apoyos a Israel.

Al cumplirse seis meses del 11 de septiembre, el presidente se comprometió a conducir a la humanidad hacia «un mundo de paz, más

3. La cita de *De Standaard* aparecía citada en una noticia de Oliver Libaw en ABC-News.com, del 27 de febrero de 2002. El artículo de Kaletsky fue publicado el 7 de febrero de 2002.

4. Véanse los antecedentes de las medidas de Bush respecto al PICC, al OPAQ y al TPI, en el *New York Times* del 23 de abril de 2002, y *The Nation*, el 29 de abril de 2002.

allá del terror», en el que «las disputas serían dirimidas dentro de los límites de la razón, la buena voluntad y la seguridad mutua». Pero los consejeros de Bush habían dejado claro por su cuenta que aspiraban a la continuación del dominio estadounidense sobre el resto del mundo. La consejera de Seguridad Nacional, Condoleezza Rice, comparó la situación actual con la inmediatamente posterior a la Segunda Guerra Mundial. Del mismo modo que cincuenta años atrás la amenaza del comunismo llevó a que otras naciones se alinearan bajo el liderazgo estadounidense en la Guerra Fría, la amenaza actual del terrorismo justifica, según Rice, una nueva fase de liderazgo americano.[5] La administración Bush esperaba, al parecer, que la guerra contra el terrorismo se convirtiera en el principio estructural de la política exterior de Estados Unidos, al igual que lo fuera anteriormente la Guerra Fría. Es como si no hubiera bastado con una Guerra Fría; es probable, incluso, que las afirmaciones de algunos altos funcionarios de la administración Bush en el sentido de que la guerra contra el terrorismo puede durar otros cuarenta o cincuenta años no hayan sido fruto de la casualidad.

Todo esto tiene profundas implicaciones, tanto para los estadounidenses como para los no estadounidenses. Dentro de Estados Unidos, la guerra de Bush contra el terrorismo ha sido ya esgrimida como justificación para el asalto sin precedentes que han experimentado las libertades civiles —la mayor virtud de América—. Entretanto, hay otras necesidades urgentes a nivel interno (como un sistema sanitario para una población que envejece con rapidez, una buena formación ocupacional para la clase marginada o mayores inversiones en energías renovables) que están siendo sacrificadas ante el altar de ese sistema de protección estatal a las grandes empresas conocido como presupuesto de defensa. La primera Guerra Fría convirtió en permanente aquel «complejo industrial-militar» contra el que advirtiera el presidente Dwight Eisenhower en su discurso de despedida, en 1960. Cuarenta y dos años después, el presupuesto del Pentágono

5. De los comentarios de Rice informó el *New Yorker* del 1 de abril de 2002. Donald Rumsfeld también equiparó la guerra contra el terrorismo con la Guerra Fría en una rueda de prensa el 8 de octubre de 2001.

guarda una relación muy poco racional con las necesidades militares de la nación. Las presiones de los fabricantes de armas, del ejército y de congresistas ansiosos por proporcionar puestos de trabajo a sus electores, hacen que el gasto se mantenga en niveles elevados, sean cuales sean las amenazas a las que se enfrente Estados Unidos. (De un modo u otro, los dividendos de la paz prometidos al acabar la Guerra Fría nunca llegaron a materializarse.) Esto es algo que, por un lado, empobrece a América y, por el otro, amenaza al resto del mundo. Porque, ¿para qué sirve tamaño ejército si no sale nunca de su país?

El público estadounidense se ha mostrado siempre temeroso ante las intervenciones militares en otros países desde lo de Vietnam, pero algunos funcionarios de la administración Bush han explicado confidencialmente a algunos periodistas que el 11 de septiembre lo ha cambiado todo: ahora que Estados Unidos ha sido atacado directamente, suponen que los estadounidenses estarán dispuestos a aceptar bajas en combate.[6] Así que la probabilidad de que se produzcan intervenciones militares en el extranjero en los próximos años es elevada. Y dado que tales operaciones alimentarán las iras de los supervivientes contra Estados Unidos, aumentarán las probabilidades de que se produzcan represalias terroristas. Washington invocará tales represalias para justificar intervenciones adicionales, con lo cual, se perpetuará un círculo vicioso. Es el síndrome del *blowback*, pero elevado a la enésima potencia.

En el mismo momento en que este libro estaba preparado para entrar en prensa, la administración Bush daba al militarismo agresivo carácter de doctrina oficial. En un discurso en la ceremonia de graduación de los cadetes de la Academia Militar de Estados Unidos, en junio de 2002, el presidente Bush anunció que, a partir de entonces, América atacaría a sus supuestos enemigos de forma preventiva, antes de que ellos pudieran atacar a Estados Unidos. Según esa doctrina, Washington no volverá a ser sorprendido de nuevo, dormido

6. Los comentarios de administración acerca de la supuesta nueva disposición de los estadounidenses a apoyar guerras en el extranjero se hallan en el *New Yorker* del 1 de abril de 2002.

mientras otros preparan ataques encubiertos como los del 11 de septiembre o Pearl Harbor. Estados Unidos pasará a la ofensiva, golpeando cuando lo considere necesario, con independencia de sutilezas tales como el derecho internacional o las negociaciones diplomáticas. Irak parece tener más números que ningún otro para ser el primer blanco, pero en la nueva doctrina tienen cabida los ataques contra toda clase de potencias, estatales o no. ¡Eso sí que es disparar primero y preguntar después! ¿Podía el alto mando de Bush haber diseñado una doctrina con mayores probabilidades de distanciar a sus aliados, enfurecer a sus enemigos (reales o imaginarios) y desestabilizar las relaciones internacionales? Sin embargo, la doctrina Bush no provocó crítica alguna en el seno de la élite política del país. Aparentemente, ni la prensa ni los demócratas vieron nada de extraño en el hecho de que Washington se autodesignara juez, jurado y verdugo del mundo.

Bienvenidos al siglo XXI

Cuando el Vesubio sepultó Pompeya, los antiguos se culparon a sí mismos. Les parecía evidente que una tragedia así sólo podía significar que habían ofendido terriblemente a los dioses. Estados Unidos ha adoptado el enfoque contrario: somos inocentes, los ataques del 11 de septiembre demostraron ser especialmente perversos y Dios está con nosotros y con la respuesta que decidamos dar a esa ofensa. Un síntoma de nuestra reacción fue la rapidez con la que «God Bless America» [«Dios bendiga a América»] se convirtió en una especie de himno nacional tras el 11 de septiembre. Lo cantaban hasta figuras de la contracultura, como Willie Nelson, y ningún partido de las Series Mundiales de béisbol que se preciara podía estar completo sin él. En el primer partido, justo después de una aparición en pantalla del presidente Bush, en la que garantizaba a todos los espectadores de ese ritual tan americano que «derrotaremos a los malvados», el público del estadio se puso en pie, ondeó banderas estadounidenses y unió sus voces a la de Vanessa Williams mientras ésta entonaba armoniosamente el ruego de que el Todopoderoso «se mantenga a nuestro lado y nos guíe por la noche con una luz desde lo más alto». En una de las pancartas del público se leía: «América no le teme a nadie. Que empiece el partido».

La fe religiosa y el fervor patriótico han ayudado sin duda a Estados Unidos a sobrellevar el difícil período que siguió al 11 de septiembre. Los ataques sirvieron, sin quererlo, para renovar un sentimiento de unidad nacional que, antes de esa fecha, se hallaba un tanto marchito. Muchos americanos se sintieron orgullosos de ser odiados por hombres tan despreciables como Bin Laden y sus seguidores. Pero ese complejo de superioridad tenía también sus inconvenientes, puesto que hacía que muchos estadounidenses no fueran capaces de ver las implicaciones más amplias de la tragedia.

El resurgimiento tan inmediato del antiamericanismo entre nuestros aliados más próximos poco después del 11 de septiembre (alguien podría haber pensado) debería haber llamado a Estados Unidos y a su gente a reflexionar. Pero no. La mayor parte de los comentarios (al menos, los de los miembros de la élite política y mediática del país) ha evitado toda introspección crítica acerca de las relaciones de Estados Unidos con el resto del mundo. En una carta publicada en el *Financial Times* de Londres poco después de los ataques, Allan Wendt, ex embajador de Estados Unidos en Eslovenia, recordaba que, además de perseguir a los asesinos, «América necesita hacer un poco de examen de conciencia, un análisis sin tapujos del modo en el que nos ven los demás y de por qué nos ven así, si es que queremos afrontar de forma eficaz e inteligente el terrible dilema al que nos vemos abocados hoy en día». Sugería también que «debemos evitar las pretensiones de superioridad moral, y la convicción de que siempre tenemos razón y de que la nuestra es la única forma de hacer las cosas».[7] Por desgracia, no hemos hecho nada de eso. La creencia imperante es que Estados Unidos fue víctima de una injusticia, punto, y que quienquiera que proponga un examen de conciencia no hace más que culpar a la víctima.

7. La carta del embajador Wendt fue publicada el 17 de septiembre de 2001. El embajador confirmó en una entrevista con el autor que había hecho públicas otras denuncias con anterioridad.

Es un problema delicado, porque América fue realmente víctima de una injusticia y porque Bin Laden dejó muestras patentes de su maldad. Tanto él como sus secuaces deben ser castigados y debe plantearse algún tipo de disuasión para ese tipo de ataques de cara al futuro. La pregunta es cómo hacerlo. Desgraciadamente, lo más probable es que el enfoque que estamos adoptando actualmente empeore las cosas en vez de mejorarlas.

Estados Unidos se enfrenta a una contradicción desconcertante: de acuerdo con todas las medidas tradicionales, somos el imperio más poderoso de la historia humana, pero, sin embargo, la humanidad ha entrado en una era en la que ningún país, por muy poderoso que sea, puede defenderse de modo adecuado contra las amenazas actuales a la salud y la seguridad. Nos hemos convertido en la última gran superpotencia justo en el momento en el que las superpotencias han empezado a hacerse obsoletas.

A pesar de haber pasado desapercibido, uno de los acontecimientos más reveladores del período inmediatamente posterior al 11 de septiembre tuvo lugar el 9 de octubre de 2001, cuando el presidente Bush se reunió con el secretario general de la OTAN, Lord Robertson, en la Casa Blanca. En la rutinaria nota de prensa posterior, Bush señalaba que, por primera vez en sus cincuenta y dos años de historia, la OTAN estaba acudiendo en defensa de Estados Unidos. Bush no dio síntoma alguno de haber comprendido la monumental trascendencia de este hecho y la información recogida en los medios de comunicación, tanto en Estados Unidos como en Alemania (donde me encontraba en aquel momento), también lo pasaba por alto centrándose en el acuerdo de ambos dirigentes acerca de una guerra en Afganistán. Pero, sin duda, la noticia más importante era que Estados Unidos, que había fundado la OTAN para defender a Europa de un posible ataque soviético durante la Guerra Fría, era ahora la que necesitaba ser defendida. Hay momentos en la historia en los que un solo acontecimiento cristaliza toda una tendencia más amplia y éste parecía ser uno de ellos.

La inversión de papeles de la OTAN ilustraba lo que algunos analistas habían sostenido durante años: los principios por los que se había regido durante la Guerra Fría estaban desfasados. La fuerza militar ya no garantiza la supremacía: el 11 de septiembre, el ejército más potente del mundo fue incapaz de frenar a un puñado de asesinos armados únicamente con *cutters* y dispuestos a morir por la causa. La soberanía nacional, aunque siga siendo relevante, ya no es decisiva en la era de las comunicaciones por Internet, de los mercados financieros de 24 horas y de los sistemas globales de producción industrial. Las amenazas de los nuevos tiempos son globales y pueden ser combatidas únicamente a nivel global. El cambio climático, por ejemplo, puede arruinar economías enteras y colapsar la producción de alimentos sin que se dispare un solo tiro, y sólo la acción conjunta para reducir las emisiones de gases invernadero puede reducir ese riesgo. El sida, la malaria y otras enfermedades que han excedido la capacidad de los inadecuados sistemas de sanidad pública del Tercer Mundo, no conocen fronteras, del mismo modo que los inmigrantes, desesperados ante la pobreza y la opresión, cruzan esos límites fronterizos en masa. Por sí solo, ningún país puede defenderse de tales amenazas, ni siquiera Estados Unidos. Bienvenidos al siglo XXI.

Ante todos esos cambios, la administración Bush sigue comprometida con una política exterior unilateral, coactiva, que promete empeorar la situación global de los americanos y los no americanos por igual. En vez de atacar la pobreza y la injusticia a fin de secar las fuentes de las que bebe el terrorismo, la preferencia que muestra Bush por la rotundidad diplomática fomentará un mayor *blowback*. En lugar de proteger los ecosistemas naturales que hacen posible la vida en la Tierra, su negativa a limitar las emisiones de gases invernadero (o, dicho de otro modo, a incomodar a las industrias contaminantes) promete acelerar el declive. En vez de reducir el desmesurado hueco que separa a ricos de pobres, en aras tanto de la decencia humana como de la estabilidad social, el proyecto liberal de desarrollo de Bush lo incrementará.

Kofi Annan hace bien en advertir que la pobreza, por sí sola, no causa el terrorismo. «Los pobres ya tienen suficientes cargas para que encima se les considere unos terroristas potenciales sólo porque son pobres», declaró el secretario general de las Naciones Unidas en un discurso de marzo de 2002. Pero Annan añadió: «Allí donde existen desigualdades políticas, económicas y sociales masivas y sistemáticas, y donde no se cuenta con ningún medio legítimo para hacerles frente, se crea un entorno en el que las soluciones pacíficas tienden a ser derrotadas por las alternativas extremistas y violentas».[8] El reconocimiento de esa verdad ayudó a que la cuestión de la pobreza volviera a la agenda global tras el 11 de septiembre (hasta los principales dirigentes empresariales y económicos empezaron a mostrar, de pronto, un interés renovado en los argumentos que los defensores de las políticas de desarrollo llevaban años propugnando).

Bush, sin embargo, no se dejó comprometer. Sus consejeros se aseguraron de que pareciera preocupado por la cuestión organizando un acto que le permitió compartir foto con Bono, estrella de *rock* y defensor de la condonación de la deuda externa. En ese acto, Bush propuso aumentar el presupuesto federal en ayuda exterior en 10.000 millones de dólares en los tres años siguientes. Pero comparemos eso con su propuesta de gasto militar y veremos lo diáfanas que se nos revelan las prioridades de su administración. Bush pidió incrementar el ya de por sí descomunal presupuesto militar de Estados Unidos en 48.000 millones de dólares anuales, una cantidad mayor que la del presupuesto militar *total* de cualquier otro país de la Tierra y doce veces superior anualmente a la del incremento de la ayuda al desarrollo por él propuesto. Además, Bush condicionó esa ayuda exterior adicional a la aceptación por parte de las naciones pobres de más políticas de libre comercio, las mismas que han reventado las redes de protección social de dichos países, además de haber devastado sus sectores agrícolas y de haber reforzado la influencia de las corporaciones multinacionales sobre sus economías. «Si queremos ir en serio en el tema de la pobreza», declaró Bush, «debemos tomarnos en serio la expansión del comercio.»

Bush es un derechista, así que es natural que adopte una visión del mundo favorable a las grandes empresas. Pero vale la pena apuntar que, frente a problemas comunes, los conservadores de otros países propugnan enfoques más matizados y más generosos. El presidente francés, Jacques Chirac, ha propulsado un incremento expansivo de

8. Los comentarios de Annan acerca del terrorismo y la pobreza fueron recogidos en el *New York Times* el 7 de marzo de 2002.

determinadas partidas de la ayuda exterior que será financiado mediante impuestos a las mismas grandes empresas que tan ampliamente se benefician de la globalización. En Alemania, Edmund Stoiber, el rival conservador del canciller Gerhard Schröder, cuestionó la prudencia de una guerra para derrocar a Sadam Husein, a pesar de que, en otro orden de cosas, Stoiber pedía un estrechamiento de las relaciones entre Alemania y Estados Unidos.

En lo que respecta al terrorismo, Bush piensa, al parecer, que se trata de actos perpetrados por personas «malvadas» a las que sólo se puede poner freno haciendo caer sobre ellas el mayor arsenal de fuego posible. Otros conservadores, sin embargo, reconocen que la lucha debe tener dos frentes: debe combinar la amenaza de una labor policial efectiva (consistente no en bombardeos masivos e invasiones, sino en tareas de vigilancia y en arrestos específicos y limitados) con el incentivo de la democracia y el desarrollo. «El único modo de combatir el terrorismo a largo plazo es combatir las causas del terrorismo», ha defendido Quentin Peel, articulista del *Financial Times.* «Eso significa abordar la miseria y la desesperación de países como Afganistán. Significa intentar por todos los medios llevar la paz a Oriente Medio. (...) Combatir a los terroristas con los instrumentos de guerra tradicionales no funcionará. Sólo conseguirá que crezcan en número.»[9]

Oriente Próximo es una prueba desgarradora. La línea dura adoptada por el Israel del primer ministro Ariel Sharon no ha hecho más que cebar la rabia y la frustración palestinas, con lo cual están garantizadas más represalias y mayor derramamiento de sangre. El terrorismo no tiene excusa, pero sí explicación. Cuando las personas sufren injusticias y opresión, cuando sus tierras están siendo ocupadas, cuando experimentan una humillación constante, cuando se les golpea (o cosas peores) por expresar opiniones políticas disidentes, la violencia puede parecerles su única alternativa. Y si se enfrentan a un oponente infinitamente mejor armado, la violencia puede ser expresada a través de terrorismo dirigido contra la población civil.

9. De las opiniones de Chirac informó el *New York Times* el 21 de marzo de 2002. El artículo de Peel apareció en el *Financial Times* el 17 de septiembre de 2001.

Los atentados suicidas son condenables, pero la tentación de cometerlos seguirá existiendo mientras no se trate de solucionar las injusticias subyacentes.

La mejor vacuna contra el terrorismo es la democracia real, algo que debería ser, precisamente, el punto fuerte de Estados Unidos (y que, en ocasiones, lo es). Pero ninguno de nuestros aliados en Oriente Medio es una democracia real (Israel es lo más cercano a la misma, pero la privación de derechos políticos a la que somete a los palestinos desdice sus prácticas parlamentarias) y nuestra trayectoria ha estado también llena de irregularidades en otras áreas geográficas. En nombre de la lucha antiterrorista, la administración Bush ha aumentado considerablemente su respaldo a los dictadores que gobiernan las ex repúblicas soviéticas del Asia Central: Uzbekistán, Kazajstán, Tayikistán, Turkmenistán y Kirguizistán. Como señalaba el reportero Christian Caryl en *The New York Review of Books*, «el ejemplo más flagrante es que Estados Unidos no ha escatimado elogios ni prebendas para [el presidente Islam] Karimov, de Uzbekistán, a pesar de los análisis devastadores, dignos de toda credibilidad, que de su comportamiento han hecho los grupos de defensa de los derechos humanos, que acusan a sus fuerzas de seguridad del asesinato, secuestro, encarcelamiento y tortura sistemáticos de oponentes políticos, reales o supuestos». El resultado, añadía Caryl, es que los descontentos de Uzbekistán acabarán viéndose impelidos «hacia las únicas alternativas políticas suficientemente radicales como para plantear algún tipo de resistencia».[10]

Washington justifica su respaldo a dictadores diciendo que se trata de realismo geopolítico, pero cambia de parecer cuando la conducta antidemocrática procede de gobiernos que amenazan los intereses de las grandes empresas estadounidenses. Estados Unidos fue la única nación del hemisferio occidental que no sólo no condenó, sino que recibió de buen grado el golpe de abril de 2002 que derrocó durante unas horas a Hugo Chávez, presidente electo de Venezuela. De hecho, Washington financió a algunos de los grupos que

10. El artículo de Caryl apareció en el *New York Review of Books* del 11 de abril de 2002.

se encontraban detrás de la destitución de Chávez (por increíble que parezca, mediante el National Endowment for Democracy [Fondo Nacional para la Democracia]).[11]

Hay diversos motivos por los que los imperios son rara vez del agrado de sus súbditos y Estados Unidos parece en ocasiones decidido a poner a prueba todos y cada uno de ellos. Si un país avasalla a otros, cabe esperar que coseche rencores por ello, especialmente cuando ese país se niega a admitir (incluso para sus adentros) que los está avasallando. Lo cierto es que Estados Unidos —o, para ser más exactos, su gobierno, su ejército y sus empresas— enfurece a muchas personas de todo el mundo. La mayor parte de esas gentes no tiene ni la capacidad ni el deseo de contraatacar como hizo Bin Laden, pero eso no significa que acepten el dominio estadounidense de buen grado ni que algunas de ellas, las más extremistas, no intenten acciones más contundentes. Mejorar la seguridad contra posibles ataques terroristas es del todo esencial, pero no hay ninguna defensa infalible y revocando nuestra *Bill of Rights* sólo lograremos empeorar las cosas. A fin de cuentas, las agencias encargadas de la seguridad de Estados Unidos poseían informaciones suficientes con anterioridad al 11 de septiembre que indicaban la inminencia de un ataque terrorista. Lo que ocurrió, sencillamente, fue que los funcionarios responsables no ataron cabos a tiempo. Desgraciadamente, esos mismos funcionarios tendrán ocasión posiblemente de enmendar errores en el futuro, porque es más que probable que las propias políticas estadounidenses acaben incitando más ataques terroristas.

Dificultades y finales felices

Una tarde, cuando ya estaba a punto de acabar el libro, vino un mensajero de FedEx con un envío de Nueva York. El paquete pesaba más de lo habitual y cuando se enteró de que era un manuscrito con correcciones me preguntó de qué iba el libro.

11. Del apoyo financiero estadounidense a los grupos que estaban detrás del derrocamiento de Chávez informó el *New York Times* el 25 de abril de 2002.

«De por qué Estados Unidos fascina y enfurece al resto del mundo», le respondí.

Sin levantar la vista de su bloc de albaranes, el mensajero de Fed Ex replicó: «Porque somos ricos y arrogantes».

No se trataba de ningún radical. De piel aceitunada y ancho de cintura, rondaba los sesenta y trabajaba duro para ganarse la vida. Creo que su comentario me caló por dos motivos. Primero, porque contradecía el estereotipo del americano cruel que se deleita en el poder desmesurado de Estados Unidos. Existe gente así, pero hay otros muchos estadounidenses que piensan de modo diferente. Segundo, porque sólo respondió a la mitad negativa de la dialéctica americana, la que habla de enfurecer al mundo: fue como si no hubiese oído la parte sobre la fascinación que despertamos. Es una lástima. Es importante que los estadounidenses recordemos la multitud de virtudes y bellezas de nuestra nación, no sólo en aras de la exactitud, sino porque esas virtudes son las que hacen que nos importen los defectos de nuestro país y las que nos motivan a que intentemos corregirlos.

Las personas de otros países se dan cuenta a veces de ese carácter dual de Estados Unidos mejor que los propios estadounidenses, quizá porque establecen una distinción crucial entre América y los americanos. En buena parte del mundo, Estados Unidos es tenido por un bravucón arrogante y peligroso. Pero también es considerado un lugar emocionante, una fuente de inspiración, que combina la libertad personal y la abundancia económica con una energía y una inventiva estimulantes. Aunque, a veces, la ingenuidad y la zafiedad de los estadounidenses puedan resultar exasperantes en otros países, lo más habitual es que se respire en ellos una admiración afectuosa por nuestra simpatía, nuestro optimismo y nuestra sencillez. Después de todo, Estados Unidos es el crisol del mundo. Aquí se pueden encontrar casi todas las nacionalidades y razas del planeta, y es precisamente el resultado del genio estadounidense a la hora de tomar las tradiciones del resto de países y transformarlas en una mezcla totalmente original el que se comparte luego con el mundo.

Ahora que el libro está ya casi terminado, pido perdón por sus deficiencias (es el inevitable lamento del escritor). Espero que deje a los lectores extranjeros al menos un poco mejor preparados para la vida a la sombra del águila. Pero, en última instancia, estoy convencido de que los estadounidenses podemos aprender tanto de las personas de otros países como ellas de nosotros y la siguiente es una buena lección inicial: Estados Unidos es más que su política exterior. Puede que la mayor mentira que se le explicó al pueblo americano en los momentos inmediatamente posteriores al 11 de septiembre fuera que aquellos ataques terroristas eran prueba de que «ellos» nos odian. Pero el mundo no nos odia (no a nosotros, al pueblo americano). Son nuestro gobierno, nuestro ejército y nuestras grandes empresas los que sacan de quicio a los extranjeros y, generalmente, por motivos más que sobrados. Si los estadounidenses somos capaces de reconocer esa diferencia, comprenderemos mejor por qué nuestro país disfruta de una reputación ambivalente allende nuestras fronteras. Nos daremos cuenta, también, de que «patriotismo» no es un término sinónimo de «progobierno» y nos sentiremos más facultados para desafiar aquellas actuaciones estadounidenses oficiales que no cuenten con nuestro apoyo.

Y es que los americanos no podemos eludir cierta responsabilidad por lo que se hace en nombre nuestro por todo el mundo. En una democracia, aunque esté tan corrompida como la nuestra, la autoridad última está depositada en el pueblo. Facultamos al gobierno con nuestros votos, lo financiamos con nuestros impuestos, lo reforzamos con nuestro consentimiento silencioso. Si mostramos pasividad ante las acciones oficiales estadounidenses en el exterior, las suscribimos a todos los efectos.

El primer reto que tenemos los estadounidenses es el de informarnos mejor de lo que ocurre en el mundo y del papel que esté jugando nuestro país en ello. No es fácil, porque la información que nos es más inmediata es la de nuestros medios de comunicación y a éstos los compromete su naturaleza empresarial y su perspectiva amable con el orden establecido. Por su escaso distanciamiento crítico habitual, es como si nuestros medios fueran unos órganos más del gobierno. (De ahí que los índices de aprobación del 75 % que revelan los sondeos no signifiquen, como se supone habitualmente, que los estadounidenses aprueben sin reservas el modo en el que Bush aborda la guerra contra el terrorismo o las tareas de gobierno en general.

Los resultados de los sondeos son simplemente un reflejo de la información sobre la que están basadas las opiniones en ellos vertidas, y la ausencia de críticas significativas dirigidas a Bush desde las filas demócratas o desde los medios ha hecho que los estadounidenses desconozcan otras posibles opciones alternativas. No hay más que darse cuenta de cómo la anterior aprobación de la que gozaban el FBI y la CIA se vino abajo después de que se hicieran públicos los errores que cometieron ambos organismos en el tratamiento de las pistas relacionadas con el 11 de septiembre.) Pero dentro de las empresas mediáticas trabajan periodistas honestos y si se sabe leer entre líneas, se puede hallar mucha información. Además, en la era de Internet, hay medios alternativos —ya sean revistas políticas o páginas *web* de grupos activistas— accesibles con sólo un clic de ratón; e igual de accesibles son las organizaciones informativas extranjeras, las cuales ofrecen información de gran calibre profesional, no contaminada por un exceso de devoción hacia el modo de pensar de Washington.

Este libro ha puesto de relieve una serie de graves problemas a los que se enfrenta Estados Unidos. Nuestra política exterior es, con frecuencia, arrogante y cruel y amenaza con «volverse» en contra nuestra de forma atroz. Nuestra definición consumista de la prosperidad nos está matando a nosotros y, quizás, a todo el planeta. Nuestra democracia es una vergüenza para el mundo: una guarida de burócratas inveterados y sobornos legales. Nuestros medios de comunicación son un insulto al sagrado concepto de la libertad de prensa. Nuestras preciadas libertades civiles están sometidas a asedio, nuestra economía nos está dividiendo en ricos y pobres, nuestras actividades culturales señeras son ir de compras y ver la televisión. Y, para colmo, nuestra élite empresarial y política insiste en que el nuestro sea el modelo de todo el mundo por obra y gracia de la globalización que impulsan las grandes corporaciones.

No obstante, de todos los problemas, el que puede reportar consecuencias más catastróficas es el hecho mismo de que desconozcamos que dichos problemas existen. ¿Cómo vamos a arreglar lo que no sabemos que está estropeado? ¿Cómo vamos a tener un debate sincero sobre nuestra política exterior si ni siquiera admitimos que somos un imperio? ¿Cómo vamos a solucionar nuestros atolladeros económicos si no podemos hablar inteligentemente sobre el capitalismo ni reconocer que el mercado puede producir resultados tanto buenos como malos? ¿Cómo vamos a hacer frente a ninguno de esos problemas si nos fiamos de las fantasías reconfortantes transmitidas por nuestro sistema mediático, que sólo sirven para apartar nuestra atención de lo que es realmente importante y para confundirnos a la hora de determinar qué es cierto y qué no lo es?

Así pues, a mi entender, el primer asunto en la agenda de prioridades es que los estadounidenses empecemos a hablar. Nos haríamos un favor a nosotros mismos (y al mundo) si apagáramos la televisión, analizáramos los problemas y las posibilidades que hay ante nosotros y empezáramos a debatir qué hacer al respecto. Como individuos, podemos iniciar el proceso hoy mismo. Como sociedad, nos resultará difícil mientras nuestros sistemas mediático y político sigan estando dominados por sus actuales gobernantes. Cómo reformar esos sistemas excede el ámbito de este libro, pero tenemos fácilmente a nuestro alcance las herramientas para ello: están en los derechos garantizados por nuestra Constitución, en los esfuerzos de los múltiples grupos e individuos que ya están abordando esos problemas, en los inspiradores ejemplos (de los que nuestra historia ofrece repetidas muestras) de movimientos sociales parecidos que hicieron prevalecer su causa.

En Estados Unidos necesitamos una revolución. No una revolución de violencia y desorden, sino de valores y modos de pensar, una que nos haga recordar nuestros orígenes. Nuestro país nació de una revolución. Aquélla estuvo dedicada a la libertad y la justicia y se basó en la idea de que todos los ciudadanos podían unirse como iguales para gobernarse a sí mismos. Ésa era una idea radical en 1776 y sigue siendo una idea radical hoy en día (y una por la que vale la pena luchar). Resultará indudablemente difícil recuperar nuestra democracia y darle nuevamente un carácter del que estar orgullosos. Pero soy lo suficientemente estadounidense como para saber que las pruebas difíciles pueden tener final feliz.

Lo cual me lleva al segundo de los volcanes de los que hablaba al principio del capítulo. Éste estaba en Hawai y lo vi justo al final de mi viaje, en el camino de vuelta a casa desde Japón. Se llama Mauna

Kea y se cree que es la mayor montaña de la Tierra (medida desde el fondo del océano y no desde el nivel del mar). A diferencia del Vesubio, se trata de un volcán en activo, así que programé mi visita de manera que pudiese llegar allí el anochecer, cuando la visibilidad suele ser óptima.

Conduje a través de la última selva tropical húmeda que queda en Estados Unidos. Fui alternando el sol con los aguaceros y la bruma, y, en espacio de media hora, fui obsequiado con ocho arco iris completos diferentes, de sensacional colorido todos ellos. En el propio volcán, tuve la suerte de encontrarme con un guarda forestal que acababa de instalar un aparato visor. A través del mismo, vi (a quizá media milla de distancia) cómo una lengua incandescente de color rojo salía disparada por la ladera que quedaba a mi izquierda. Segundos después, el guarda me alertó de una segunda lengua que estaba emergiendo de la tierra, al borde del océano. Pasaron unos minutos y, de pronto, la segunda lengua se abrió en tres diferentes. Y algunos minutos después, dos llamas más que venían de más arriba se unieron a la primera, y luego, tres más. De pronto, parecía como si en la cresta de la montaña ardieran seis hogueras diferentes.

Estaba absorto, vencido por una sensación de aturdimiento y dicha al mismo tiempo. Ver ante mí las entrañas de la tierra al rojo vivo me resultaba maravillosamente primario. Ya había oscurecido por completo y, al darme la vuelta para irme, pude apreciar en el cielo un pálido resplandor naranja que coronaba el perfil del volcán. El guarda dijo que se había formado todo un lago de lava que se reflejaba en las nubes. Mientras, la luna llena había salido e irradiaba un brillo encandilador sobre el océano. Hasta el propio guarda estaba impresionado. Cuando pasé a su lado, me dijo: «Tiene usted suerte: ésta es una noche especial».

Pero lo más asombroso aún estaba por llegar. Cuando conducía de vuelta por la selva, digiriendo todavía las maravillas que acababa de contemplar, tuve la impresión de ver un arco iris a lo lejos. ¿Pero cómo podía ser? Era noche cerrada. Pensé que estaba viendo visiones o el efecto de alguna mancha que habían dejado los limpiaparabrisas en el cristal del coche. A continuación, la carretera torció y el parabrisas se despejó, pero el arco iris seguía allí: un arco de tres líneas grises (una clara, otra oscura y otra plateada) que se extendían de una punta a otra del horizonte. Y allí continuó hasta que, cinco minutos después, mi vehículo dejó la selva atrás: se trataba de mi primer arco iris lunar.

Yo no sabía ni que los arcos iris lunares existieran y resultan ser ocurrencias muy poco frecuentes. Pero la vida está llena de sorpresas, algunas de ellas, muy agradables. Si los volcanes pueden ser hermosos y mortales a la vez, ¿por qué no puede Estados Unidos ser sabio y poderoso, generoso y rico, magnánimo y orgulloso, al mismo tiempo? A pesar de todos sus defectos, este país sigue siendo un lugar en el que pueden ocurrir cosas asombrosas.

Índice analítico y de nombres